SAMMLUNG METZLER

REALIEN ZUR LITERATUR

ABT. D:

LITERATURGESCHICHTE

HELMUT DINSE
SOL LIPTZIN

Einführung in die jiddische Literatur

MCMLXXVIII
J. B. METZLERSCHE VERLAGSBUCHHANDLUNG
STUTTGART

Die Verfasser danken Dagmar Hoffmann-Fracchetti für ihre Mitarbeit.

CIP-Kurztitelaufnahme der Deutschen Bibliothek

Dinse, Helmut
Einführung in die jiddische Literatur / Helmut Dinse; Sol Liptzin. – 1. Aufl. – Stuttgart: Metzler, 1978.
(Sammlung Metzler: M 165: Abt. D, Literaturgeschichte)
ISBN 3-476-10165-7

NE: Liptzin, Sol:

ISBN 3 476 10165 7

M 165

 Satz und Druck: Gulde-Druck, Tübingen.
Printed in Germany

INHALT

Teil II

Die neuere jiddische Literatur

(Sol Liptzin)

Vorwort

Die jiddische Literatur ist das Ausdrucksmittel des aschkenasischen Judentums, das am Vorabend des Zweiten Weltkrieges durch etwa zehn Millionen Juden, vornehmlich ost- und mitteleuropäischer Provenienz, repräsentiert wurde. Die in ihr zum Ausdruck kommende jiddische Sprache, die als jüdische Verkehrssprache ihren Ursprung im frühen Mittelalter hat, vereint in sich mehrere Komponenten: aufbauend auf den älteren Schichten des Hebräischen und Aramäischen und bereichert durch griechische, lateinische und altromanische Elemente, bildet das Mittelhochdeutsche den Hauptbestandteil des Jiddischen, berücksichtigt man seine grammatische Grundstruktur und seinen Wortschatz, der zu mehr als vier Fünfteln deutscher Herkunft ist. Jüdische Einwanderer, die während der Karolingerzeit, aus Frankreich und Nord-Italien einwandernd, deutsches Sprachgebiet betraten und sich an Rhein, Mosel, Main und Donau niederließen, nahmen im Umgang mit ihren nicht-jüdischen Nachbarn deutsche Ausdrücke und Redewendungen in ihre Muttersprache auf, um sie so mit den älteren hebräischen, aramäischen, alt-französischen und alt-italienischen Elementen zu vermischen. Gezwungen durch die Pogrome im Zuge des ersten Kreuzzuges (1096) und die sich anschließenden Verfolgungen im gesamten mitteleuropäischen Raum, die im Judenmassaker des Jahres 1348 ihren Höhepunkt fanden, flohen jüdische Familien in Massen nach Osten, wo sie sich in den Ländern des slawischen Raumes niederließen. Hier erfolgte eine weitere sprachliche Assimilation, indem etliche Slawismen in die jiddische Sprache einflossen. So bildete sich ein grundlegender Unterschied zwischen dem Jiddisch dieser nunmehr an der Oder, im Baltikum, am Schwarzen Meer oder am Dnjepr beheimateten Juden und dem Jiddisch jener in Mitteleuropa verbliebenen Juden heraus, der auch nicht durch die im 17. Jh. aus dem Ostraum zurückwandernden Jiddischsprecher egalisiert worden ist. Vielmehr entwickelten sich zwei jiddische Hauptidiome: das West-Jiddisch und das Ost-Jiddisch. Die geistigen Strömungen der Aufklärung und die Emanzipationsbestrebungen Moses Mendelssohns führten im 18. Jh. dazu, daß dem West-Jiddisch nur noch wenig Überlebensraum gegeben war, während das Ost-Jiddisch seine Blüte und Ausbreitung durch die Herausbildung und Entwicklung einer neuzeitlichen Literatur erst erreichen sollte.

Der erste Teil der vorliegenden »Einführung in die jiddische Literatur« ist der älteren jiddischen Literatur gewidmet, die zwischen dem 13. und 18. Jh. erblühte, als das West-Jiddische dominierte. Der zweite Teil macht den Leser mit der neueren jiddischen Literatur vertraut, die in der Verselbständigung des Ost-Jiddischen im 19. Jh. ihre Geburt erlebte. Die durch das 1925 gegründete Jiddische Wissenschaftliche Institut (YIVO) vorgenommene Standardisierung der jiddischen Sprache ermöglichte den Eintritt der jiddischen Literatur in die Hauptströme der Weltliteratur, und die Erforschung der jiddischen Sprache und Literatur hat längst einen gesicherten Platz an europäischen, amerikanischen und israelischen Universitäten gewonnen.

Wegen der Begrenztheit des Raumes müssen die bibliographischen Angaben auf wenige Quellen beschränkt bleiben. Reichlicher sind wissenschaftliche Arbeiten über die ältere jiddische Literatur im Literaturverzeichnis zu Helmut Dinse, »Die Entwicklung des jiddischen Schrifttums im deutschen Sprachgebiet«, Stuttgart 1974 angeführt, worauf sich auch die Quellennummern im ersten Teil dieser Einführung beziehen. Die umfassendste bibliographische Quelle für die jiddische Literatur des 19. und 20. Jh.s ist das *»Lexikon fun der jidischer Literatur«*, 8 Bde., New York 1956 ff. Von gleichem Wert dürfte *Salman Reisens »Lexikon fun der jidischer Literatur«*, 4 Bde., Wilna 1928 sein, in dem sich zahlreiche kritische Anmerkungen zu einzelnen Autoren finden lassen. *Zalman Zylbercweigs »Lexikon fun jidischen Teater«*, 5 Bde., New York 1931–1967 ergänzt die beiden Literaturlexika durch umfassende Angaben zum jiddischen Theater und seinen Dramatikern und Schauspielern. (Diese drei Lexika sind in jiddischer Sprache verfaßt!) Die *Encyclopedia Judaica,* 16 Bde., Jerusalem 1972, Suppl. 1973 ff. (in Englisch!) bringt am Schluß jedes Artikels über einzelne jiddische Schriftsteller eine auf die wichtigsten Aufsätze und Darstellungen begrenzte bibliographische Auswahl.

Überblicke über die jiddische Literatur finden sich in allen größeren Allgemeinenzyklopädien, besonders aber in jüdischen. Neben den grundlegenden älteren Arbeiten zur jiddischen Literatur (*Max Erik,* Di Geschichte fun der jidischer Literatur, Warschau 1928; jidd.; *Leo Wiener,* The History of Yiddish Literature in the 19th Century, New York 1899; *Meyer Isser Pines,* Histoire de la littérature judéo-allemande, Paris 1911 – deutsche Ausg. Leipzig 1913) sind als geläufigere Darstellungen *C. A. Madison,* Yiddish Literature, 1968 und *Sol Liptzin,* A History of Yiddish Literature, 1972 zu nennen.

Eine Bibliographie der jiddischen Literatur in englischer Übersetzung, die *D. Abramovich* vorbereitete, gab YIVO 1967 heraus. Sie wird jährlich ergänzt. Im ›Jewish Book Annual‹, ebenfalls von D. Abramovich vorbereitet und vom Jewish Book Council of America herausgegeben, werden alle Bibliographien jiddischer Buchveröffentlichungen auf der ganzen Welt erfaßt. Diese Bibliographie der Bibliographien erschien 1978 in ihrem 35. Band.

Anthologien jiddischer Literatur liegen in *Max Grünbaums*

»Jüdischdeutscher Chrestomathie« (Leipzig 1882) sowie in englischer Übersetzung *I. Howes* und *E. Greenbergs* »Treasury of Yiddish Poetry« (1972), »Treasury of Yiddish Stories« (1972) und »Voices from the Yiddish« (1972) wie auch in *J. Landis* »The Great Yiddish Plays« (1972) und *J. Leftwich* »Anthologie of Modern Yiddish Literature« (1974) vor.

Ins deutsche Schriftbild übertragene jiddische Texte finden sich in: *Otto F. Best,* Mameloschen. Jiddisch – Eine Sprache und ihre Literatur, Frankfurt/M. 1973 sowie in *Siegmund A. Wolf,* Jiddisches Wörterbuch, Mannheim 1962, dessen Einleitung ebenso wie *Salcia Landmann,* Jiddisch. Abenteuer einer Sprache, Olten–Freiburg i. Br. 1962 wesentliche Grundzüge der jiddischen Sprachgeschichte vermittelt. Eine Sammlung jiddischer Erzählungen in deutscher Schreibweise bietet *Immanuel Olsvanger,* Rosinkess mit Mandeln, Basel [1]1920, [2]1931. Jiddische Lieder mit deutscher Übersetzung und Notenanhang haben *Lin Jaldati* und *Eberhard Rebling* herausgegeben: Es brennt, Brüder, es brennt, (Ost) Berlin [1]1966, [2]1969.

Deutsche Ausgaben moderner jiddischer Erzähler liegen u. a. vor in: *Schalom Asch,* Der Apostel, 1946; Der Nazarener, 1950; Maria, 1950; *David Bergelson,* Ausgewählte Werke, 4 Bde., 1922; Das Ende vom Lied, 1965; *Eisik Meir Dick,* Ausgewählte Werke, 2 Bde., 1922; dass. in einem Band, 1954; *Itzik Manger,* Das Buch vom Paradies, 1963; *Mendele Mocher Sforim,* Werke, 2 Bde., 1961/62; *Jitzchok Leibusch Peretz,* Jüdische Geschichten, 1916; Chassidische Geschichten, 1917; Aus dieser und jener Welt, 1919; Drei Dramen, 1920; Die Zeit, 1923; Erzählungen aus dem Ghetto, 1961; Der Golem, 1967; Baal Schem als Ehestifter u. a. Erzählungen, 1969; *Scholem Aleichem,* Stempenju, [1]1888, [2]1925; Aus dem Nahen Osten, [1]1914, [2]1922; Die Geschichte Tewjes des Milchhändlers [1]1914, [2]1922, Neuausgabe 1955 und 1960 unter dem Titel Tewje, der Milchmann; Die erste jüdische Republik, [1]1919, [2]1925; Menachem Mendel, 1921, Neuausgabe 1962; Eine Hochzeit ohne Musikanten, 1961; Der Sohn des Kantors, 1965, auch unter dem Titel Mottl, der Kantorssohn, 1965; Der behexte Schneider, 1969; *Isaac Bashevis Singer,* Jakob der Knecht, 1965; Der Zauberer von Lublin, 1967; Gimpel der Narr, 1968; Massel und Schlammassel oder Die Milch einer Löwin, 1969; Als Schlemihl nach Warschau ging u. a. Geschichten, 1970; *Israel Joshua Singer,* Josche Kalb, 1967.

TEIL I

DIE ÄLTERE JIDDISCHE LITERATUR BIS ZUR AUFKLÄRUNG

I. Die Anfänge der jiddischen Literatur

1. Erste schriftliche Spuren jiddischer Sprache

Das älteste, nach dem gegenwärtigen Stand der jiddischen Sprach- und Literaturforschung belegte Sprachdenkmal ist ein Verspaar in einem Wormser Mach'sor vom Jahre 1272/73. In dem von einem gewissen Simcha ben Jehuda im Auftrage seines Onkels Baruch ben Jizchak geschriebenen Festtagsgebetbuch erscheint der Segenswunsch: »gut tac īm b'tag'/s'wær dis mach'sor in bes hak'nesses t'rag« (= Einen Freudentag erlebe [mhd. betagen] der, wer [mhd. swer] dies[en] Machsor in die Synagoge [hebr. Bet Haknesset] trägt).

Obwohl dem Wormser Verspaar kein besonderer literarischer Wert zuzumessen ist, kommt ihm doch im Hinblick auf die Herausbildung eines eigenständigen jiddischen Idioms in Deutschland eine nicht unerhebliche sprachpsychologische Bedeutung zu. Es erscheint nämlich in diesem ansonsten hebräisch geschriebenen Mach'sor an ungewöhnlicher Stelle, indem es die hohlen waagerechten Balken der Konsonanten ›Beth-Daleth-Ajin-Taw-Waw‹, die den ersten Bestandteil des Initiums ›bedatho abiah hidoth‹ bilden, ausfüllt. Wer um die pietätvolle Behandlung der geschriebenen ›heiligen Sprache‹ weiß, muß aus der Tatsache, daß hier die traditionelle hebräische Sprachform zugunsten einer umgangssprachlichen Segensformel durchbrochen wird, auf eine wohl mehr als hundert Jahre zurückliegende Geburtsstunde des Jiddischen schließen. Diese spekulative Annahme vermag freilich nicht, gesicherte Textbelege zu ersetzen, doch liegen uns keine dementsprechend frühzeitlichen literarischen Zeugnisse vor. Überhaupt muß sich die Forschung für das Frühstadium der jiddischen Literatur mit Schriftstücken zufriedengeben, die zumeist von zweiter Hand gefertigt und in der Regel nur in jüngeren, sprachlich häufig veränderten Kopien erhalten geblieben sind.

Sicherlich überrascht diese mißliche Forschungslage; denn immerhin finden sich seit dem 4. Jh. Spuren jüdischer Siedlungstätigkeit in Deutschland. Freilich ermöglichte erst Karl der Große eine verstärkte Einwanderung von Juden, vornehmlich von Kaufleuten, die aus dem italienischen Raum ins Karolingerreich einreisten, um als Handelsvermittler zwischen Nord- und Mitteleuropa und dem Orient tätig zu werden; doch konnte festgestellt werden, daß das jüdische Kulturleben im Frankenreich recht früh aufblühte, wozu die rechtliche Sicherung der religiös bedingten jüdischen Sonderexistenz durch kaiserliche Schutzbriefe nicht unerheblich beitrug. Da diese Schutzpraxis auch nach der Teilung des fränkischen Reiches von weltlichen und klerikalen Landesherren gehandhabt wurde, konnte sich vor allem in den rasch prosperierenden Judengemeinden der alten Bischofsstädte an Rhein, Mosel, Main und Donau das geistige Judentum relativ ungehindert entfalten. Bis 1096, dem Jahr des ersten Kreuzzuges, erreichten die rheinischen Judengemeinden einen Bevölkerungsstand von 12 000, wovon allein 1 000 Juden in Mainz und knapp 800 in Worms lebten.

Es leuchtet also ein, daß wir – wie am Beispiel des Wormser Verspaares zu sehen ist – das Entstehungsstadium des Jiddischen in den oben umrissenen geographischen Raum verlegen. Darauf verweisen auch einige jiddische Vokabeln in rabbinischen Glossen und Responsen des bekannten Exegeten Raschi (i. e. Rabbi Schlomo ben Isaak, 1040–1105 u. Z.), der zwar die meiste Zeit seines Lebens in Frankreich verbrachte, immerhin aber auch zehn Jahre in Worms gelebt hat. Raschi kennzeichnet übrigens den Gebrauch dieser Wörter mit dem Hinweis »b'las« (= b'laschon sarah), was soviel wie »in fremder Sprache« heißt.

Weitere Anhaltspunkte für einen bis ins 11. oder 12. Jh. zurückreichenden jiddischen Sprachgebrauch finden sich nur vereinzelt, so etwa in einem Kommentar zum »Buch der Chronik«, der um 1140 von einem in Deutschland lebenden jüdischen Gelehrten verfaßt worden ist. Wichtig jedoch für das Anfangsstadium jiddischer Sprach- und Literaturentwicklung bleibt die Feststellung, daß die verwendeten jiddischen Glossen dem talmudischen Sprachgebrauch zuzuordnen sind. Ein zweites Merkmal jiddischer Sprach- und Literaturentwicklung führt uns zu einem Phänomen, das auch im Zusammenhang mit anderen jüdischen Mischsprachen (z. B. dem Jüdisch-Spanischen = Ladino oder Spaniolisch und dem Jüdisch-Persischen) zu beobachten ist: für die schriftliche Fixierung des Jiddischen werden hebräische Schrifttraditionen beibehalten.

Literatur:

Dinse Nr. 1

Max Grünbaum: Jüdischdeutsche Chrestomathie, Leipzig 1882, S. 461 ff.

Leopold Zunz: Die gottesdienstlichen Vorträge der Juden historisch entwickelt, Hildesheim 1966 (Reprint d. Ed. Frankfurt/M. 1892, S. 453 (a).

Salcia Landmann: Jiddisch. Abenteuer einer Sprache, Olten-Freiburg i. Br. 1962, S. 90 ff.

Dow Sadan: Der eltster gram in jidisch; in: Di Goldene Keit (Tel-Aviv) 48/1963, S. 158 f.

Max Weinreich: A jidischer saz fun far sibn hundert jor. Analis fun gor a wichtikn schprachikn gefins; in: Jidische Schprach 23/1963, Nr. 3, S. 87 ff. – Berichtigungen in: Jidische Schprach 24/1964, Nr. 2, S. 61 f.

Walter Röll: Das älteste datierte jüdisch-deutsche Sprachdenkmal: Ein Verspaar im Wormser Machsor von 1272/73; in: Zeitschrift für Mundartforschung (Wiesbaden) 33/1966, S. 127 ff.

2. *Frühe religiöse Gebrauchsliteratur*

a) Glossen und Glossare

Nach Raschi begegnen uns jiddische *Glossen* in den Responsen des im 12. Jh. in Mainz lebenden R. Elieser ben Nathan sowie in den Schriften des R. Meir ben Baruch aus Rothenburg o. d. Tauber (1230–1293) und seines Schülers R. Mosche ben Darschan. Im »Sefer ha-Assufos« des Jehuda ben Jakob ben Elija (aus Carcassonne), der uns in einer Pergament-Handschrift von der Mitte des 13. Jh.s vorliegt, werden einzelne rituelle Gegenstände »bi-laschon aschkenas« (= deutsch) notiert, was deshalb Beachtung verdient, da es sich bei dieser Schrift um ein kompiliertes Ritualwerk handelt, das in Deutschland weite Verbreitung gefunden haben soll. Auch dieses Werk bietet Aufschluß über die frühen Zentren jüdischen Geisteslebens in Deutschland: Worms, Mainz, Speyer und Köln werden des öfteren genannt.

Die fortschreitende sprachliche Assimilierung der deutschen Juden belegen vor allem glossierte Bibelwerke des 13. und 14. Jh.s (z. B.: Hs. Hamburg 9, Hs. Mainz 378, Hs. Berlin or. 40 310, Hs. München 66, Cod. C. 282 inf. d. Bibliotheca Ambrosiana/Florenz), die uns zum Teil in Pergament-Handschriften überliefert worden sind. Obwohl die Glossierungen durchweg jüngeren Datums als die Bibelhandschriften selbst sind, wird dieser Altersunterschied nicht sehr groß zu bemessen sein, da ersichtlich ist, daß die Glossen häufig vom Schreiber des Originals selbst stammen. Die nachgetragenen Glossen erscheinen zumeist am Textrand oder zwischen den Kolumnen, gelegentlich auch interlinear, wobei ihre Kursivschrift deutlich von der Quadratschrift des Haupttextes zu unterscheiden ist.

Dem Unterricht in Synagoge und Cheder dienten *Glossare*, die uns in Handschriften vom Ende des 14. Jh.s an vorliegen. In der Regel bestehen sie aus alphabetisch geordneten Wörterverzeichnissen, wobei den hebräischen Wörtern die entsprechenden jiddischen Übersetzungen nachgestellt worden sind. Nur selten wurde das umgekehrte Verfahren gewählt. Ein Musterexemplar dieser religiösen Gebrauchsliteratur verfaßte der Schreiber David ben Jakob, dessen aus dem Jahre 1437 stammendes hebräisch-jiddisches Glossar den beachtlichen Umfang von 104 Blatt aufweist.

Andere Glossare sind thematisch gegliedert und fassen z. B. Wortverzeichnisse für Körperteile, Nahrungsmittel, Kleidung, Bedarfsgegenstände, (Haus-) Tiere usw. zusammen, wobei wiederum Nahrungsmittel und vor allem rituelle und häusliche Gebrauchsgegenstände ihrer kultischen Bedeutung gemäß geordnet, Körperteile in ihrer Abfolge von den Füßen zum Kopf genannt werden.

Literatur:

Dinse Nr. 2 ff., Nr. 7 ff., Nr. 13 ff.

Leopold Zunz: Zur Geschichte und Literatur, Berlin 1845, S. 481.

Max Grünbaum: Jüdischdeutsche Chrestomathie, Leipzig 1882, S. 97.

Josef Perles: Jüdisch-deutsche Glossen. 13. Jahrhundert; in: Beiträge zur Geschichte der hebräischen und aramäischen Studien, München 1884, S. 145–153.

Gustav Karpeles: Geschichte der Jüdischen Literatur, Bd. 2, Berlin 1886, S. 321.

Meyer Isser Pines: Die Geschichte der jüdischdeutschen Literatur. Nach dem französischen Original bearbeitet von Georg Hecht, Leipzig 1913, S. 1.

Abraham A. Berliner: Gesammelte Schriften, Bd. 1, Frankfurt/M. 1913, S. 88 f.

Willy Staerk/Albert Leitzmann: Die Jüdisch-Deutschen Bibelübersetzungen von den Anfängen bis zum Ausgang des 18. Jahrhunderts. Nach Handschriften und alten Drucken, Frankfurt/M. 1923, S. 6, 25 ff., 39 ff., 50 ff. und 95 ff.

Max Weinreich: Jidische jekar-hamziosn in Cambridge, England; in: Pinkos 1/1927, S. 23 ff.

Salomo Birnbaum: Die jiddischen Psalmenübersetzungen; in: Bibel und deutsche Kultur. Bericht des Deutschen Bibel-Archivs, Bd. 2 u. 3, Potsdam 1932 (= Materialien zur Bibelgeschichte und religiöser Volkskunde des Mittelalters, NF 2 u. 3), 8b, 8c, 9d.

Karl Bernheimer: Codices Hebraici Bibliothecae Ambrosianae, Florenz 1933, Nr. 23, Nr. 1000, App VII.

David Samuel Löwinger/Bernhard Weinryb: Jiddische Handschriften in Breslau, Budapest 1936, S. 9 ff.

Salcia Landmann: Jiddisch. Abenteuer einer Sprache, Olten-Freiburg i. Br. 1962, S. 90. ^{2}1970.

Monumenta Judaica (Katalog), Köln ^{2}1964, B 211, D 4, D 15, D 89.

b) Bibelkommentare und Bibelübersetzungen

Eine Erweiterung erfuhren die Bibelglossen in Kommentaren, die zu einzelnen Büchern der Heiligen Schrift angelegt worden sind. Mehr noch als die Glossare drücken sie das Bemühen aus, den traditionellen Umgang mit der Heiligen Schrift in weiten Kreisen der Judenheit am Leben zu erhalten. Um dieses Vorhaben zu gewährleisten, mußte neben der natürlichen sprachlichen Assimilierung eine bewußte (und von seiten der geistigen Führungsgremien der Judengemeinden wohl auch gelenkte) Überbrückung sprachlicher Barrieren für die Anlage jiddischer *Bibelkommentare* vorgenommen werden.

Selbstverständlich konnte auf Dauer nicht jeder Jude der geistigen und rituellen Führungsschicht seiner Gemeinde angehören, wenn auch der Kreis der gebildeten Juden eine breite Schicht von Gemeindemitgliedern umfaßte und das jüdische Bildungsideal nach wie vor vom ›Gelehrten‹ geprägt war, der im intensiven Studium der talmudischen und rabbinischen Literatur seine geistig-seelische Aufrüstung erfuhr. Vor allem dort, wo die für den Gottesdienst notwendige Anzahl von zehn religionsmündigen Juden (›Minjan‹) nur schwerlich gegeben war, mußte man auf Glaubensbrüder zurückgreifen, die infolge ihrer beruflichen und sozialen Stellung des Hebräischen kaum noch kundig waren. So ist anzunehmen, daß die für die Bibellesung und damit für den Gottesdienst eigentlich unerläßlichen Hebräischkenntnisse dort im Abklingen begriffen waren, wo Juden einen gewöhnlichen praktischen Beruf ausübten oder als Wanderhändler über Land zogen.

Allerdings dürften diese Bibelkommentare keine allzu große Verbreitung gefunden haben; denn, im ganzen betrachtet, stellen sie zwischen den Glossenbibeln und den seit dem 15. Jh. nachgewiesenen Bibelübersetzungen lediglich eine Zwischenstufe in der Entwicklung des jiddischen Bibelschrifttums dar. Es ist auch bezeichnend, daß zudem hauptsächlich Kommentare zu populären biblischen Büchern überliefert worden sind: Psalmen-, Sprüche- und Hiobkommentare liegen uns z. B. in Hamburger Handschriften aus dem 16. Jh. vor.

Jiddische *Bibelübersetzungen*, von denen sich einige auf Fassungen des 13. Jh.s zurückführen lassen, gewannen rasch an Beliebtheit – vor allem auch bei der jüdischen Frau, die gewöhnlich keine ausreichenden Hebräischkenntnisse besaß. Zur Übersetzung gelangten vornehmlich jene biblischen Bücher, die im religiösen Leben (sei es im Gottesdienst oder in der häuslichen Sphäre) dominierende Funktionen ausübten oder aber als Erbauungsliteratur besonders populär waren. Im Mittelpunkt des jüdischen Glaubensritus stand seit den Tagen Esras die ›Tora‹, d. i. die im ›Pentateuch‹ offenbarte Lehre Gottes. Die Tora umfaßte nicht nur das göttliche Gesetz, sondern zugleich auch die Prinzipien der jüdischen Gesellschaftsordnung und ihres Rechtssystems. Das feierliche Ausheben der ›Tora-Rollen‹ aus dem ›Tora-Schrein‹ und die Auslegung der Tora erfolgte rituell am Sabbat, an Festtagen, an Gerichts- und Markttagen, schließlich sogar anläßlich jeder Volksversammlung. Noch heute bildet die Lesung der Tora den Mittelpunkt der synagogalen Vorträge, so daß sich aus der Wesensbestimmung und Bedeutung des Pentateuchs strenge rituelle Vorschriften im Umgang mit der »Tora«-Rolle ableiten lassen, die bereits in ihrer Anfertigung, Ausstattung und Aufbewahrung ersichtlich werden. Es wird daher wenig wahrscheinlich gewesen sein, daß in der Synagoge neben der hebräischen auch eine jiddische Pentateuchfassung gelesen worden ist. Es war allenfalls üblich, ergänzend zum hebräischen Pentateuch-Wochenabschnitt den dazugehörigen Targum, d. i. die aramäische Übersetzung, vorzutragen. So liegt im Zusammenhang mit den jiddischen Pentateuchübersetzungen jene Vermutung nahe, die bei der Herausbildung anderer Sparten der jiddischen Literatur zur Gewißheit wird: die jiddischen Pentateuchfassungen müssen für die jüdische Frau bestimmt gewesen sein, sei es nun für die häusliche Lektüre oder als Grundlage für die aktive Teilnahme am Gottesdienst. Immerhin läßt sich nachweisen, daß zumindest im Rheinland (Worms 1212/1213, Köln 1281) Frauensynagogen bereits im 13. Jahrhundert existiert haben.

Die erhalten gebliebenen jiddischen Pentateuchhandschriften (z. B.: Cod. De Rossi Jud. germ. 1, Parma, Hs. Berlin or. 40 691, heute im Tübinger Depot der Staatsbibliothek, Stiftung

Preußischer Kulturbesitz) stammen allerdings ausnahmslos aus dem 16., allenfalls aus dem ausgehenden 15. Jh., wobei ihnen häufig Haftaros und M'gilos beigegeben sind. Die Haftaros (= Verabschiedungen) fassen die Abschnitte der prophetischen Bücher zusammen, die den Abschluß der sabbatlichen Tora-Lesung bilden und nach der Verlesung des jeweiligen Pentateuch-Wochenabschnitts (Sidra) im Laufe eines Jahres in ihrer rituellen Abfolge die synagogale Liturgie ergänzten. Die fünf M'gilos (= Rollen) gehören zu den Hagiographen, der dritten und letzten Abteilung der (jüdischen) Bibel; sie dienen der Feiertagslesung und werden gebildet vom ›Hohenlied‹ (»Schir ha-Schirim«), dem Buch ›Ruth‹, den ›Klageliedern‹ (»Echa«), dem ›Predigerbuch‹ (»Koheleth«) und dem Buch ›Esther‹. Haftaros und M'gilos liegen auch einzeln in verschiedenen Handschriften des 15. und 16. Jh.s vor.

Großer Beliebtheit erfreuten sich, wie oben erwähnt, die drei poetischen Bücher der Hagiographen: Psalmen (»T'hilim«), Sprüche Salomos (›Misch'le‹) und das Buch ›Hiob‹. Handschriftliche Exemplare dieser Bücher haben sich vom Ende des 15. Jh.s erhalten. So enthält z. B. die Berliner Hs. Or. 4°, 310 (heute im Tübinger Depot der Staatsbibliothek, Stiftung Preußischer Kulturbesitz) die Psalmen in jidd. Fassung von S. 4 bis S. 116. Die insgesamt 178 Seiten umfassende Handschrift wurde im Jahre 1490 von einem unbekannten Schreiber angelegt. Eine andere interessante Psalmensammlung in jiddischer Übersetzung findet sich ab Blatt 113 in der Hamburger Hs. 57, die der Schreiber Elieser ben Israel für die Jüdin Peslin bat Jakob 1532 in Prag gefertigt hat.

Dem Psalter folgen in dieser Handschrift (ab Blatt 149) die Sprüche Salomos. Genannt sei noch der Münchener Cod. hebr. 306, der eine jiddische Hiob-Paraphrase in oberdeutscher Mundart enthält. Die Handschrift wurde 1578/79 vom Schreiber Abraham ben Samuel Picarteia zu Papier gebracht. Die Paraphrase folgt der haggadischen Auslegung, woraus die Volkstümlichkeit des Hiob-Stoffes ersichtlich wird.

Literatur:

Dinse Nr. 34 ff., Nr. 44 f., Nr. 82 ff., Nr. 69 ff., Nr. 85 f., Nr. 96 ff., Nr. 108 ff.

Willy Stark/Albert Leitzmann: Die Jüdisch-Deutschen Bibelübersetzungen von den Anfängen bis zum Ausgang des 18. Jahrhunderts. Nach Handschriften und alten Drucken, Frankfurt a. M. 1923, S. 95 ff., S. 107 ff., S. 280 ff.

Encyclopaedia Judaica, Bd. 9, London-Berlin 1932, S. 128.

Salomo Birnbaum: Die jiddischen Psalmenübersetzungen; in: Bibel und Kultur. Bericht des Deutschen Bibel-Archivs, Bd. 2 und 3, Potsdam 1932 (= Materialien zur Bibelgeschichte und religiöser Volkskunde des Mittelalters, NF 2 und 3), 9g, 9i.
Karl Habersaat: Zur Datierung der jüdisch-deutschen Hohelied-Paraphrasen, Frankfurt a. M. 1934.
ders.: Die jüdisch-deutschen Hohelied-Übertragungen, Frankfurt a. M. 1934.
Nechama Leibowitz: Die Übersetzungstechnik der jüdisch-deutschen Bibelübersetzungen des 15. und 16. Jh.s, dargestellt an den Psalmen (Marburger Diss. 1931); in Beiträge z. Gesch. d. dt. Sprache u. Lit. (Halle) 55/1931, S. 377–463.
Monumenta Judaica (Handbuch), Köln ²1964, S. 103, S. 692 f.
Monumenta Judaica (Katalog), Köln ²1964, D 10, D 15, D 16.

c) Gebetbücher

Grundsätzlich zu unterscheiden sind »Mach'sor« (= Kreislauf), das Gebetbuch für den Gottesdienst am Sabbat und an den Festtagen, und »Sidur« oder »Seder ha-T'filos« (Ordnung bzw. Ordnung der Gebete). Im »Sidur« finden sich neben den täglichen Gebeten, jene Gebete, die zur liturgischen Grundordnung des Sabbat- und Festtagsgottesdienstes gehören. Dagegen erweitert das Festgebetbuch diese Stammliturgie um religiöse Gedichte, den sogenannten »Pijut«. Vornehmlich die Auswahl der »Pijutim« bestimmen die rituellen Unterschiede der aschkenasischen (= jüdisch-deutschen) und sefardischen (= jüdisch-spanischen) Liturgie, wobei im übrigen jeder Gemeinde freigestellt war, welche »Pijutim« sie in die Liturgie aufzunehmen gedachte. Nach der mittelalterlichen jüdischen Ostemigration, ausgelöst durch mehrere Verfolgungswellen in Deutschland, insbesondere durch die verheerende »Judenschlacht von 1348«, entwickelte sich neben dem deutschen auch ein polnischer und litauischer Ritus. Gerade diese Judenverfolgungen bestimmten dann auch Stil und Thematik der aschkenasischen »Pijutim«, die sich in der besonderen Dichtform des Klageliedes (Kina pl. Kinos; Kloglid) und Bußgebets (S'lichah, pl.s'lichos) niederschlugen.

Den reich verzierten und sorgfältig angefertigten Festgebetbüchern, von denen wegen ihrer mühsamen und kostspieligen Herstellung in einer Gemeinde gewöhnlich nur wenige Exemplare existierten, wurden auch in den schweren Zeiten der Brandschatzungen und Verfolgungen größere Liebe und Sorgfalt zuteil als den allgemeinen Gebetbüchern. So verwundert es nicht, daß – im Gegensatz zum »Sidur« – kostbare handschriftliche »Mach'sor«-Exemplare auch aus frühen Zeiten erhalten geblieben sind.

Möglicherweise aus dem 12. Jh. stammt ein in der Berliner Hs. Or. 4°960 enthaltenes Festgebetbuch, das allerdings keine vollständige jiddische »Mach'sor«-Fassung, sondern lediglich jiddische Worterklärungen zum hebräischen Grundtext bietet.

Während mehrere »Mach'sor«-Handschriften erhalten sind, konnte bisher nur ein entsprechendes »Sidur«-Exemplar, das bemerkenswerterweise in einer Oxforder Pergament-Handschrift vorliegt, nachgewiesen werden. Selbst wenn – was anzunehmen ist – noch mehrere »Sidur«-Handschriften vorhanden sein sollten, so dürften im Vergleich zu ihnen aus dem angegebenen Grund die Zahl der »Mach'sor«-Handschriften überwiegen. Für »Sidur«, mehr noch für »Mach'sor« treffen zu, was bereits über die Bibelhandschriften ausgesagt wurde: sie mögen vornehmlich für die jüdische Frau bestimmt gewesen sein, was besonders durch ihre aktive Beteiligung am Festtagsritus zu begründen sein dürfte.

Literatur:

Dinse Nr. 128, Nr. 203 ff.

Max Grünbaum Jüdischdeutsche Chrestomathie, Leipzig 1882, S. 289 ff.

Max Weinreich: Jidische jekar-hamziosn in Cambridge, England; in: Pinkes 1/1927, S. 23.

Ellen Littmann: Studien zur Wiederaufnahme der Juden durch die deutschen Städte nach dem schwarzen Tod. Ein Beitrag zur Geschichte der Judenpolitik der deutschen Städte im späten Mittelalter, Breslau 1928.

Encyclopaedia Judaica, Bd. 9, London-Berlin 1932, S. 128.

Monumenta Judaica (Katalog), Köln [2]1964, vor D 17, D 41.

d) Minhagim

Eine wichtige Gattung religiöser Gebrauchsliteratur stellten die *Minhagim*-Schriften dar. Sie enthielten die liturgischen Vorschriften, erklärten die religiösen Gebräuche und belehrten über rituelle Alltagspraxis und fromme Lebensführung. Die älteste jiddische Minhagim-Handschrift (Cod. Paris 586) wurde gegen Ende des 15. Jh.s in Venedig geschrieben und weist einige grob gezeichnete Miniaturillustrationen auf, denen wir manche Hinweise auf die religiöse Lebensführung der deutschen Juden im Spätmittelalter entnehmen können.

Die Anzahl der im 15./16. Jh. verfaßten Minhagim-Sammlungen ist vergleichsweise groß. Ihre starke Verbreitung lag in der existentiellen Bedeutung der Minhagim für das jüdische Gemeindeleben begründet, die vornehmlich im 14. und 15. Jh. zum Tragen kam. Ausmaße und Folgen der Judenverfolgungen hatten zwangsläufig zur schriftlichen Fixierung der für das Gemeindedasein unerläßlichen rituellen und religionsgesetzlichen Vorschriften geführt, so daß ›Minhagim‹ überall dort niedergeschrieben worden sind, wo nach den Judenverfolgungen das Gemeindeleben, wenn auch in bescheidenem Maße, neu erblühte. Da die neugegründeten Judengemeinden zu Sammelpunkten der an anderen Orten verfolgten und vertriebenen Juden wurden und jedes neue Gemeindemitglied die religiösen Traditionen seiner von ihm verlassenen Gemeinde mitbrachte, sahen sich die Führungsgremien der neuen Judengemeinden vor die Aufgabe gestellt, das neuerweckte Gemeindeleben im traditionellen religiösen Sinne zu konstituieren. Diesem Zweck dienten die ›Minhagim‹, die die religiöse Ordnung der verschiedenen Judengemeinden neu formierten. Die Bezeichnung ›Minhagim‹ (= Gebräuche) taucht wohl zum ersten Mal im Zusammenhang mit dem bekannten Moharil (= Moses Molin ha-Levi, 135?–1427) auf, der großes Ansehen erlangte. Einer seiner Schüler, Salman aus St. Goar, redigierte seine bedeutend gewordenen ›Minhagim‹.

Bei den jiddischen ›Minhagim‹-Sammlungen dürfte es sich zumeist um Übersetzungen und Zusammenfassungen der in hebräischer Sprache verfaßten Originale handeln. Sicherlich wird jede (zumindest wohlhabende) jüdische Familie bemüht gewesen sein, ein Exemplar dieser auch für weite Bereiche des jüdischen Lebensalltags nützlichen Schriften, zu erwerben. Dabei dürften ›Minhagim‹-Handschriften nicht selten als eine Art Familienbuch benutzt worden sein, zumindest verweist die oben erwähnte Pariser Minhagim-Handschrift auf diesen Usus. Dort finden sich nämlich auf den letzten Blättern Familiennotizen, die bis ins Jahr 1503 zurückreichen. Zwei Hamburger Handschriften von der Mitte des 16. Jh.s verweisen darauf, daß ›Minhagim‹ in jiddischer Fassung einmal mehr für die jüdische Frau bestimmt gewesen sein müssen: beide Handschriften nennen Jüdinnen als Besitzerin bzw. Auftraggeberin.

Literatur:

Dinse Nr. 231 ff.

Max Erik: Di geschichte fun der jidischer literatur, Warschau 1928, S. 37.

Encyclopaedia Judaica, Bd. 9, London-Berlin 1932, S. 128.
Schmuel Niger: Bleter, Geschichte der jidischen Literatur, New York 1959, S. 35–107.
Monumenta Judaica (Handbuch), Köln ²1964, S. 123, S. 675. S. 686 f.

3. *Frühe weltliche Sachliteratur*

a) Privatbriefe

Vor der Herausbildung einer eigenständigen jiddischen Literatur wird die von den regionalen und lokalen deutschen Spracheinflüssen geprägte jiddische Umgangssprache bereits im privaten Briefverkehr benutzt worden sein. Die Entwicklung zeigt, daß das Jiddische, nachdem es zunächst noch mit dem Hebräischen vereint die Schreibart der Briefe bestimmte, im Laufe der Zeit das Hebräische bis auf die traditionellen und formelhaften Anrede- und Grußfloskeln ganz ablöste. Bisher ließen sich jedoch *Briefe,* die in reinem Jiddisch geschrieben worden sind, allenfalls bis zum Jahre 1478 zurückverfolgen. Aus diesem Jahr liegt uns eine kurze Mitteilung einer Jüdin an ihre, in einem Regensburger Gefängnis inhaftierte Freundin »Jakob Judin« vor. Der Brief, der heute im Haupt-Staatsarchiv in München (Gemeiners Nachlaß Nr. 280) aufbewahrt wird, mag wohl als Kassiber gedient haben; denn wir lesen in ihm, welche Vorschläge die Absenderin ihrer Freundin unterbreitet, um Nachrichten aus dem Gefängnis zu schmuggeln, ohne Gefahr zu laufen, der Folter ausgesetzt zu werden.

Für spätere Zeiten lassen sich umfangreiche Briefsammlungen nachweisen: 47 jiddische Briefe aus dem Jahre 1619 sind in der Hs. Wien Suppl. 1174 gesammelt, mehrere jiddische Briefe, von Samuel Kehlheim um 1550–51 geschrieben, enthält die Hs. Hamburg 1023. Sieben Briefe des Arztes Johann Crato von Crafftheim (Johann Kraft von Kraftheim) finden sich in der (ehemals?) in Breslau aufbewahrten Handschrift 248 (fol. 163–169). Diese Briefe datieren von 1588. Historisch interessant dürfte der Inhalt einer Prager Briefsammlung sein, über die H. Lieben (s. Lit.) eingehend referiert. Die insgesamt 48, in der Mehrzahl in Jiddisch verfaßten Briefe beziehen sich auf die Prager Judenaustreibung in dem genannten Zeitraum.

Literatur:

Dinse Nr. 290 ff.
Mitteilungen der Gesellschaft für jüdische Volkskunde, Berlin Jg. 1906, S. 99 f.

Alfred Landau/Bernhard Wachstein: Jüdische Privatbriefe aus dem Jahre 1619, Wien-Leipzig 1911.
Jacob Meitlis: London Yiddish Letters of Early 18th Century; in: Journal of Jewish Studies, (London) 6/1955, p. 155 ff., 237 ff.
Raphael Straus: Urkunden und Aktenstücke zur Geschichte der Juden in Regensburg 1453–1738, München 1960, (= Quellen und Erörterungen zur bayrischen Geschichte, NF 18) Nr. 502

b) Juristische Schriftstücke

Gerichts- und *Geschäftsurkunden,* die bis ins 14. Jh. zurückreichen, belegen die Emanzipation des Jiddischen als Urkundensprache und damit auch seine zunehmende Bedeutung als vollwertige und offizielle Verkehrssprache. Auf das Jahr 1385 wird ein in jiddischer Sprache abgefaßter Schweizer Urfehdebrief des Juden Jedidja ben Chiskia datiert. Er liefert aufschlußreiche Hinweise für die Rechtsstellung und das Rechtsgebaren der Zürcher Judenschaft, die sich 1383 verpflichten mußte, auch ihre internen Rechtssachen, die im mittelalterlichen Deutschland der jüdischen Eigengerichtsbarkeit unterstellt waren, vor dem Bürgermeister und dem Rat Zürichs auszutragen. Der Schriftsatz selbst stellt eine wortgetreue Umschrift einer in der offiziellen (deutschen) Rechtssprache gehaltenen Vorlage dar, so daß sich Rückschlüsse auf die jiddische Umgangssprache der Zürcher Juden weitgehend erübrigen.

Nicht viel jünger ist ein anderer Urfehdebrief vom 12. September 1392, von dem eine deutsche und eine jiddische Fassung existieren. Der als Judenmeister in Frankfurt a. M. wirkende Rabbiner Meir ben Baruch ha-Levi aus Erfurt schwört Urfehde, in die er auch die Frankfurter Judenschaft mit einbezieht.

Auch jüdische *Klageschriften* und *Zeugenaussagen* wurden zweifach ausgefertigt: der deutsche Schriftsatz war für den Rat der jeweiligen Stadt bestimmt, der jiddische Text wurde dem zuständigen Judenmeister zugestellt.

Juristische Akten, die Juden betreffen und nur in deutscher Sprache abgefaßt worden sind, weisen zumindest jiddische Rückvermerke auf, die den Inhalt des Schriftsatzes kurz zusammenfassen.

Zu den Schriftstücken, die die Rechtssicherung des Geschäftsverkehrs beinhalten, zählen in umfangreichem Maße *Schuldbriefe,* die zugleich auch den herausragenden Geschäftszweig jüdischer Kaufleute belegen: das Zinsgeschäft. Die wirtschaftlich erfolgreiche jüdische Betätigung im Geldwesen, vornehmlich auf dem Gebiet der Pfandleihe, hatte zwei Ursachen. Einmal verboten die auf dem 4. Laterankonzil (1215) gefaßten Beschlüsse christlichen Geschäftsleuten das Zinsnehmen; zum anderen folgte auf seiten der Juden der Ausbau des Zinsgeschäftes zur dominierenden Erwerbsquelle lediglich einem ökonomischen Zwang, insofern das christliche Zunftwesen den Wirtschaftsbereich der jüdischen Geschäftswelt erheblich einengte.

In einer von R. Straus zusammengestellten Sammlung Regensburger Urkunden und Aktenstücke aus den Jahren 1453–1738 finden sich etliche Belege für das von Juden in Regensburg betriebene Geldgeschäft. Kunden der jüdischen Geldverleiher waren zumeist christliche Bürger der Stadt oder aus der Umgebung von Regensburg, so daß die Schuldbriefe in der Regel in deutscher Sprache abgefaßt worden sind. Es finden sich aber in diesen Schriftstücken jiddische Rückvermerke über die Konditionen der Kredite, die vom jüdischen Geldverleiher nachgetragen worden sind.

Literatur:

Dinse Nr. 264 ff.

Moritz Stern: Die israelitische Bevölkerung der deutschen Städte, Bd. 3, Kiel 1894–1896, S. 325.

Zeitschrift für hebräische Bibliographie, (Berlin) 11/1907, S. 107–112.

Isidor Kracauer: Urkundenbuch zur Geschichte der Juden in Frankfurt a. M., 1150–1400, Frankfurt a. M. 1914, S. 187–191.

Encyclopaedia Judaica, Bd. 9, London-Berlin 1932, S. 118. (Faksimile).

Moritz Stern: Urkundliche Mitteilungen; in: Jahrbuch der Jüd.-Lit. Gesellschaft 22/1931–1932, S. 20.

Karl Habersaat: Repertorium der jiddischen Handschriften; in: Rivista degli studi orientali, (Rom) 29/1954, S. 53.

Florence Guggenheim-Grünberg: Ein deutscher Urfehdebrief in hebräischer Schrift aus Zürich vom Jahre 1385; in: Zeitschrift für Mundartforschung, 22/1954, S. 207–214.

dies.: Faksimile des Urfehdebriefs eines Zürcher Juden aus dem Jahre 1385; in: Festschrift zum 50jährigen Bestehen des Schweiz. Isr. Gemeindebundes. Zürich 1954, S. 264 ff.

dies.: Zur Umschrift deutscher Mundarten des 14./15. Jahrhunderts mit hebräischer Schrift; in: Zeitschrift für Mundartforschung, 24/1956, S. 229–246. (Faksimile, deutsch und jiddisch, S. 230/231.)

Raphael Straus: Urkunden und Aktenstücke zur Geschichte der Juden in Regensburg 1453–1738, München 1960 (= Quellen und Erörterungen zur bayrischen Geschichte, NF 18).

c) *Kalender und Merkbücher*

Ausschließlich für den privaten Gebrauch bestimmt waren *Merkbücher* und *Diarien*, von denen sich aber verständlicherweise keine älteren, über das 16. Jh. hinausreichenden Exemplare erhalten haben. Sie waren zu unbedeutend, als daß man sie länger als nötig zu verwahren gedachte. Wollte man wichtige, vor allem die eigene Familie betreffende Daten und Notizen festhalten, griff man meist auf Handschriften religiösen Inhalts zurück, deren Vorsatzblätter häufig Familienchroniken enthalten. Diese wurden dann über einen längeren Zeitraum aufbewahrt und nachfolgenden Generationen überliefert, während herkömmliche Notizbücher nach kurzer Zeit entbehrlich wurden.

Eine Ausnahme bildet allerdings ein Merkbuch, das in einer in Oxford aufbewahrten Handschrift vorliegt. Dieses Büchlein enthält bemerkenswerte Notizen über Judenverfolgung in Deutschland zwischen 1417 und 1547. Eine Hamburger Handschrift bewahrt ebenfalls das Notizbuch eines Juden, dessen Eintragungen sich auf Ereignisse des Jahres 1669 beziehen.

Literatur:

Dinse Nr. 295.

Moritz Steinschneider: Catalog der hebräischen Handschriften in der Stadtbibliothek zu Hamburg, Hamburg 1878, Nr. 313.

Neubauer/Cowley: Catalogue of the Hebrew Manuscripts in the Bodleian Library and in the College Libraries of Oxford, 2 vols., Oxford 1886–1906, Nr. 2206.

4. *Weltliche und geistliche Dichtung des Mittelalters*

a) *Jüdische Folklore*

Indirekte Aufschlüsse über die mittelalterliche Folklore der deutschen Juden liefert das »Buch der Frommen« *(Sefer Chassidim)*, das als Hauptwerk der aschkenasischen Mystik (Chassidismus) im Hochmittelalter anzusehen ist. Dort wird von populären Hochzeits- und Kinderliedern Mitteilung gemacht, die in jiddischer Mundart vorgetragen worden sind. Neben dem volkstümlichen Spiel und dem Volkslied bestimmten vor allem Sprichwort und Rätsel das Feld der literarisch relevanten Folklore. Im Gegensatz zu Legende, Sage, Fabel, Schwank und

Heldenlied wurden die erstgenannten Unterhaltungsstoffe allerdings nur selten schriftlich, sondern in der Regel mündlich überliefert, wodurch ihre Verbreitung in allen jüdischen Volksschichten gefördert worden ist.

Trotz des tiefgreifenden, alle Lebensbereiche erfassenden deutschen Chassidismus, der seine Blütezeit zwischen 1150 und 1250 erlebte, und trotz der mancherorts eingeengten und bedrohten Lebenslage, erfaßten *Gesellschaftsspiel* sowie *Volkstanz* und *-gesang* die weitesten Kreise der jüdischen Gesellschaft. Gelegentlich finden sich literarische Nachweise über das gesellige Beisammensein im Haus und auf der Judengasse. So überliefert uns z. B. eine Cambridger Sammelhandschrift aus dem 16. Jh. die jiddisch abgefaßte Beschreibung des Versteckspiels, das – in Anlehnung an den in Bayern gebräuchlichen Ausdruck ›Gutzeberglein‹ (s. Schmeller, Bayrisches Wörterbuch I, S. 970) – ›kugi bergilisch‹ genannt wird.

Das meistgeachtete Gesellschaftsspiel war in jüdischen Kreisen das *Schachspiel*, das bekanntlich auf eine alte persische Parabel zurückgeht. Auch hierzu finden sich nur spärliche literarische Belege; doch dürfte es liedhafte Lobpreisungen des Schachspiels in jiddischer Sprache bereits im Mittelalter gegeben haben, wenn auch ein solches Loblied erst in einem jiddischen Druckwerk des frühen 18. Jh.s vorliegt. In Verbindung mit dem Schachspiel müssen wir das *Rätsel* (»Chidah«) sehen, das sich in der jiddischen Literatur allerdings ebenfalls erst zu Beginn des 18. Jh.s belegen läßt. Hebräische Rätselfassungen lassen sich hingegen bis ins frühe 12. Jh. zurückverfolgen, so daß anzunehmen ist, daß zu diesen Vorlagen auch jiddische Nachdichtungen geschrieben worden sind, die sicherlich überwiegend vernichtet worden oder in Vergessenheit geraten sind.

Eine andere Art des literarisch verbreiteten Gesellschaftsspiels stellten Schicksalsspiele dar, die in sogenannten *Losbüchern* überliefert worden sind. Jiddische Losbücher liegen in Fassungen aus dem 16. Jh. vor, doch lassen sie sich auf mittelalterliche Vorlagen zurückführen. Neben den Losbüchern gab es eine andere Form der Schicksalsbefragung: das Lösen von Knotenseilen. Auch diese volkstümliche Zukunftsforschung fand ihren literarischen Niederschlag und dürfte ähnlich beliebt gewesen sein wie die heutigen Horoskope.

Die lebendigsten Zeugnisse jüdischer mittelalterlicher Folklore bilden zahlreiche jiddische *Volkslieder*, die nicht selten thematische inhaltliche Entsprechungen im deutschen, ja im europäischen Volksgesang finden. Zu den beliebtesten unter ihnen zählt das »Lied vom Zicklein«, das »Chad-Gadja«-Lied, welches zum Bestand der Pessach-Haggada gehört. Seine älteste schriftliche Überlieferung finden wir in der Anfang des 15. Jh.s angelegten Darmstädter Pessach-Haggada, einem in der Literatur häufig erwähnten kostbaren Zeugnis jüdischer Handschriftenkunst. Das satirisch-humoristische Pessachlied hat auch Aufnahme in der deutschen Volksliedsammlung »Des Knaben Wunderhorn« (s. Ed. Leipzig o. J., S. 801–804) gefunden.

Aber nicht nur der religiöse Volksgesang, sondern auch Lieder weltlicher Thematik erfreuten sich großer Beliebtheit im jüdischen Volk. Zur Gruppe der weltlichen Lieder zählen jiddische ›Rätsellieder‹, deren Texte im Frage- und Antwort-Spiel gehalten sind. Daneben fanden schon früh jiddische Tanz- und Liebeslieder Verbreitung, wenn sie auch zumeist erst mit dem beginnenden 16. Jh. schriftlich gesammelt worden sind.

Unter den jüdischen Liedersammlungen dominieren die ›*Oldendorf-Sammlung*‹ und die ›*Wallich-Sammlung*‹. Die erstgenannte Liedersammlung, 1501 von dem 1450 in Frankfurt a. M. geborenen Kopisten und Hauslehrer Menachem Oldendorf zu Papier gebracht, umfaßt 43 hebräische Lieder vornehmlich talmudischen Inhalts, von denen fünf auch einen jiddischen Paralleltext aufweisen. Die rund 100 Jahre später angelegte Sammelschrift des 1632 verstorbenen Wormser Parnas Eisik ben Mosche Abraham Wallich, genannt Eisik Wallich, wird ausführlich von Felix Rosenberg in der Zeitschrift für die Geschichte der Juden in Deutschland (2/1888, S. 232–296 u. 3/1889, S. 14–28) besprochen. Er stellt fest, daß die Lieder der »Wallich-Sammlung« größtenteils auf deutsche Volks- und Gesellschaftslieder zurückgreifen, wobei die christliche Epithetik bei der Umsetzung ins Jiddische »judaisiert« worden ist. Es sei an dieser Stelle auch auf zahlreiche jiddische Volkslieder aufmerksam gemacht, die in den von Max Grunwald redigierten ›Mitteilungen der Gesellschaft für jüdische Volkskunde Hamburg‹ und den ›Jahrbüchern für jüdische Volkskunde (Berlin)‹ gesammelt und besprochen worden sind. Weitere Anthologien jiddischer Volkslieder werden unten im Literaturverzeichnis genannt.

Der Wert des jiddischen Volksliedes liegt ohne Zweifel in seiner Bedeutung für das gequälte und verfolgte jüdische Volk selbst. Vor allem nach der im 14. Jh. verstärkt einsetzenden Ostemigration diente das jiddische Volkslied neben dem geistlichen Gesang den Juden in Polen, Litauen, in der Ukraine, Galizien und Rußland als Quelle neuen Lebensmuts und des Trostes im tristen, sorgenerfüllten Lebensalltag. Davon zeugen Klagen, Schmerz und tiefer Jammer, die in melancholischen Weisen, in traurigen Balladen und in bewegten Wiegenliedern ihren nachhaltigen Ausdruck finden. Eine eigenartige und zugleich eigentümliche Gattung des jiddischen Volksgesangs bilden die schmerzerfüllten, klagenden Lieder ohne Worte, die ›*Nigunim*‹. Andererseits finden wir in den lustig-hintergründigen Liedern der Selbstverspottung jene angeborene jüdische Gabe, die Not des Augenblicks zu lindern, gar zu verspotten.

Literatur:

Dinse Nr. 303 ff. und Nr. 470 ff.

Gustav H. Dalmann: Jüdische Volkslieder aus Galizien und Rußland, Leipzig 1888.

S. M. Günzburg/P. S. Marek: Jewreyskija narodnyja pjessni w Rossii (Jüdische Volkslieder in Rußland), St. Petersburg 1901.

Berthold Feiwel: Lieder des Ghetto, Berlin 1902.

Noah Prilutzki: Jidische folkslider, 2 Bde., Warschau 1910–13.

Judak L. Cahan: Jidische folkslider mit melodien, 2 Bde., New York–Warschau 1912.

ders.: Yiddish Folksongs with Melodies, ed. Max Weinreich, New York 1957.

Arno Nadel: Jüdische Liebeslieder (Volkslieder). Übertragen und erläutert, Berlin-Wien 1923.

Lin Jaldati/Eberhard Rebling: Es brennt, Brüder, es brennt. Jiddische Lieder, (Ost) Berlin [1]1966, [2]1969.

Moritz Steinschneider: Über die Volksliteratur der Juden; in: Archiv für Literaturgeschichte (Leipzig), 2/1872, S. 6.

Max Erik: Di geschichte fun der jidischer literatur..., Warschau 1928, S. 33, 134 f.

Encyclopaedia Judaica, Bd. I, 811–812, Bd. V, 143–144, Bd. IX, 128.

Abraham Tendlau: Sprichwörter und Redensarten deutschjüdischer Vorzeit. Als Beitrag zur Volks-, Sprach- und Sprichwörterkunde. Aufgezeichnet aus dem Munde des Volkes und nach Wort und Sinn erläutert, Frankfurt a. M. 1860.

Jüdische Sprichwörter und Redensarten. Gesammelt und erklärt von *Ignaz Bernstein.* Im Anhang Erotica und Rustica. Mit einer Einf. u. Bibliogr. von Hans Peter Althaus, Hildesheim 1969 (Repr. d. Ed. 1908).

Salcia Landmann: Jüdische Anekdoten und Sprichwörter, München 1965 (dtv 317).

b) Spielmannsdichtung

Es ist anzunehmen, daß für die Entstehung, mehr noch für die Verbreitung des volkstümlichen jiddischen Versepos ein

Vortrags- und Unterhaltungskünstler verantwortlich zu machen ist, dem wir in Anlehnung an christlich-europäische Vorbilder den Sammelnamen »Spielmann« geben. Allerdings wird es im allgemeinen kaum möglich sein, zu bestimmen, in welcher Gestalt uns der jüdische Spielmann in der Literatur entgegentritt: ob als bettelnder Volkssänger oder als heruntergekommener Vagant. In mittelalterlichen Dokumenten finden sich verschiedene Berufsbezeichnungen für die nicht seßhaften Spielleute, wobei in der Regel kein Unterschied zwischen professionellen Unterhaltungskünstlern höheren und niederen Standes gemacht wird. Wegen des allgemeinen, verbindenden Elements des ›vnsteten‹ fiel eine Differenzierung aus der Sicht der Seßhaften schwer. ›varende lûte‹ – das waren alle: Bettler, heruntergekommene Jeschiwa-Studenten, verarmte Wanderprediger und die umherziehenden »schreiber fun ale frume weiber«, das sind Lohnschreiber, die vornehmlich für reiche jüdische »Patronessen« arbeiteten. Nicht alle jüdischen Vaganten traten in der Rolle des ›spilman‹ auf, häufig begegnen sie uns auch als Narren, Possenreißer und Musikanten. In Gestalt der Lezim (Spielleute) oder Badchanim (Spaßmacher) erscheinen sie als vielseitige Unterhalter in den jüdischen Gemeinden, wo sie nicht nur das herbeiströmende Volk belustigen, sondern auch Nachrichten von Ort zu Ort, von Familie zu Familie weiterzugeben beauftragt waren.

Eigentlich wissen wir aber sehr wenig über den Charakter und die Person des jüdischen Spielmanns; doch liefert uns sein Vortragsrepertoire zumindest darüber Aufschluß, daß er in vielem seinem christlichen Berufskollegen nahegestanden haben muß. Auch der jüdische Spielmann trug in bildhafter Sprache verstrickte und phantastische ›aventiuren‹ vor, auch er erzählte eindrucksvoll Geschichten und Sagen aus längst vergangenen Zeiten, auch er besang gefühlvoll Freude und Leid zweier sich Liebender. Indes lehnte sich der jüdische Spielmann nicht nur stofflich und thematisch an christliche Spielmannsdichtung an, auch Strophenbau, Reimtechnik, Rhythmus und Melodie der jiddischen Spielmannsepen folgen christlichen Vorbildern, wobei nicht selten sogar auf die traditionelle christliche Epithetik zurückgegriffen worden ist. Insgesamt umfaßte die jiddische Spielmannsdichtung epische Bearbeitungen deutscher Sagenstoffe wie »Dietrich von Bern«, »Meister Hildebrand«, »Kudrun«, »Sigenot« und »Herzog Ernst« sowie Nachdichtungen romanischer Ritterromane wie »Wigalois« und möglicherweise »Florus und Blancheflur«, »Parzival« und »Tristan und Isolde«.

Später zählten auch kleinere lyrische Bearbeitungen talmudischer und midraschischer Erzählungen zur jiddischen Spielmannsdichtung.

Einschränkend muß jedoch bemerkt werden, daß nur wenige Spielmannsstoffe handschriftlich überliefert worden sind. Überwiegend läßt sich das Repertoire des jüdischen Spielmanns nur indirekt aus Hinweisen in Vorworten späterer Druckwerke (z. B. Levitas »Bovo-Buch«, 1507; Michael Adams Konstanzer Pentateuch-Übersetzung, 1544; »Ma'asseh-Buch«, 1602) erschließen.

Für die jiddische Literaturgeschichte haben vor allem der »Widuwilt« – so der jiddische Name des mhd. »Wigalois« – und der »Dukus Horant« Bedeutung erlangt. Für den dem Artus-Kreis zuzuordnenden »Widuwilt« gilt wiederum einschränkend, daß sich originale Spielmannsdichtungen nicht nachweisen lassen; doch geben uns drei handschriftliche Kopien des 16. Jh.s, die vermutlich alle von ›weiberschen Schreibern‹ gefertigt worden sind, Anlaß zu der Vermutung, daß dieser Sagenstoff als Spielmannsepos vorgelegen haben muß. Die drei auf Vorlagen aus dem 14. Jh. zurückzuführende Handschriften, von denen zwei, nur fragmentarisch erhalten, in Hamburg, die vollständigere Fassung in Cambridge aufbewahrt werden, verweisen unzweifelhaft auf spielmännische Bearbeitungen, die dem mhd. »Wigalois« des Wirnt von Grafenberg folgen, der wiederum den französischen Ritterroman »Guinglain li bel inconnu« des Renauld de Beaujeu nachgedichtet hat.

Wagenseil führt in seiner oben erwähnten Einführung in das Jiddische (1699) »Ein schön Máase Von König Artis Hof ... Und von dem berühmten Ritter Wieduwilt« an, die einem von Josel Witzenhausen zusammengestellten Text folgt. Ob Josel Witzenhausen unmittelbar auf das mhd. Versepos Grafenbergs zurückgegriffen oder aber eine spielmännische Dichtung des 14. Jh. benutzt hat, läßt sich mit Sicherheit nicht bestimmen, wie überhaupt die Verfasserschaft des zwischen 1644 und 1686 in Amsterdam wirkenden Druckers Witzenhausen umstritten ist.

Zum *Kudrun*-Kreis zählt der jiddische »Dukus Horant«, der in dem Cambridger Codex T.-S. 10. K. 22, 1957 erstmals von L. Fuks ediert, enthalten ist. Die (heute) 42 Blätter umfassende Sammelschrift, die, zwischen 1382 und 1383 angelegt, im Jahre 1896 aus der Genisa der jüdischen Gemeinde Fostat bei Kairo nach Cambridge überführt worden ist, bringt ab Folio 21r das 1051 Zeilen umfassende »Dukus Horant«-Epos, dessen Schluß allerdings fehlt. Das gegenüber der mhd. »Kudrun« veränderte jiddische Kurzepos hat den Kernteil der »Kudrun«, den sog. Hildeteil zum Inhalt, wobei nach dem Vorbild des mhd. Epos etliche Motive aus dem »König Rother« Berücksichtigung erfahren. Dabei wurde der gesamte Stoff »judaisiert«, was besonders die Stellung der Frau in der höfischen Dichtung betrifft.

Wenn die Feststellung R. Bräuers (Literatursoziologie und epische Struktur der deutschen Spielmanns- und Heldendichtung, Berlin 1970), das tragende Motiv der Spielmannsepen sei das Heiratsmotiv, auch auf jüdische Verhältnisse zu übertragen ist, so läßt sich die Figur des jüdischen »Spielmanns« noch bis in die Neuzeit hinein im Ostjüdischen in der Gestalt des Badchen verfolgen. Dieser tritt bereits im 16. Jh. in Erscheinung, als wegen des veränderten literarischen Zeitgeschmacks der breit angelegte epische Gesang verstummt. Im Badchen sehen wir den ernsthaft-frommen berufsmäßigen Vortragskünstler mit dem burlesken, fröhlichen Komödianten, dem »Lustikmacher« in einer Person vereint, die fortan für den Unterhaltungsablauf der mehrtägigen Hochzeitsfeierlichkeiten Sorge zu tragen hat.

Zu seinen Pflichten zählte u. a. das Arrangement der *Hochzeitslieder*, wobei im Mittelpunkt seines Vortrags die drei Hochzeitszeremonien, das »meien« (= Tanz des Brautpaares im Synagogenhof am Morgen der Trauung), das »flechten« (= Ankleiden und Schmücken der Braut) und das Führen des Brautpaars in »seier (= ihr) gemach« standen. Die letzte Zeremonie wurde zudem durch den Gesang religiös-mystischer Lieder, der »gottesfürchtigen« oder »Mussar«-Lieder untermalt. Zur erbaulichen Unterhaltung trugen während der Festlichkeiten überdies »Wikuach«-Lieder bei, jiddische Wettstreitlieder (z. B. zwischen Wasser und Wein; dem Armen und dem Reichen u. a.), die größtenteils auf hebräische Vorlagen zurückgehen, aber auch »judaisierte« Fassungen deutscher Wettlieder darstellen. Während der stilleren Phasen der Hochzeitsfeierlichkeiten trug der Badchen besinnliche Lieder zum Lob und zur Ehre Gottes, die sog. »getlechen lider«, vor. Der Kritik des berühmten Maharil entnehmen wir, daß dieser volkstümlich-religiöse Gesang bereits im 14. Jh. starke Verbreitung gefunden haben mußte.

Der »Narr« ist eine weitere Gestalt, in der uns der jüdische Spielmann entgegentritt. Er begegnet uns in der Literatur zwar erst im 15. Jh., doch ist es wahrscheinlich, daß er bereits früher als »komödiantisches Element« (Christine v. Kohl) in der jüdischen Gemeinschaft wirkte. Dank einer Federzeichnung, die den Pariser Minhagim-Codex 586 schmückt, können wir uns ein Bild vom mittelalterlichen jüdischen Komödianten machen. Eine Anmerkung, die sich auf diese Abbildung bezieht, nennt uns ebenso wie ein Lied der Wallich-Sammlung den Zeitpunkt seines Auftritts: das Purim-Fest, das eine gewisse Ähnlichkeit mit dem nichtjüdischen Karneval besitzt. Während des Purimfestes wurden Maskeraden, Umzüge und Purimspiele veranstaltet, in deren Mittelpunkt der »Narr« stand. Obwohl es in Deutschland im strengen Sinne nie ein jiddisches Theater gegeben hat, können wir die dramatischen Purimspiele – sei es das derb-fröhliche »Esther-Achaschwerosch«-Spiel oder das komische Spiel »Fun Taub Jeklein« – doch als Ausgangspunkt des späteren jiddischen Theaters in Polen, Rußland, Amerika und Holland ansehen.

Literatur:

Dinse Nr. 328 ff., Nr. 394 ff., Nr. 398 ff.

Jacob Winter/August Wünsche: Die jüdische Literatur seit Abschluß des Kanons, Hildesheim 1965 (reprografischer Nachdruck der Ed. Trier 1896), Bd. 3, S. 515.

Leo Landau: Hebrew-German romances and tales an their relation to the romantic literature of the Middle Ages. Part I. Arthurian Legends, or the Hebrew-German rhymed version of the legend of King Arthur, Leipzig 1912 (= Teutonia. Arbeiten zur germanischen Philologie, 21. Heft).

Siegmund A. Wolf: Ritter Widuwilt. Die westjiddische Fassung des Wigalois des Wirnt von Gravenberc, Bochum 1974.

Max Weinreich: Jidische jekar-hamiziosn in Cambridge, England; in: Pinkos 1/1927, S. 23 ff.

Max Erik: Di geschichte fun der jidischer literatur ..., Warschau 1928, S. 73 f., 107.

ders.: Inoentar fun der jidischer schpilmandichtung; in: Zeitschrift für jüdische Geschichte, Demographie ... (Minsk), 2/1928, S. 545 bis 588.

Encyclopaedia Judaica, Bd. IX, S. 132–133.

Lajb Fuks: The Oldest known Literary Documents of Yiddish Literature (C. 1382), Tuo Parts, Leiden 1957.

Walter Salmen: Der fahrende Musiker im europäischen Raum, Kassel 1960, S. 12 ff., S. 21 f.

Peter Ganz: Dukus Horant. Mit einem Exkurs von S. A. Birnbaum, Tübingen 1964 (= Altdeutsche Textbibliothek, Erg.-Reihe Bd. 2).

Monumenta Judaica (Handbuch), Köln ²1964, S. 116–120, 488, 693 f.
Werner Schwarz: Die weltliche Volksliteratur der Juden; in: Paul Wilpert/Paul Eckert, Judentum im Mittelalter, Berlin 1966, S. 72–91.
Heikki J. Hakkarainen: Studien zum Cambridger Codex T-S. 10. K. 22, Turku 1967, Bd. I (Text).
Manfred Caliebe: Dukus Horant. Studien zu seiner literarischen Tradition, Berlin 1973 (= Philologische Studien und Quellen 70).

c) Geistliche Epik

Der eher weltlichen spielmännischen Epik steht die geistliche epische Dichtung gegenüber. Hervorgerufen durch die Kritik der jüdischen Geistlichkeit an der Spielmanns- und Narrendichtung, entwickelte sich als Konkurrenz zur profanen Spielmannsdichtung eine auf biblische Stoffe zurückgreifende religiös determinierte Epik, die, insgesamt gesehen, jedoch nie die Lebendigkeit und Beliebtheit der spielmännischen Werke erreichte. Allein das in der Nibelungenstrophe gehaltene, im 15. Jh. entstandene *»Samuelbuch« (»Sefer Sch'muel«)* des *Mosche Esrim Wearba,* eines in der rabbinischen Literatur bewanderten Autoren, bildet schon deshalb hier die Ausnahme, weil dieser biblische Erzählstoff neben einer einheitlichen, konzentrierten Handlung (zum Zeitpunkt der Abfassung der biblischen Epopöe war der hebräische Bibeltext noch in einem einzigen Buch zusammengefaßt) auch eine heldenhafte, abenteuerliche Hauptfigur, König David, aufweist. Die Episoden aus dem Leben der beiden anderen herausragenden Figuren, Samuel und Saul, dienen lediglich dazu, den Blick des Lesers auf den alle überragenden, alles überstrahlenden königlichen Helden zu lenken – weshalb möglicherweise die Sinnfälligkeit des Buchtitels in Zweifel gezogen werden mag.

Das an ein mhd. Heldenlied erinnernde, nur zu oft den stilistischen Apparat der höfischen Epik verwendende »Schmuelbuch« bietet fesselnde Kampfesszenen, grob-humoristische und sogar erotische Episoden dar, die phasenweise den religiösen Gehalt des Stoffes überdecken, ohne allerdings insgesamt die religiöse Tendenz des Werkes abzuleugnen. Dabei werden die belletristischen Grundzüge des »Schmuelbuches« noch durch zahlreiche märchenhafte Ausschmückungen talmudischer und midraschischer Quellen verstärkt.

Die Ausstrahlung und Verbreitung des »Schmuelbuches«, dessen Popularität durch mehrere handschriftliche Kopien und durch Drucke, die bis ins 17. Jh. reichen, belegt wird, erreichten andere, uns bekannte biblische Epen nicht. Diese Feststellung trifft sowohl auf die poetischen Bearbeitungen der historischen Bücher »Josua«, »Richter« und »Könige« als auch der prophetischen Bücher »Daniel« und »Jona« zu, die alle im Vergleich zum »Sefer Sch'muel« literarisch verblassen. Lediglich die epische Nachdichtung des »Buchs der Könige« (»Sefer M'lochim«) vermochte annähernd die Größe und Volkstümlichkeit des »Schmuelbuches« zu erreichen, was wohl in entscheidendem Maße auf die Einflechtung midraschischer und talmudischer Sagenstoffe zurückzuführen ist.

Den »närrischen« Purimspielen entgegenwirken sollten epische Bearbeitungen des »Buches Esther«, die ebenfalls aus der Feder geistlicher Schriftsteller stammen. Diese gereimten *Esther-Paraphrasen* liegen in handschriftlichen Fassungen des 16. Jh.s vor, lassen sich aber auf Vorlagen aus dem 14.–15. Jh. zurückführen. Der Erzählstoff wurde unter Verwendung der beliebten midraschischen Auslegungen gestaltet, wobei das Geschehen um Esther in humorvollen Anekdoten und lebendigen Episoden zusammengefaßt wird. Gegenüber dem biblischen Buch dominiert in den Esther-Gedichten die Figur des Haman, womit zumindest die Tendenz unterstrichen wird, einen »Helden« als die zentrale Gestalt auch des jidd. Epos wirken zu lassen.

Die große Beliebtheit der *›Midraschim‹* erklärt sich aus der inhaltlichen Anlage dieser aus alten Predigten hervorgegangenen Bibelauslegungen, die weniger belehren als vielmehr die biblische Geschichte in phantasiereicher, anschaulicher Form zu erläutern trachteten. So verwundert es nicht, daß der recht populäre »Mid'rasch Wajoscha«, der u. a. Geburt und Kindheit Mosis zum Inhalt hat, gleichfalls eine poetische Bearbeitung erfahren hat. Die epische Gestaltung des »Mid'rasch Wajoscha« begegnet uns allerdings erst in jiddischen Druckwerken des 17. Jh.s. Ob es für diese Ausgaben mittelalterliche jiddische Quellen gegeben hat, läßt sich heute nicht mehr eindeutig klären; immerhin erschien das aus dem 11.–12. Jh. stammende hebräische Originalwerk auch erst viel später, nämlich 1519 in Konstantinopel im Druck.

Von der Opferung Isaaks handelt das epische Gedicht *»Akedas Jizchak«*, das seinen Erzählstoff neben anderen midraschischen Quellen auch aus dem »Mid'rasch Wajoscha« entlehnt. Das »Akedas Jizchak«-Lied wurde in einer bestimmten Singweise vorgetragen – wie im übrigen alle spielmännischen Epen. Diese Singweise (nigun) zählte zu den verbreitetsten jüdischen

Melodien überhaupt, und noch bis in die Neuzeit hinein wurden Lieder »benigun akedas« (= nach der Melodie des »Akedas Jizchak«-Liedes) gesungen. Dabei erklärte sich die Beliebtheit dieses Liedes vor allem aus seinem populären Inhalt, seinem volkstümlich-sentimentalen Vortragston und seiner unkomplizierten Metrik. Es wurde übrigens noch im 18. Jh. neu verlegt.

Gerade das »Akedas Jizchak«-Gedicht verweist auf die Konkurrenz zwischen spielmännischer und geistlicher Dichtung. Die Wallich-Sammlung überliefert uns nämlich eine von Eisik Kittel verfaßte Persiflage auf das ernst-religiöse »Akedas Jizchak«-Lied, welche nicht nur die Singweise, sondern auch den Aufgesang (»judscher stam fun rechter art...«) kopiert. Dieses, dem Repertoire eines »Narren« zuzuordnende Spottgedicht läßt darauf schließen, daß das »Akedas Jizchak«-Lied als Volksgesang zumindest schon im 15. Jh. Verbreitung gefunden haben muß, obwohl seine ältesten (handschriftlichen) Überlieferungen nur bis ins 16. Jh. reichen. Auf einen älteren Ursprung des »Akedas Jizchak«-Gedichts verweisen auch typische Redewendungen mittelalterlicher Epik.

Geistlichen Ursprungs ist auch die jiddische Spruchdichtung des 14.–15. Jh.s, die einerseits aus den ethischen ›Mussarbüchern‹, andererseits aus dem Volksmund schöpfte und somit als Pendant zu den volkstümlichen Sprichwörtern anzusehen ist. Sie hat noch Aufnahme in den im 16. und 17. Jh. gedruckten Spruchsammlungen (z. B. Mar'eh Mussar, Sefer ha-Jirah) gefunden.

Dem Spottgesang der »Narren« begegneten die geistlichen Schriftsteller mit satirischen Liedern, die den Verfall der religiösen Sitten und allgemeine menschliche Schwächen anprangerten. In der Tradition dieser geistlichen Satire steht der um 1500 in Oberitalien lebende Mosche ben Mordechai »Hunt«, der auch Nachdichtungen biblischer Bücher (Josua, Richter, Jesaja, Jona) im Stil der Spielmannsdichtung vorgenommen hat. Ein Meister der satirischen Lyrik war *Elia Levita Bachur* (1469–1549), mit dem die jiddische Geistlichendichtung ihren Höhepunkt erreichte. Der in der Nähe von Nürnberg geborene Levita (eigentlich Elijahu ben Ascher ha-Levi Aschkenasi) emigrierte im ausgehenden 15. Jh. nach Oberitalien, wo er als Hauslehrer und Gelehrter wirkte und bedeutende hebräische und jiddische Werke verfaßte. Sein bekanntestes jiddisches Epos, das 1507/08 entstandene *»Bovo-Buch«*, geht auf den englischen Abenteuerroman »Sir Bevis of Southhampton« zurück. Levita benutzte die um 1400 vorgenommene toskanische Nachdichtung, deren Titel »Historia di Buovo d'Antone« er auch übernahm. Das in »ottava rima« gesetzte »Bovo-Buch« erfuhr Ende des 18. Jh.s eine prosaische Paraphrase, die als »Baba-Buch« bis ins 19. Jh. hinein große Verbreitung gefunden hat. Auf die bemerkenswerte Popularität dieses Buches ist der jiddische Ausdruck ›bobe-maasse‹ (bobe = Großmutter) zurückzuführen, der als Kennzeichnung jeder unglaubwürdigen Erzählung oder Lügengeschichte dient. Levitas zweiter Versroman, das künstlerisch höher einzustufende »Paris un Wiena« (1509–1514), hat nicht annähernd die herausragende literarische Bedeutung des »Bovo-Buches« erlangt. »Paris und Wiena« geht auf eine italienische Prosabearbeitung des provenzalischen Epos »Paris et Vienne« (13./14. Jh.) zurück. Levita entlehnt für diese Nachdichtung die schon im »Bovo-Buch« verwendete achtzeilige Stanzenform.

Literatur:

Dinse Nr. 307 ff., Nr. 402 ff.

Jacob Winter/August Wünsche: Die Jüdische Literatur seit Abschluß des Kanons, Bd. 3, Hildesheim 1965 (= Reprograf. Neudr. der Ausg. Trier 1896), S. 293.

Encyclopaedia Judaica, Bd. IX, S. 142–143.

Leo Landau: Der jidischer Midrasch Wajoscha; in: Filologische Schriften, Bd. 3, Wilna 1929, S. 223–242.

Felix Falk: Das Schemuelbuch des Mosche Esrim Wearba. Ein biblisches Epos aus dem 15. Jahrhundert. Aus dem Nachlaß hrsg. von Lajb Fuks, 2 Tle., Assen 1961, insbes. Tl. 2, S. 107–116, Tl. 1, S. 12.

Percy Matenko/Samuel Sloan: Two Studies in Yiddish Culture. I. The Aqedath Jishaq, Leiden 1968.

Akedass Jizhak. Ein altjiddisches Gedicht über die Opferung Isaaks. Mit Einleitung und Kommentar kritisch hrsg. von Wulf-Otto Dreeßen, Hamburg 1971 (= Beiträge zur Geschichte der deutschen Juden).

Jacob Shatzky: »Paris un wienah«; in: Filologische Schriftn, Bd. 1 (= Landau-Buch), Wilna 1926, Sp. 187–196.

Max Erik: Wegen alt-jidischn roman un nowele, 14.–16. jh., Warschau 1926. S. 59–63.

Max Weinreich: Bilder fun der jidischer literaturgeschichte, Wilna 1928, S. 149–171, 190–191.

Judah A. Joffe: Elia Bachur's poetical works in 3 vols. With commentary, grammar, and dictionary of Old Yiddish. Vol. 1 (Bovo-Buch), New York 1949.

N. B. Minkoff: Elie Bocher un sain Bowe-buch, New York 1950.

d) Erzählungen

Im Mittelpunkt der mittelalterlichen Erzählungen deutscher Juden steht die »Ma'asseh« (hebr. Tat), die im jiddischen Sprachgebrauch als Sammelbegriff für ›Geschichte‹, ›Märchen‹, ›Sage‹ und ›Legende‹ steht. Die »Ma'asseh« vereint mannigfaltige Erzählstoffe verschiedenster Quellen in sich; in ihr treffen sich Orient und Abendland. Einerseits schöpft sie aus dem Gesamtvorrat des europäischen, vorderasiatischen und indischen Erzählguts, andererseits greift sie auf Talmud, Midrasch und Kabbala zurück. In ihrer Erzählstruktur ähneln die jiddischen Geschichten indischen oder arabischen Erzählweisen, indem auch sie häufig auf Generationen von Überliefererketten zurückblicken können. Zum anderen sind in ihnen die nachbiblischen Erzählungen eingefangen, die den jüdischen Helden und Weisen Leben und geschichtliche Existenz verleihen.

Die »Ma'asseh« mag vordergründig den Zweck religiös-moralischer Erbauung erfüllt haben: pointenreich weben sich Geschichten um das Leben frommer Weiser. Oft genug vermitteln aber selbst legendenhafte Erzählungen die lebendige Atmosphäre des jüdischen Ghettolebens. So dürfte der Reiz der »ma'asse« auch weniger im religiösen Gehalt des Erzählstoffes als eher in der unkomplizierten, den Zuhörer fesselnden Handlungsführung und im wunderbaren, geheimnisvollen Geschehen selbst zu suchen sein. Die vordergründig religiöse Erzählintention greift dann nicht selten auf einen derb-realistischen Erzählkern und sinnlich-erotische Motive zurück.

Jiddische Geschichtensammlungen liegen in handschriftlicher Überlieferung aus dem frühen 16. Jh. vor, doch lassen ihre Erzählstrukturen auf ein weitaus höheres Alter schließen. Eine Sonderstellung innerhalb der schriftlich überlieferten Geschichtensammlungen nehmen zwei Zyklen ein: der im »Ma'asseh-Buch« zusammengefaßte Regensburger Kreis und die im »Sefer Ma'asseh Nissim der Stat Wormeisa« aufgezeichneten Wundergeschichten aus Worms. Die zentralen Gestalten der im Mittelteil des ursprünglich mehr als dreihundert Geschichten umfassenden »Ma'asseh-Buchs« festgehaltenen Legenden sind Samuel ben Kalonymos und sein Sohn Jehuda, die führenden Persönlichkeiten des ›deutschen Chassidismus‹. Beide waren als ›Fromme‹ (›chassidim‹) geachtet; der 1115 in Speyer geborene Samuel ha-Chassid genoß als Talmud-Gelehrter und »Prophet göttlicher Offenbarungen« (R. Edelmann) selbst in Kreisen nichtjüdischer Mystiker großes Ansehen. Jehuda ha-Chassid (1140 in Speyer geboren, 1217 in Regensburg gestorben) gilt als der eigentliche

Kopf der jüdischen Mystik des Mittelalters. Er wirkte, nachdem er 1195 nach Regensburg übergesiedelt war, als weit geachteter Rabbiner und Leiter der Regensburger Jeschiwa (Lehranstalt).

Die mit dem Wormser Ghetto eng verbundenen ›Wundergeschichten‹ haben sich ebenfalls im Mittelalter zugetragen. Kompiliert und in hebräischer Sprache niedergeschrieben wurden sie allerdings erst von Jiftach Josef Juspa ben Naftali Hirz (1604–1678), der von 1648 bis zu seinem Tod in der Wormser Judengemeinde das Amt des Schammesch (Synagogendiener) ausübte. Elieser Liebermann, der Sohn des Juspa Schammesch, übersetzte das Buch seines Vaters ins Jiddische und gab es 1696 in Amsterdam unter dem Titel »Sefer Ma'asseh Nissim der Stat Wormeisa« heraus.

Andere jiddische Legenden ranken sich um den Propheten Elias, der wie Jesus Christus in abendländischen Legenden, als Wundertäter und Erlöser auftritt und den bedrängten Menschen in ihrer Not zur Seite steht. Zu den mittelalterlichen jiddischen Erzählungen, die ihren Ursprung dem indischen Erzählgut verdanken, gehören die Witz und Weisheit vereinigenden Fabeln, die allerdings erst im 16. Jh. in jiddischen Druckwerken publiziert worden sind und in zwei Sammlungen, den »Fuchsfabeln« und dem »Ku-Buch« vorliegen.

Literatur:

Dinse Nr. 474 ff., Nr. 480 ff.

Abraham Tendlau: Das Buch der Sagen und Legenden jüdischer Vorzeit, Stuttgart [1]1842, [3]1873.

ders.: Fellmeiers Abende. Märchen und Geschichten aus grauer Vorzeit, Frankfurt a. M. 1856.

Moritz Steinschneider: Das »Maase-Buch«; in: Serapeum (Leipzig), 27/1866, S. 1 ff.

ders.: Über die Volksliteratur der Juden; in: Archiv für Literaturgeschichte (Leipzig), 2/1872, S. 1–21.

Max Grunwald: Märchen und Sagen der deutschen Juden; in: Mitteilungen der Gesellschaft für jüdische Volkskunde (Hamburg), 1/1898, H. 2, S. 1 ff., S. 62 ff.

Claude Field: Jewish Legends of the Middle Ages, New York 1914.

J. Ginzberg: The Legends of the Jews, 7 vols., Philadelphia 1909–38.

Jacob Meitlis: Di schwohim fun r. schmuel un r. juda chassid, London 1961.

Monumenta Judaica: Handbuch, [2]Köln 1964, S. 680 f., S. 695 ff.

Haim Schwarzbaum: Studies in Jewish and World Folklore, Berlin 1968.

1. Erste Druckwerke

Die verheerenden Judenverfolgungen der Jahre 1348/49 brachten das jüdische Kulturleben in Deutschland nahezu zum Erliegen. Zwangsweise verlagerte es sich nach Osteuropa, wo es vor allem in Polen neu erblühte und somit den spätestens seit 1096 vorgezeichneten Emigrationswegen folgte. Die deutschen Städte machten von dem nach 1348/49 auf sie übertragenen Recht zur Wiederaufnahme der Juden nur zögernd Gebrauch. Dort, wo sich Juden ansiedelten, waren ihre Wohnverhältnisse und ihr Wirtschaftsleben einschneidenden, den Lebensalltag prägenden Beschränkungen unterworfen. Der rechtlichen Sicherung der jüdischen Existenz in deutschen Städten dienten vom beginnenden 16. Jh. an sogenannte Judenordnungen, die der jüdischen Bevölkerung innerhalb ihres engen Lebensraumes eine gewisse rechtliche Sonderstellung einräumten. Eine wohl auch auf das Kulturleben sich auswirkende rechtliche Maßnahme der deutschen Städte stellte das zeitlich beschränkte Wohnrecht der Juden dar, das zudem nur durch gebührenpflichtige ›Geleitbriefe‹ erworben werden konnte. Diese bevölkerungspolitische Rechtspraxis führte im Verlauf des 16./17. Jh.s zu einem nicht unerheblichen Sozialgefälle zwischen den in West- und Osteuropa lebenden Juden, was für die damit verbundenen unterschiedlichen geistigen Strömungen des aschkenasischen Judentums nicht ohne Bedeutung bleiben konnte.

Trotz der gravierenden Beschränkungen partizipierte die jüdische Bevölkerung in den deutschen Städten doch am allgemeinen Aufstieg des Bürgertums und nahm – wenn auch mehr in der Rolle des Außenseiters – teil an den Geistesströmungen des europäischen Humanismus. In der Folge der humanistischen Geistesströmungen kam es zu nicht unerheblichen Veränderungen auf sozialem, wirtschaftlichem, kulturellem und wissenschaftlichem Gebiet, wodurch Kunst und Literatur, die zuvor klerikalen Zweckbestimmungen unterworfen waren, sich nunmehr im Sinne eines bürgerlichen Weltbildes frei entfalten konnten. Hierbei wurden die schriftliche Verbreitung und Vervielfältigung der neuen wissenschaftlich-kulturellen Ideen durch die technische Entwicklung der Buchdruckkunst entscheidend begünstigt. Die Loslösung der aufkeimenden wissenschaftlichen Strömungen des Humanismus von der ehedem alles beherrschenden christlichen Theologie führte zumindest für einen kurzen Zeitraum zu einer Annäherung christlicher und jüdischer Geisteslehrer; vor allem der von Maximilian I. geförderte christliche Hebraist Johannes Reuchlin bescheinigte aus seiner humanistischen Geisteshaltung heraus den Juden grundsätzlich das Recht auf religiöse Eigenständigkeit. Talmud und Kabbala wurden in dieser Zeit als durchaus ernsthafte und gerechtfertigte Studiengegenstände angesehen, eine Entwicklung, die insofern von jüdischer Seite begünstigt wurde, als sich schon seit etlicher Zeit gerade der Talmud und die ihn kommentierende Literatur zum bedeutendsten Inhalt des jüdischen Bildungs- und Erziehungswesens entwickelt hatten.

Mit dem Aufblühen der talmudisch-rabbinischen Literatur einher ging der endgültige Durchbruch des Jiddischen zur jüdischen Volkssprache in West- und Osteuropa. Streng genommen lassen sich erst jetzt deutliche Entwicklungen einer thematisch breit gefächerten und zur inhaltlichen Eigenständigkeit gediehenen jiddischer Literatur erkennen. Die Prosperität der jiddischen Literatur muß einerseits vor dem Hintergrund der sie umgebenden aufstrebenden Nationalliteraturen gesehen werden; zum anderen erfuhr dieser Prozeß eine Förderung in den veränderten literarischen Strömungen dieser Zeit: die vornehmlich als Vortragsliteratur abgefaßte spielmännische und geistliche Dichtkunst, die eigentlich nur im Rahmen einer höfisch-feudalistischen Weltordnung gedeihen konnte, weicht nunmehr literarischen Stoffen, die in der bürgerlichen Welt ihren Ursprung haben. Und mit den literarischen Inhalten verändern sich auch die literarischen Ausdrucksformen, so daß der auf Reim, Rhythmus, Melodie und Klang aufbauende Vortragsstil mehr und mehr einem prosaischen Erzählstil weichen muß. Dieser Umbruch vollzieht sich allerdings nicht abrupt, sondern verläuft über längere Zwischenphasen, bis er schließlich am Ende des 16. Jh. vollzogen ist. Als Beispiel für diese Entwicklung steht die 1589 erstmals in Krakau gedruckte *»Lang Megille«*, eine *Estherparaphrase*, in der die unterschiedlichen Stilrichtungen miteinander konkurrieren. In einer anderen Beziehung ist dieses Umbruchstadium der jiddischen Literatur als stufenweise verlaufende literarische Veränderung gekennzeichnet: die ersten in jiddischer Sprache herausgegebenen Drucke können als Nachläufer der handschriftlichen Werke bezeichnet werden, stellen sie doch in der Regel die unmittelbare Fortsetzung der vorausgegangenen Handschriften dar, indem sich die jiddische Buchdruckkunst im 16. Jh. lediglich als

Vervielfältiger alter und bis dahin verborgener Handschriften verstand. Eine diesbezügliche Rollenfixierung gibt Rabbi Ascher Leml (genannt Rabbi Anschel) im Vorwort zu seiner hebräisch-jiddischen Bibelkonkordanz vor, dem unter dem Titel »Sefer Schel R. Anschel« 1534 in Krakau herausgegeben ältesten jiddischen Druckwerk. Dabei ist ihm zu unterstellen, daß er Bedeutung und Aufgabe der frühen jiddischen Druckwerke durchaus einzuschätzen verstand; denn immerhin lebte er im Zentrum des jiddischen Buchdrucks des 16. Jh.s: in Krakau, in dem der erfolgreiche Drucker Isaak ben Ahron Proßnitz beinahe ein halbes Jahrhundert lang fruchtbare Arbeit leistete. Zu bezweifeln ist allerdings, ob die frühen jiddischen Drucke der ihnen zugedachte Rolle überhaupt gerecht geworden sind und das erdachte Ziel, ein breites Lesepublikum anzusprechen, erreichen konnten. In der Regel handelt es sich bei diesen Erstlingswerken der jiddischen Buchdruckkunst um teuere, kostspielig ausgestattete bibliophile Prachtausgaben, die zu erwerben den begüterten Lesern vorbehalten blieb. Als Beispiele dafür mögen die 1546 bei Christoph Froschauer in Zürich gedruckte Erstausgabe des reich illustrierten, immerhin 1000 Seiten umfassenden »Jossipon« und die 1602 bei Konrad Waldkirch in Basel publizierte Erstausgabe des »Ma'asseh-Buchs«, deren Titelblatt eine Zeichnung Hans Holbeins ziert, angesehen werden. Die »wohlfeine« meist nur wenige Seiten umfassende, auf grobes Papier gedruckte Massenliteratur, deren Wiege vornehmlich in Prag stand, fand erst in der zweiten Hälfte des 17. Jh.s Verbreitung.

Sieht man einmal von Zürich, Basel, Augsburg und den bekannten italienischen Druckorten ab, wo nur gelegentlich jiddische Druckwerk erschienen, so sind mit Krakau, Lublin und später dann Prag die Zentren des frühen jiddischen Buchdrucks im 16.–17. Jh. genannt. Daß sie sich in Osteuropa befanden, darf nicht als Zufall angesehen werden, ihre Existenz erklärt sich aus den oben aufgezeigten historischen Zusammenhängen. Allerdings muß einschränkend gesagt werden, daß ihr Standort für die Verbreitung des jiddischen Buches auch in westeuropäischen Judengemeinden ohne nachteilige Auswirkung blieb, konnte doch bis in das 19. Jh. hinein das im Osten gedruckte Buch ebenso im Westen gelesen werden und umgekehrt, da sich die mundartlichen Unterschiede typographisch kaum niederschlugen. Somit wird in der folgenden Zusammenstellung der gedruckten jiddischen Literatur auf eine Unterscheidung in west- oder ostjiddischer Literatur bewußt verzichtet.

Literatur:

Dinse Nr. 28, Nr. 71, Nr. 483, Nr. 636.

Max Grünbaum: Jüdischdeutsche Chrestomathie, Leipzig 1882, S. 23.

Willy Staerk/Albert Leitzmann: Die Jüdisch-Deutschen Bibelübersetzungen von den Anfängen bis zum Ausgang des 18. Jahrhunderts, Frankfurt a. M. 1923, S. 61 f.

Max Erik: Di geschichte fun der jidischer literatur, Warschau 1928, S. 20 ff.

Gerhard Lisowsky: Kultur- und Geistesgeschichte des jüdischen Volkes, Stuttgart–Berlin–Köln–Mainz 1968, S. 185 ff.

2. *Frauenliteratur*

a) Biblische Literatur

Die Bedeutung der jüdischen Frau für die Entwicklung der jiddischen Literatur konnte bereits für mittelalterliche literarische Stoffe aufgezeigt werden. Neben dem ungebildeten, der hebräischen Sprache unkundigen männlichen Literaturrezepienten, war es vor allem sie, die die breiteste Schicht des Leserpublikums bildete. Wenn hier nun eine spezielle ›Frauenliteratur‹ angesprochen wird, so findet das seine Berechtigung darin, daß ein breites Spektrum religiöser Literatur des 16. und 17. Jh.s nicht nur auf die Bedürfnisse der jüdischen Frau zugeschnitten war, sondern darüber hinaus insbesondere durch den Auftrag, den die reiche Stadtjüdin in Deutschland und Oberitalien zahlreichen Lohnschreibern (»diner fun ale frume weiber«) erteilte, überhaupt erst entstehen konnte.

Gerade das populärste Frauenbuch, die wahrscheinlich erstmals um 1600 in Lublin veröffentlichte *»Zenne Urenne«* (²Krakau 1620), liefert stichhaltige Gründe für die Annahme einer eigentlichen jiddischen Frauenliteratur. Der dem Hohenlied 3,11 entlehnte Titel dieser von dem Janowaer Rabbiner Jakob ben Isaak Aschkenasi (1550–1628) Ende des 16. Jh.s verfaßten ›Frauenbibel‹ (hebr. ze'enah u-re'enah) spricht die weibliche Leserschaft direkt an: »Geht hinaus und schauet, ihr Töchter Israels!« Der leicht verständliche, einprägsame und in blumenreicher Sprache verfaßte Inhalt der »Zenne Urenne« ist – psychologisch und thematisch leicht durchschaubar – eindeutig auf die jüdische Frau zugeschnitten. In einer den Midraschim und Targumim entlehnten Sammlung von Legenden, Parabeln, Allegorien und anekdotenhaften Erzählungen werden die religiös begründeten Frauen- und Mutterpflichten und die weiblichen Tugenden zusammengefaßt und poetisch erläutert. So nimmt es nicht wunder, daß die in der mystischen Tradition des polnischen Judentums stehende ›Frauenbibel‹, nachdem sie bis 1622 zunächst nur im östlichen Raum Verbreitung gefunden hat, bis ins 19. Jh. hinein mehrere hundert Neuauflagen erlebt hat und sich in jüdischen Kreisen Ost- und Westeuropas überaus großer Beliebtheit erfreute. Für die Zeit zwischen 1600 und 1850 kann die »Zenne Urenne« mit Fug und Recht als das grundlegende Erziehungs- und Bildungsbuch der jüdischen Frau schlechthin angesehen werden. Als wöchentliche Sabbatlektüre dürfte sie in keiner jüdischen Familie gefehlt haben.

Die »Zenne Urenne« steht am Ende einer Reihe volkstümlicher Bibelübersetzungen, die die altertümlichen wortgetreuen jiddischen Bibelwerke ersetzten und der zwar religiösen, doch eher unterhaltsamen Erbauung und Unterweisung der jüdischen Frau dienen sollten. Als *»Taitsch Chumesch«* erreichten sie im 16. und 17. Jh. ein hohes Maß an Popularität. Für gewöhnlich war diesen »deutschen« (= jiddischen) Pentateuchfassungen die zum festen Bestand der synagogalen Liturgie zählenden Haftaros und die zur Festtagsliturgie gehörenden fünf M'gilos, deren Abfolge nach dem jeweiligen Ritus der Judengemeinde festgelegt war, beigegeben, so daß anzunehmen ist, daß der »Taitsch Chumesch« der jüdischen Frau die (An-)Teilnahme am synagogalen Gottesdienst und den rituellen häuslichen Handlungen, vornehmlich an den Feiertagen ermöglichte.

Am Anfang dieser Entwicklung stehen zwei jiddische Pentateuch-Bearbeitungen, die beide im Jahre 1544 zur Veröffentlichung gelangten. Die eine gab Paulus Aemilius in Augsburg heraus, die andere besorgte Paulus Fagius in Konstanz. Bemerkenswert ist, daß sowohl Aemilius als auch Fagius Konvertiten waren, die ihre Arbeit jedoch in ernsthafter Weise und der jüdischen Tradition gemäß verrichteten. Der Konstanzer Druck ist das Werk mehrerer Autoren; vieles spricht dafür, daß neben Paulus Fagius auch sein Lehrer Elia Levita, der sich bekanntlich im Jahr der Veröffentlichung der Pentateuchparaphrase in Konstanz aufgehalten und in der Druckerei des Fagius als Korrektor gearbeitet hat, bei der Zusammenstellung des Textes mitgewirkt hat. Conrad Gesner aus Zürich nennt in seinen Pandekten von 1548 (vol. 1, p. 92) einen gewissen Michael Adam, der den Konstanzer Pentateuch verfaßt haben soll. Augsburger und Konstanzer Druck gehen auf eine möglicherweise gemeinsame Vorlage in alemannischer Mundart zurück, die, der Sprache nach zu urteilen, im 15. Jh. entstanden sein kann. Eine den beiden Drucken inhaltlich entsprechende jidd. Pentateuchhandschrift enthält Cod. De Rossi Jud. germ. 1 (Parma), der im 15. Jh. angelegt sein soll.

Die drei genannten Bibelwerke folgen, wie fast alle jiddischen Pentateuchfassungen dieser Zeit, Raschis haggadischen Auslegungen und bringen in reichem Maße midraschische Ausschmückungen. Davon zeugen die auf die Konstanzer und Augsburger Editionen folgenden weiteren Fassungen des »Taitsch Chumesch«: Juda ben Moses Naftali, genannt Löw Bresch, erweiterte die Konstanzer Ausgabe um einige midraschische Gleichnisse und Wortspiele. Seine Neufassung verließ am 10. April 1560 die Offizin des Vincento Conti in Cremona. Auf den Cremonenser Druck stützt sich die 1583 im Druck erschienene Baseler Edition des Israel Sifroni, die wiederum zwei Nachdrucke, 1608 (?) und 1610 in Prag zur Veröffentlichung gelangt, erlebte. Die Prager Pentateuchfassung von 1610 soll möglicherweise Isaak ben Samson ha-Kohen, ein Verwandter des berühmten Hohen Rabbi Löw aus Prag, verfaßt haben.

Unter den jidd. Einzelbearbeitungen biblischer Bücher, die im 16.–17. Jh. entstanden sind, dominiert das *»Buch Esther«*, dessen Zusammenhang mit dem Purimfest schon erläutert wurde. Zu den gelungensten jiddischen Bearbeitungen der »M'gillas Esther« zählt die Krakauer Edition von 1589, die als »Lang Megille« große Volkstümlichkeit erlangt hat, was auf ihre umfangreichen und lebendigen, aus dem Targum II zu »Esther« und den Midraschim geschöpften belletristischen Auskleidungen zurückzuführen ist. Bemerkenswerterweise wird in der gereimten Vorrede zu diesem Buch eindeutig auf seine Zweckbestimmung als religiöses Bildungs- und Erbauungsbuch der jüdischen Frau hingewiesen.

Eine zweite Sparte biblischer Einzelwerke bilden die jiddischen *Hohelied*-Übertragungen. Auch hierunter ragt ein Krakauer Druck von 1579 heraus, der ebenso wie die »Lang Megille« in der Druckerei des wohl bekanntesten und erfolgreichsten Druckers jiddischer Bücher des 16.–17. Jh.s, nämlich in der Offizin des Isaak ben Ahron Proßnitz gefertigt worden ist. Weitere Einzelausgaben jiddischer M'gilos liegen in »Koheleth«- und »Ruth«-Bearbeitungen vor, die als Druckwerke allerdings erst zu Beginn des 18. Jh.s nachgewiesen werden können.

Haftaros haben als biblische Paraphrasen in jiddischer Sprache bei weitem nicht in dem Maße wie die M'gilos Berücksichtigung erfahren. Zumindest fehlte dem beispielhaften »Sefer Jeremiah« (Prag 1602) die literarische Ausstrahlungskraft, die nun einmal die »Lange Megille« besaß. Sein fehlender literarischer Erfolg läßt sich mit der gegenüber den anderen biblischen Werken weniger unterhaltsamen Art der Bearbeitung begründen; denn sein Übersetzer Moses ben Issachar ha-Levi, genannt Moses Särtels, folgte bei der Übertragung des biblischen Stoffes ziemlich wortgetreu dem hebräischen Original.

Neben dem »Buch Hiob«, dessen älteste jiddische Druckausgabe 1597 in Prag ediert worden ist, sind noch jidd. Nachdichtungen apokryphischer Schriften zu nennen, die mit zur Frauenliteratur gerechnet werden können. »Judith«, »Serubabel« und »Susanna« liegen allerdings nicht in Druckwerken, sondern in Handschriften aus dem letzten Drittel des 16. Jh.s vor. Wagenseil bringt in seiner »Belehrung der Jüdisch-Teutschen Red- und Schreibart ([1]Königsberg 1699) eine jiddische Paraphrase der talmudischen Apokryphe »Hilchos Derech Erez«, die trotz ihres ernst-religiösen Gehalts eine volkstümlich-belletristische Übertragung erfahren hat. Nachdichtungen außerkanonischer Schriften (Judith, Judas Makkabaeus, Tobia) enthält neben den im Titel angesprochenen 24 historischen Büchern die jiddische Historienbibel »Taitsch Esrim we-Arba« des Chajim ben Nathan, die, 1625 erstmals in Hanau verlegt, eindeutig in der Tradition der »Zenne Urenne« steht.

Jakob ben Isaak Aschkenasi, der Autor der »Zenne Urenne«, wollte mit zwei weiteren Bibelschriften an den Erfolg seiner berühmten Frauenbibel anknüpfen. Beide Werke – das eine faßte Erläuterungen einzelner Pentateuchabschnitte zusammen und wurde unter dem Titel »Meliz Joscher« (Fürsprecher bei Gott) 1622 in Lublin zum ersten Mal veröffentlicht, das andere, »Sefer ha-Magid« (Predigerbuch), folgte ein Jahr später und brachte den hebräischen und jiddischen Text der prophetischen und hagiographischen Schriften sowie den begleitenden Kommentar Raschis – konnten jedoch nicht annähernd den literarischen Ruhm der »Zenne Urenne« erreichen, was wohl in der belehrenden und eher wissenschaftlichen Diktion der beiden Bücher begründet lag.

Glossenbibeln, Reimbibeln und *Bibelkommentare* runden das Bild von der jiddischen Frauenliteratur ab. Im Zusammenhang mit den Historienbibeln wird damit für die jiddische Bibelliteratur jene Entwicklung offenbar, die das deutschsprachige Bibelschrifttum in ihrer Entfaltung vor Luther genommen hat: auf die Historienbibeln folgen die Glossenbibeln, an die sich die Reimbibeln anschließen.

Das Vorbild der jiddischen Glossenbibeln des 16.–17. Jh.s blieb lange Zeit die oben erwähnte Bibelkonkordanz des Rabbi Anschel. Der für die Unterweisung der jüdischen Frau und für den häuslichen Unterricht bestimmte, später dann auch im Schulunterricht verwandte »Sefer Schel R. Anschel« (Krakau [1]1534, [2]1552, [3]1584) baut auf ältere handschriftliche Kommentare auf, bringt aber die Übersetzungen und Erläuterungen der hebräischen Lexeme nicht in alphabetischer Reihenfolge, sondern in der Anordnung der sie betreffenden Bibelstellen.

Moses Särtels entwickelte diese Technik erfolgreich weiter, indem er in seinen beiden Glossenbibeln »Sefer Beer Moscheh« (Buch der Erläuterungen Mosis) und »Sefer Lekach Tow« (Buch der guten Lehre) die jiddischen Worterklärungen als verselbständigte Interlinearversionen parallel zum hebräischen Originaltext setzte. Beide Glossenbibeln gelangten 1604 in Prag zur Veröffentlichung, die erste gibt Erläuterungen zum Pentateuch und den fünf M'gilos, die zweite zu den Propheten und Hagiographen.

Jiddische Reimbibeln, die zumeist in der Nachfolge des »Schmuelbuches« stehen, berücksichtigen hauptsächlich Pentateuch- und M'gilos-Stoffe. Zu den frühen poetischen Bearbeitungen dieser Art zählt der »Targum Chamesch M'gilos«, eine dem bekannten Autor Jakob ben Samuel Bunem Koppelmann (1555–1598) zugeschriebene Reimparaphrase des aramäischen Targums zu den fünf M'gilos, die 1584 in Freiburg im Breisgau im Druck erschien. Der »Sefer Mizmor le-Todah« (Buch der Danklieder) enthält die von David ben Menachem ha-Kohen bearbeitete, erstmals 1644 in Amsterdam publizierte poetische Paraphrase von Begebenheiten aus dem 1. und 2. Buch Mosis sowie den M'gilos. Die populärste Reimbibel stellt wohl die »Kehilas Jakov« (Sammlung Jakobs) dar, die 1692 in Fürth zum ersten Mal herausgegeben worden ist. Ihr Verfasser, der als Kantor in Röthelsee bei Rothenburg o. T. tätige Jakob ben Isaak ha-Levi, benutzte für seine gereimte Nachdichtung des Pentateuchs und der Bücher Josua und Richter den lebendigen Sagen- und Legendenschatz der Haggada in reichem Maße.

Bei den jiddischen Bibelkommentaren handelt es sich, wie der dem »Targum Chamesch M'gilos« beigegebene Kommentar und die Standardwerke »Chibure Leket« (Sammlungen der Lese; Lublin 1593) des Krotoschiner Chasan Abraham ben Jehuda sowie der 1608 in Prag veröffentlichte Pentateuchkommentar des oben genannten Isaak ben Samson ha-Kohen oder die in Handschriften aus der zweiten Hälfte des 16. Jh.s vorliegenden Kommentare des Jechiel ben Schalom zu den »Sprüchen« und dem »Buche Hiob« zeigen, keineswegs um wissenschaftlich-exegetische Literatur, sondern um leicht verständliche, eher unterhaltsam-erzählende Erläuterungen des biblischen Stoffs. In der Regel den Auslegungen Raschis und anderer Autoritäten folgend, dabei auf Midraschim und Haggada zurückgreifend, vereinen diese Kommentare je nach Auswahl und Zusammenstellung der exegetischen Quellen die unterschiedlichsten Geistesrichtungen, die durch die kabbalistischen Strömungen der polnisch-jüdischen Mystik des 17. Jh.s eine befruchtende Ergänzung erfuhren. Das Hauptwerk dieser interessanten literarischen Entwicklung begegnet uns im »Taitsch Sohar« des Zewi Hirsch ben Jerechmiel Chotsch aus Krakau. Dieser, den klassischen Sohar-Auslegungen folgende Pentateuchkommentar (Erstausgabe? Frankfurt a. M. 1711) erwuchs zu einem zentralen literarischen Werk des Ostjudentums im 18. Jh.

Literatur:

Dinse Nr. 28, 34 ff., 44 ff., 55 ff., 61, 71 ff., 84, 87, 89 ff., 122 ff., 483, 636.

Josef Perles: Bibliographische Mittheilungen aus München; in: Monatsschrift f. Gesch. u. Wissensch. d. Judenthums, (Breslau) 25/1876, S. 360 ff.

ders.: Beiträge zur Geschichte der hebräischen und aramäischen Studien, München 1884, S. 165 ff.

Max Grünbaum: Jüdischdeutsche Chestomathie, Leipzig 1882, S. 12 ff., 23, 192 ff., 223 ff.

Gustav Karpeles: Geschichte der Jüdischen Literatur, Bd. 2, Berlin 1886, S. 329, 346, 1010 ff.

Moritz Steinschneider: Hebräische Drucke in Deutschland; in: Zeitschr. f. d. Gesch. d. Juden in Deutschland, (Braunschweig) 1/1887, S. 286 f.

The Jewish Encyclopedia, vol. III, 370; VI, 275, 466, 629; IX, 13.

Willy Staerk/Albert Leitzmann: Die Jüdisch-Deutschen Bibelübersetzungen von den Anfängen bis zum Ausgang des 18. Jh.s, Frankfurt/M. 1923, S. 61 f., 73, 76, 114 ff., 218 ff., 291 ff., 296 ff., 307 ff.

Encyclopaedia Judaica, Bd. IV, 596.

Karl Habersaat: Die jüdisch-deutschen Hohelied-Paraphrasen. Beitrag zur Canticum-canticorum Bibliographie, Berlin 1933, S. 6 ff.

Leon Nemoy: A jidischer ibersetzung fun jeremiah, Prag, 362; in: Yivo-Bleter 26/1945, S. 236 ff.

Norman C. Gore: Tzeena U-Reenah of Jacob ben Isaac Ashkenazy. A Jewish Commentary on the Book of Exodus, New York 1065.

Gerhard Lisowsky: Kultur- und Geistesgeschichte des jüdischen Volkes, Stuttgart–Berlin–Köln–Mainz 1968, S. 185 ff.
Shmuel Niger: Bleter, Geschichte der jidischer literatur, New York 1959, S. 35–107.

b) Liturgische und rituelle Frauenbücher

Zur zweiten Kategorie der jiddischen Frauenliteratur zählen *Psalter, Gebetbücher* und *Minhagim*-Drucke. Wenn Rabbi Anschels Einschätzung des jiddischen Buchdrucks im 16. Jh. überhaupt auf einem Gebiet der jiddischen Literatur Gültigkeit erlangt hat, dann dürfte die Aufgabe, die er dem jiddischen Buchdruck zugedacht hatte, mit Bestimmtheit bei der Verbreitung der Minhagim-Schriften erfüllt worden sein. Das literarische Vorbild der jiddischen Minhagim-Drucke, die dem deutschen Ritus folgten, war die hebräische Ritualien-Sammlung des Isaak aus Tyrnau (Westslowakei), die Simeon Levi Ginzburg erstmals ins Jiddische übertragen hatte und 1590 in Venedig veröffentlichen ließ. Nach dem Muster der Ginzburgschen Minhagim-Edition erschien bis ins 18. Jh. hinein eine Vielzahl von Nachdrucken, die als rituell-liturgische Enzyklopädien zum festen Bestand der jüdischen Hausliteratur gehörten und vornehmlich dem Gebrauch der jüdischen Frau zugedacht waren. Eine zweite Gruppe, im Format kleinerer jiddischer Minhagim-Drucke war im polnischen Ritus abgefaßt und ging auf eine 1685 in Amsterdam herausgegebenen Grundfassung zurück.

Die enge Verbundenheit der »Minhagim« mit jiddischen Gebetbüchern belegt der »Seder T'filah Derech ha-Jaschar le-Olom ha-Ba«, eine Gebetordnung für »den rechten Weg in die zukünftige Welt« – so der Titel –, die der Proßnitzer Rabbiner Jechiel Michael Epstein ben Abraham ha-Levi in hebräischer und jiddischer Sprache zusammengestellt hat. Diesem erstmals 1685 bei Johannes Wust in Frankfurt a. M. verlegten Gebetbuch sind die »Minhagim«, in vierzig Kapiteln zusammengefaßt, beigegeben.

Neben dem allgemeinen Gebetbuch (Sidur, Sedar ha-T'filos) und dem Festgebetbuch (Mach'sor) finden sich unter der jiddischen liturgischen Literatur zahlreiche »Frauengebetbücher« (Seder T'chinos). Auch die älteste gedruckte jiddische Fassung des »Seder ha-T'filos«, das sogenannte *Ichenhauser Gebetbuch* des Josef bar Jakar aus dem Jahre 1544, richtet sich speziell an die jüdische Frau: »kumt her, ir vrumen vrauen/da wert ir huepsch ding schauen/ir wert eß wol gewar:/ein tefillo fom ganzen jar/wol forteutscht un bescheidlich/...« – heißt es in der Vorrede zu diesem Gebetbuch.

Fast alle im 16.–17. Jh. in großer Anzahl veröffentlichten allgemeinen Gebetbücher, insbesondere die Frauengebetbücher, folgen in ihrer Anlage zumeist dem Ichenhauser Sidur. Andere »T'chinos« schöpfen aus dem kabbalistisch gefärbten hebräischen »Sefer Scheloh« des Jesaja ben Abraham ha-Levi Horwitz, das aufgrund seiner dem Armutsideal zuneigenden Aussagen ein geeigneter Nährboden für viele dem polnisch-jüdischen Mystizismus des 16./17. Jh. nahestehende Werke war. Eine auf dieses literarische Vorbild, das dem »Taitsch Sohar« an Popularität kaum nachstand, sich berufende jiddische »T'chinos-Sammlung« schrieb Meir ben Simson Werters aus Prag im Jahre 1688. Der ursprüngliche Titel dieses Gebetsbuches, »Sefer Widdju ha-Gadol« (Buch des großen Sündenbekenntnis), wurde in späteren Ausgaben gegen die den zumindest unterschwellig sozialkritischen Inhalt eher treffenden Titel »T'filah ha-Ani« (Gebet der Armen; Dessau 1698) und »Minchas Ani« (Geschenk der Armen; Prag Ende 17. Jh.), ausgetauscht.

Originelle jiddische Gebetsammlungen, die aus dem Rahmen der üblichen Gebetbücher fallen, sind das »Taitsch Betbichlein« und die »Liebliche T'filo oder Greftige Arznei for Guf un' N'schomo (für Körper und Seele)«. Das »Taitsch Betbichlein«, 1560 in Augsburg von Niklas Baumen Hutmacher zu Papier gebracht, enthält der Gothaer Cod. Chart. B 141. Eine Druckausgabe ist nicht bekannt. Die »Liebliche T'filo« stellte ein jüdischer Bauer namens Ahron ben Samuel aus dem Dorf Hergershausen in Hessen zusammen. Im Vorwort zu seinem Gebetbuch äußert er recht eigensinnige Ansichten über die wahre Andacht, das rechte Beten in »deutscher« Sprache und die zweckmäßige Erziehung der Jugend. Seine Freimütigkeit wurde ihm allerdings schlecht gelohnt; seine, dem orthodoxen Judentum konträren Vorstellungen führten dazu, daß die wohl 1709 in Frankfurt a. M. zum ersten Mal herausgegebene »Arznei« die jüdische Geistlichkeit gar zu »greftig« anmutete. Nach rabbinischem Beschluß wurde dieses »ketzerische Werk« daraufhin aus dem Religionsgebrauch verbannt. Kurioserweise fand man zu Beginn des 19. Jh.s an abgelegenen Plätzen bei Synagogen in der Nachbarschaft Hergershausens zahlreiche Exemplare der »lieblichen tefillo«, die dort vergraben waren bzw. versteckt gehalten wurden.

Für die jüdische Frau bestimmt waren auch jiddische *Machsorim,* die unter dem besonderen Titel »Kerobos« (Vorbeterstücke) aufgelegt wurden. Im Druck erschienen diese »Taitsch Mach'sorim« Mitte des 17. Jh.s, doch findet sich eine Kopie eines solchen Festgebetbuchs schon in einer Hamburger Handschrift aus dem 16. Jh. Der älteste jiddische Mach'sor-Druck, der der Übersetzung des Abigdor Sofer ben Moses Eisenstadt, gen. Abigdor Izmunsch, folgt und im polnischen Ritus gehalten ist, wurde 1571 in Krakau herausgegeben, wie überhaupt osteuropäische Druckorte als Wiegen der im 16.–17. Jh. veröffentlichten religiösen jiddischen Gebrauchsliteratur Bedeutung gewannen. Diese Feststellung trifft auch auf liturgische Sonderdrucke zu, die nicht selten als Anhang zum allgemeinen Gebetbuch erschienen. Besagter Abigdor Izmunsch übersetzte eine solche Liturgie aus dem Hebräischen: sein »Schir ha-Jichud« (Lied der Einheit; [1]Krakau 1609) bringt Gesänge, die den Wochentagen rituell zugeordnet sind.

Der häuslichen Andacht dienten u. a. Nachtgebetsammlungen wie der »Obend-Segen« bzw. »Neier Obend-Segen« (1676/77), deren Veröffentlichung der bekannte und geschäftstüchtige Amsterdamer Verleger Uri Phoebus ben Ahron ha-Levi besorgte. Die Jüdin Laza gab die jiddische Version des von ihrem Mann verfaßten hebräischen »Sefer Tikun Scheloscha Mischmoros« (Buch der Anordnung der drei Nachtwachen) 1692 in Frankfurt a. O. heraus. Jiddische Gebete für die zwischen dem Neujahrs- und dem Versöhnungsfest liegende Zeit stellte 1718 Bella bat Bär ben Hiskia ha-Levi Horwitz zusammen, eine gegen Ende des 17., Anfang des 18. Jh.s in Prag lebende, äußerst beliebte Jüdin, die bezeichnenderweise den Beinamen Bella Chasan trug. Mit ihr und der Jüdin Laza sind nur zwei der für die Herausgabe jiddischer Frauengebetbücher verantwortlich zu machende jüdische Frauen genannt; eine Vielzahl von Initiatorinnen versank in der Anonymität.

Eine überaus wichtige Rolle im jüdischen Gebetkult kommt traditionell den *Psalmen* zu, die an den Werktagen den Morgengottesdienst einleiten. So verwundert es nicht, daß die liturgische Bedeutung des Psalters sich auch literarisch niederschlug, was sich natürlich auch auf die jiddische Frauenliteratur auswirkte. Eine im Jahre 1586 in Krakau veröffentlichte gereimte jiddische Fasung des »Sefer T'hilim« (Psalmen-Buches) besorgte zwar Moses Stendal, zum Druck gelangte sie jedoch erst auf Initiative der Rösel Fischel, Tochter des Rabbiners Josef ha-Levi und Witwe des Rabbi Michels.

Den Wendepunkt einer bis ins 16. Jh. hinein der mittelalterlichen Übersetzungstradition verpflichteten jiddischen Psalmenliteratur markierte zuvor Elia Levita mit seiner literarisch auf einer hohen Stufe stehenden, doch durchaus volkstümlich gewordenen Psalmenübersetzung ([1]Venedig 1545). Der auf eine unbekannte handschriftliche Quelle zurückgehende Psalter Levitas weist übereinstimmende Ähnlichkeiten mit den, dem allgemeinen Gebetbuch beigegebenen Psalmen auf, was z. B. der Ichenhauser Sidur belegt.

Neben dem gewöhnlichen Psalter war noch ein für Festtage bestimmter Psalter in Gebrauch, der die Psalmen 113–118 umfaßte. Jiddische Psalter dieser Art trugen den Titel »Halel in Taitschen Gesang Gemacht« und sind zumindest seit Ende des 17. Jh.s verbreitet worden.

Literatur:

Dinse Nr. 100 ff., 129 ff., 144 f., 165 f., 175 ff., 211 ff., 218, 223, 242 f., 244.

Leopold Zunz: Zur Geschichte und Literatur, Berlin 1845, S. 297, Nr. 216.

Max Grünbaum: Jüdischdeutsche Chrestomathie, Leipzig 1882, S. 18, 53 ff., 95 ff., 299, 298 ff.

Gustav Karpeles: Geschichte der Jüdischen Literatur, Bd. 2, Berlin 1886, S. 1014 f.

Willy Staerk/Albert Leitzmann: Die Jüdisch-Deutschen Bibelübersetzungen von den Anfängen bis zum Ausgang des 18. Jahrhunderts, Frankfurt a. M. 1923, S. 148–155, 213–218.

Encyclopaedia Judaica, Bd. 1, 709; Bd. 7, 875 ff., Bd. 9, 128.

Karl Habersaat: Repertorium der jiddischen Handschriften; in: Rivista degli studi orientali, (Rom) 30/1955, S. 237, Nr. 16.

c) Frühe Mussarliteratur

Eine besondere Gattung jiddischer Literatur, die der Erziehung und Belehrung der jüdischen Frau zugedacht war, stellten die frühen *Mussarbücher* (Mussar, hebr.: Zucht, Moral) dar, religiöse Morallehren, die neben ihren abstrakt-ethischen Erörterungen auch besondere rituelle Frauenpflichten (dinim) zum Inhalt hatten. Ein typisches Produkt dieser literarischen Entwicklung dokumentiert ein Sammelband mit dem Titel »Orach Jamim« (= Weg der Meere), den der in Padua lebende deutsch-jüdische Rabbiner und Mathematiker *Jakob ben Elchanan Heilpern* (= Heilbronn), dem hebräischen Original des R. Samuel Benveniste folgend, »etliche frome und erbare weiber zu lieb« zusammengestellt und 1599 in Venedig herausgegeben hat. Der Verfasser hat das seiner Cousine Rosa, Gattin des Nechemja Luzzatto, Tochter des Gemeindevorstehers Abraham Simcha (beide aus Venedig) gewidmete Buch »auf Wunsch frommer Frauen verdeutscht«. Nach Grunwald (a.a.O.) bietet der Mussarteil des Buches folgenden Inhalt:

1. Von derzieh'n un' köstigen die kleinen
2. von di midda (= Eigenschaft) von der hofartigkeit
3. von die demhaftigkeit
...
6b. der Schlag der Jähzornigen verbindet sich mit der »makka« (= Schlag) von der mageffa (= Verhängnis).
Das Gesinde nicht schelten!
...
10. Wer unnütz schwört, soll jedesmal »ein pfenig geben zu thalmud thora« (= Gesetzesstudium)
11. Gegen das Decolletiren und über das »Tour«-Tragen
12. Gegen das Benehmen der Frauen im Gotteshause (rühmt die Züchtigkeit der arabischen Frau, den Anstand der Andersgläubigen in ihrem Gotteshause).

Das Hauptwerk dieser frühen Mussarliteratur begegnet uns im *»Sefer ha-Midos«* (Buch der Sitten), einem 1542 in Isny gedruckten Mussarbuch, das auf eine zwischen 1430–60 in Süddeutschland niedergeschriebene jiddische Handschrift zurückgeht. Obwohl vieles dafür spricht, daß der zu Beginn des 15. Jh.s lebende Prager Rabbiner Jomtov Lipmann Mühlhausen der Verfasser des hebräischen Originals ist, sind weder der Verfasser, noch die hebräische Quelle, noch die jiddische Vorlage des »Sittenbuches« bekannt. Als Herausgeber kommt wohl Paulus Fagius in Betracht, der allerdings anonym bleibt. Inhalt und Anlage der »Orchos Zadikim« (Pfade der Gerechten), der hebräischen Vorlage des Sittenbuchs, folgen dem Vorbild der Sittenlehre des berühmten mittelalterlichen Dichters und Philosophen Salomo ben Jehuda ibn Gabirol (1021–1070); andere Quellen nennt Zunz (a.a.O.).

Dem »Sefer ha-Midos«, dem insgesamt keine dauerhafte literarische Wirkung beschert war, das allerdings im 18. Jh. noch einmal zu literarischem Leben erwachte, folgten zumeist im Umfang und an Bedeutung geringere Sittenbücher, aus deren Reihe sich lediglich der »seder mizwot naschim« (Ordnung der Frauenpflichten) und der »Sefer ha-Gan« (Buch des Gartens) herausheben.

Im Mittelpunkt des *»seder mizwot naschim«* stehen die ›dinim‹, das sind die traditionellen rituellen Pflichten der jüdischen Frau: das Backen des Sabbatweißbrotes (Challa), das Anzünden des Sabbatlichtes am Freitagabend und die Menstruation betreffende Hygienevorschriften (Nidda), die zudem das gesamte Sexualleben der jüdischen Frau regelten. Die Erstausgabe der Ordnung der »Frauenpflichten«, die bezeichnenderweise den jidd. Untertitel »Ein Schoen Fraun Buechlein« erhielt, besorgte Daniel, Sohn des bekannten Druckers Kornelius Adelkind, der das Buch auch 1552 in Venedig verlegte. Das »Frauenbüchlein« fand in zwei Lesarten Verbreitung, die einmal dem Original, zum anderen einer erweiterten Ausgabe, die zusätzlich noch allgemeine rituelle Vorschriften aufnahm, folgten. Die Bedeutung des »Frauenbüchleins« für das religiöse häusliche Leben findet in der Tatsache ihren Ausdruck, daß es noch im ausgehenden 18. Jh. als Hausbuch in vielen jüdischen Familien gehalten wurde, wie überhaupt die allerdings dann mehr sozialkritische Mussarliteratur im 17. und 18. Jh. ihre Blütezeit erlebte.

Die jiddische Bearbeitung des weit verbreiteten hebräischen Sittenbuchs »Sefer ha-Gan«, dessen Autor Isaak ben Elieser in der zweiten Hälfte des 15. Jh. in Worms lebte, führte die eschatologische Wendung der frühen Mussarliteratur herbei. Dem erstmals als Anhang der Krakauer Hohenlied-Edition von 1572 veröffentlichten jiddischen Druck dieser Mussarschrift, in späteren Fassungen auch unter dem Titel »Sefer Olom ha-Ba« (Buch der künftigen Welt) herausgegeben, folgten den Blick aufs Jenseits gerichtete Mussarbücher wie »Sam Chajim« (Lebensbalsam; Prag 1590), »Schaare Gan Eden« (Pforten des Garten Eden; Anfang des 17. Jh.), »Rosengarten« (Prag 1609), »Sod ha-Neschamah« (Geheimnis der Seele; Basel 1609), »Jeschutos we-Nechamos« (Hilfen und Tröstungen; Hanau 1620), »J'ziras Odom« (Schöpfung des Menschen; Lublin 1624) »Chibut ha-Keber« (Grabesfolter; Prag, 1. Drittel 17. Jh.) oder »Inuj Nefesch« (Fürth, Mitte 17. Jh.). Noch im 19. Jh. lebte die Tradition dieser eschatologischen Mussarliteratur in den jiddischen Werken »Chaje Odom« (Leben des Menschen; Wilna 1868) und dem später damit meistens zusammen herausgegebenen »Choch'mos Odom« (Weisheit des Menschen, Wilna 1868) weiter.

Literatur:

Dinse Nr. 532 ff.

Leopold Zunz: Zur Geschichte und Literatur, Berlin 1845, S. 129.

Gustav Karpeles: Geschichte der Jüdischen Literatur, Bd. 2, Berlin 1886, S. 1016.

Moritz Güdemann: Geschichte des Erziehungswesens und der Cultur der abendländischen Juden während des Mittelalters und der neueren Zeit, Bd. 3, Wien 1888, S. 147, 223, 238.

Jacob Wünsche/August Winter: Die Jüdische Literatur seit Abschluß des Kanons, Bd. 3, Trier 1896, S. 536 f.

Max Grunwald: Anmerkungen zu den Märchen und Sagen der deutschen Juden; in: Mitteilungen der Gesellschaft für jüdische Volkskunde, (Hamburg) 1/1898, H. 2, S. 65.

The Jewish Encyclopedia II, 22; IV, 438; XI, 408.

Max Erik: Di geschichte fun der jidischer literatur, Warschau 1928, S. 279 ff.

Monumenta Judaica, Handbuch, [2]Köln 1964, S. 678, 696. Katalog, [2]Köln 1964, D 129.

Siegmund A. Wolf: Jiddisches Wörterbuch, Mannheim 1962, S. 43 ff., S. 65 ff.

c) *Spruchbücher*

Zur frühen Mussarliteratur zählen auch ethische Spruchbücher, die wir hier als besondere Gattung der jidd. Frauenliteratur ausweisen. Diese Spruchbücher stehen zum Teil in der Tradition der »Sprüche Salomons«, die wiederum zum Kreis der altorientalischen Weisheitsdichtung gehören. Die *Proverbien* finden sich in mehreren jiddischen Handschriften des 16. Jh.s und einem 1582 in Krakau herausgegebenen Druck, der die Übersetzung des Mordechai ben Jakob, genannt Mordechai Singer (starb 1582 in Krakau), enthält.

Der eher profanen Kunstpoesie der Proverbien steht die im Charakter volkstümlich-religiöse Spruchsammlung »Jehoschua ben Sira(k)« gegenüber, eine in tiefer Gottesfurcht wurzelnde Apokryphe, die Belehrungen über ein im religiösen Sinne rechtes und Gott wohlgefälliges Leben vermittelt. Vorlage der jiddischen Bearbeitungen des »Ben Sira«-Stoffes mag wohl die hebräische Erstausgabe Saloniki 1514 gewesen sein, die Salomon ben Jakob ha-Kohen ins Jiddische übertragen hat. Seine Übersetzung (Amsterdam 1660) wurde mehrfach nachgedruckt und neu bearbeitet. Allerdings findet sich schon in einer Oxforder Handschrift vom Jahre 1580 eine in fünfzig Kapiteln angelegte jiddische Paraphrase des »Ben Sira«, die dort unter dem Titel »Sefer ha-Mussar« (Buch der Zucht) erscheint. Eine originelle Bearbeitung bietet dagegen die von Josef ben Jakob Maarsen besorgte jiddische Übersetzung einer niederländischen (!) Fassung des Ecclesiasticus, die allerdings erst 1712 in Amsterdam im Druck erschien.

Große Popularität erlangten zwei weitere jiddische Spruchbücher; die ebenfalls zur Mussarliteratur zu rechnen sind: »Pirke Awos« (Sprüche der Väter) und »Misch'le Chachomim« (Sprüche der Weisen). Bei den »Sprüchen der Väter« handelt es sich um eine Sammlung von Lehrsätzen der Mischna, die als Moralepisteln bekannter Religions- und Gesetzeslehrer aus der Zeit des zweiten Tempels an nachfolgende Schüler gerichtet sind. Die in Form von ethischen Spruchweisheiten zusammengefaßten ›väterlichen‹ Lehren dienten schon früh als Grundlage sabbatlicher Vorträge und erschienen bald als fester Bestandteil des allgemeinen Gebetbuches.

Eine von Anselm (Anschel) Levi in Oberitalien geschriebene, 1579 vollendete Handschrift ist der Perle Wolfin gewidmet. Neben den seit 1562 dem allgemeinen Gebetbuch beigegebenen jiddischen Fassungen sind eine Reihe von Editionen bekannt, die auf die jiddische Erstausgabe Krakau 1586 zurückgehen. In Anlehnung an die »Lang Megille« erhielt die Ed. Frankfurt a. M. 1697 den Titel »Lang Perakim«, womit die Volkstümlichkeit dieses jiddischen Werkes belegt wird.

Die »Sprüche der Weisen« bringen Sentenzen, die aus dem 44. Kapitel der bekannten Mekamen des Jehuda Alcharsi geschöpft sind. Der Kompilator dieser jiddischen Spruchsammlung ergänzte die ursprüngliche Zahl der Weisen auf die kanonische Zahl 70 (Zahl der Mitglieder des Synhedriums). Diese siebzig ›chachomim‹ verkünden dem König ihre Weisheit. Im Titel der jiddischen Erstausgabe heißt es nach Grunwald (a.a.O.): »das sefer is in ›ibri [hebräisch] gereimt gar fein un‹ ver teutscht das ir wert euch darüber verwundern. Prag 1590. Verf. Jehuda ben Israel Regensburg, der da is geheissen Löb Scherbel von Lumpenburg (d. i. Lundenburg in Mähren).« – »Das buch ret von einem könig, der hat 70 ›chakhomim‹ von jüdischer samen.«

Literatur:

Dinse Nr. 108 ff.

Leopold Zunz: Die gottesdienstlichen Vorträge der Juden historisch entwickelt, Frankfurt a. M. 1892, S. 105.

Max Grunwald: Anmerkungen zu den Märchen und Sagen der deutschen Juden; in: Mitteilungen der Gesellschaft für jüdische Volkskunde, (Hamburg) 1/1898, H. 2, S. 65.

The Jewish Encyclopedia IX, 13.

Max Erik: Di geschichte fun der jidischer literatur, Warschau 1928, S. 32.

Monumenta Judaica, Katalog, ²Köln 1964, D 93.

3. *Die bürgerliche Literatur*

a) *Geschichtliche Werke*

Der Aufstieg des städtischen Bürgertums und die Entwicklung der europäischen Nationalliteraturen im 15.–16. Jh. sollten innerhalb der jüdischen Stadtbevölkerung und ihrer geistigen Führungsschicht nicht ohne Wirkung bleiben. Als wesentliche literarische Früchte dieser kulturellen und politischen Entwicklung können die jüdischen Geschichtsbücher dieser Zeit betrachtet werden. Zwar war es den Juden nicht vergönnt, an der allgemeinen Entwicklung des bürgerlich-nationalen Geistestums offiziell teilzunehmen, doch führte der Rückgriff auf literarische Werke, die – wie man annehmen muß – in unverfänglicher Weise an die historische Größe des eigenen Volkes erinnerten, ganz offensichtlich zu bis dahin in der jiddischen Literatur nicht gekannten patriotisch gefärbten Strömungen, als deren sichtbarstes Zeichen der *»Jossipon«* anzusehen ist. Diese Übersetzung des im 10. Jh. in Italien verfaßten »Pseudojosephus«, der die jüdische Geschichte von der Urzeit bis zur Zerstörung des zweiten Tempels im Jahre 66 n. Chr. darstellt, erlangte als herausragendes historisches Werk in jüdischen Kreisen eine große Beachtung. Wie seine Vorlage bringt die jiddische Version die aus den »Antiquitates Judaicae« des Flavius Josephus (37 – um 100 n. Chr.) geschöpften historischen Ereignissen, vermischt und durchwoben mit lebendigem haggadischen und apokryphischen Sagen- und Legendengut.

Einer grundsätzlichen Zuordnung des »Jossipon« zu den jiddischen Volksbüchern muß allerdings mit Skepsis begegnet werden, wurde doch bereits darauf hingewiesen, daß der umfangreiche und mit kunstvollen Holzschnitten ausgestattete jidd. Erstdruck (Zürich 1546) zu den Prachtausgaben jüdischer Buchdruckkunst zu zählen ist und somit kaum Zugang zu breiten jüdischen Leserschichten gefunden haben kann. Diese literatursoziologische Einschätzung trifft auch auf den kurze Zeit nach der Erstausgabe erschienenen Krakauer Nachdruck zu. Dann allerdings, als die Ausstrahlung des Buches auch sozial niedrigere Schichten der jüdischen Bevölkerung erreichte, kam eine erstmals 1607 in Prag veröffentlichte »Volksausgabe« dem gestiegenen Lesebedürfnis nach. Die große Popularität, die der »jossipon« nunmehr innerhalb weiter jüdischer Kreise genoß, lebte noch bis ins 18. Jh. fort und führte zu zwei auf buchhändlerischen Erfolg bedachte »Fortsetzungen«, die Menachem

Mann ben Salomon ha-Levi Amelander besorgte und 1741 erstmals unter dem Titel »Kesser Mal'chus« bzw. »Scheerit Jis'rael« herausbringen ließ.

Das erwachte Geschichtsbewußtsein und die sich an die historische Größe des eigenen Volkes orientierenden geistigen Strömungen des jüdischen Bürgertums fanden allerdings nicht unberufen der Kritik der christlichen Nachbarschaft ihren literarischen Niederschlag. Die patriotisch gefärbte, mit geschichtlichen Anmerkungen aufgewertete Reisebeschreibung »Gelilos Erez Jis'rael« (Kreise des Landes Israel) des Gerson ben Elieser ha-Levi Jiddels aus Prag wurde trotz des Protestes des Krakauer Oberrabbiners Joel Sirkis bei ihrem ersten Erscheinen 1635 in Lublin auf Geheiß der Jesuiten öffentlich verbrannt. Das, wie anzunehmen ist, aus christlicher Sicht provozierende nationalbewußte Büchlein wurde daraufhin 1691 in Fürth neu verlegt. Es erlebte noch mehrere Neuauflagen, ohne daß ihm die vernichtende Aufmerksamkeit der nichtjüdischen Umgebung zuteil geworden ist.

Literatur:

Dinse Nr. 636 ff., Nr. 645.

Gustav Karpeles: Geschichte der Jüdischen Literatur, Bd. 2, Berlin 1886, S. 1018, 1028.

The Jewish Encyclopedia I, 490; V, 639; VII, 260.

Siegmund A. Wolf: Jiddisches Wörterbuch, Mannheim 1962, S. 75 ff.

b) Jiddische Volksbücher

Mit dem Aufkommen der jiddischen Massenliteratur im 16.–17. Jh. löste der von Ort zu Ort ziehende »pakntreger« den »weiberschen schreiber« als Träger der jiddischen Literatur ab – und das im wahrsten Sinne des Wortes. Die Bedeutung dieser Wanderdrucker und Kolporteure für die Entwicklung der jiddischen Sprache und Literatur sollte nicht unterschätzt werden; denn bis ins ausgehende 18. Jh. hinein waren letztlich sie das einzige geistig-kulturelle Band zwischen Ost- und Westjudentum, das erst die jüdische Emanzipation in Westeuropa zerschnitt. Die »ßefrimtreger« – so ihre Eigenbezeichnung in der Vor- und Reklamerede zahlreicher Drucke – widmeten, in der Nachfolge der Lohnschreiber stehend, häufig auch ihre literarischen Produkte »alen frumen weibern«. Es ist jedoch anzunehmen, daß sie mit ihren klingenden Werbesprüchen, ganz im Stile der heutigen Massenliteratur, nicht nur weibliche, sondern selbstverständlich auch männliche Käufer – und Leserzielgruppen anzusprechen wußten, so daß dieser berufliche Stand durchaus seinen Mann nährte, ganz im Gegensatz zu den Lohnschreibern vergangener Zeiten, die oft genug der Gunst ihrer Gönnerinnen ausgeliefert waren und nicht selten am Rande ihrer Existenz standen. Allerdings wird die Konkurrenz unter den hausierenden Wanderdruckern und Buchhändlern groß gewesen sein; zudem entstanden in den städtischen Siedlungsschwerpunkten des westeuropäischen Judentums zahlreiche jüdische Druckereien, wie überhaupt die Massenproduktion jiddischer Druckerzeugnisse dieser Zeit sich von den bekannten osteuropäischen Buchdruckzentren nach Prag, Breslau, Frankfurt a. M., Offenbach, Homburg v. d. H., Fürth, Basel und Amsterdam verlagerte. Hier führten die jüdischen Druckereien im Schatten der nichtjüdischen Offizinen ein doch recht betriebsames und fruchtbares Dasein, indem sie, auf Bestellung arbeitend, jeweils etliche Wanderbuchhändler belieferten, die wiederum die gedruckten Büchlein in den Städten und Dörfern absetzten.

Inhaltlich standen die auf billiges Papier in groben Lettern gedruckten jiddischen *»Volksbücher«* den deutschen in nichts nach, gingen sogar meistens auf sie zurück. Begierig wurden die Stoffe der deutschen Unterhaltungsliteratur in dieser Zeit auch vom jüdischen Leserpublikum aufgenommen, und so erblühten »Sigenot« und »Genoveva«, »Eulenspiegel« und die »Schildbürger«, die »Sieben weisen Meister«, »Kaiser Oktavianus«, »Florus und Blancheflur«, »Siegmund und Magdalena«, »Fortunatus mit seinem Säckel und Wunschhütlein«, die »Schöne Magelone« und die »Getreie Parisrin« im jüdischen Ghetto zu neuem Leben.

Allerdings teilten die jüdischen Volksbücher auch weitgehend das Schicksal ihrer deutschen Vorläufer: nur wenige Exemplare sind überhaupt überliefert worden, so daß wir uns kaum ein Bild von ihrer tatsächlichen Verbreitung und literarischen Breitenwirkung machen können.

Eine Wiedergeburt als medizinische Volksbücher erlebten die bereits im Mittelalter äußerst populären »S'gulos u-R'fuos« (Heilmittel und Arzneien), die, nachdem sie noch bis zu Beginn des 16. Jh.s in Handschriften Verbreitung gefunden hatten, von der Mitte des 16. Jh.s an in billigen, meist nur wenige Seiten umfassenden Oktav-Drucken vornehmlich ostjüdischer Provenienz überliefert wurden. Der ostjüdische Erscheinungsort dieser volkstümlichen Heilmittellehren wird kein Zufall gewesen sein; denn mit den Strömungen der polnisch-jüdischen Mystik des 16./17. Jh.s rückte die Kabbala erneut in den Blickpunkt des jüdischen Volkes und bestimmte der Wunderglaube erneut die Volksmentalität. Beredtes Zeugnis dieses mystisch gefärbten Wunder- und Aberglaubens sind gefühlswertige und doppeldeutige Buchtitel wie »Seelenretter« (»Mazil Nefaschos«), »Erbteil Mosis« (»J'ruschas Moscheh«) oder »Es erhebt Moses« (Jarum Moscheh«). Der von Juda Isaak Darschan ben Jakob David Zausmer aus Chentschin in Polen verfaßte »Seelenretter« (Amsterdam 1651) beschreibt auf nur acht Seiten Heilmittel für Krankenhilfe in dringenden Fällen und Kinderkrankheiten. Die beiden anderen, an Seitenzahl etwas stärkeren Rezeptbüchlein beziehen ihren Titel nicht aus vermeintlich biblischer Quelle, sondern spielen auf den Namen ihres Verfassers, Mosche ben Benjamin Wolf Mesritz aus Kalisch an. Mosche Kalisch war übrigens ein voll ausgebildeter Arzt, dessen in Rom abgeschlossenes Studium seine gesamten Geldmittel verschlungen hatte und der in seiner Heimatstadt Kalisch zum Zeitpunkt der Veröffentlichung seiner Heilmittellehren wieder Fuß fassen mußte. Wie wir wissen, ist ihm dieses Vorhaben gelungen, ob allerdings mit Hilfe seiner verkauften Büchlein, läßt sich mit Sicherheit nicht mehr feststellen.

Berief sich Mosche Kalisch bei der Abfassung seiner Arzneibücher noch sachkundig auf »doktor ipokrot« (= Hippokrates) und »dokter galeniß« (= Gallenus), so greift der Prager Issachar Bär ben Jehuda Löw Teller unmittelbar auf kabbalistische Schriften, aber auch auf hebräische medizinische Quellen zurück. Sein Arzneibuch führt den traditionellen Titel »S'gulos u-R'fuos« (Prag 1694), ebenso wie die noch zu Beginn des 18. Jh.s erschienenen medizinischen Volksbücher der ihm nacheifernden Zewi Hirsch ben Jerechmiel Chotsch aus Krakau und Mordechai Gimpel ben Elasar Hendels aus Zülz in Oberschlesien.

Ein später Nachläufer der hier genannten medizinischen Volksbücher des 16./17. Jh.s war das nicht minder populäre, für Frauen bestimmte Heilmittelbuch »Kunstbichl und Weiberhilf«, das seit Beginn des 18. Jh.s Verbreitung fand. Lange Zeit wurde dieses »berimte Bichlein« Moses Maimonides, dem berühmten jüdischen Religionsphilosophen und Wissenschaftler (12. Jh.) zugeschrieben, doch konnte der Irrtum, der auf einem Werbetrick des Kompilators der im »Kunstbichel« zusammengestellten, nur allzu häufig aus der sogenannten »Dreckapotheka« schöpfenden Heilmittelverfahren und »kunßtsticken« (damit sind magische Signale gemeint) beruht, inzwischen aufgeklärt werden.

Neben den medizinischen Volksbüchern erfreuten sich auch noch Traum- und Schicksalsbücher sowie chiromantische und metoposkopische Büchlein lebhafter Nachfrage; doch lassen sich von ihnen nur sehr wenige Exemplare nachweisen, womit diese jiddischen Volksbücher das Schicksal des ihnen entsprechenden deutschen Volkslesestoffes teilen.

Eine dritte Sparte der jiddischen Volksliteratur bildeten didaktische Bücher, die in der Regel auch den Eingang in den Cheder, die jüdische Schule, gefunden hatten.

Zu diesen volkstümlichen Lehrbüchern zählen: *Sprachlehren* wie der grammatische Pentateuchkommentar »Ajalah Scheluchah« (Schnelle Hirschkuh; Krakau 1593–95) des Naftali Hirsch ben Ascher Altschul, ein von dem Posener Josef ben Elchanan Heilbronn in jiddischer Sprache verfaßtes Kompendium der hebräischen Grammatik, das unter dem Titel »Em ha-Jeled« (Mutter des Kindes; [1]Prag 1597) herausgegeben wurde; der vielfach aufgelegte und noch im ersten Drittel des 18. Jh.s neu herausgegebene »Sefer Chinnuch Katan« (Unterweisung der Kleinen; [1]Krakau 1640), der im Anhang ein umfangreiches hebräisch-jiddisches Wörterbuch enthält; *Wörterbücher* wie der »Sefer Dibur Tow« (Buch der guten Sprache; Krakau 1590), der ein hebräisch-italienisch-jiddisches Wörterverzeichnis zum Inhalt hat, der »Sefer Safa B'rurah« (Buch der reinen Sprache; Prag 1660), ein von Nathan (Nata) ben Moses Hanover Aschkenasi zusammengestelltes Viersprachenwörterbuch (hebräisch/jiddisch/lateinisch/italienisch), das in einer von Jakob ben Sew besorgten Neuauflage (Amsterdam 1701) um eine französische Spalte erweitert worden ist; das zu Beginn des 17. Jh.s in Folioformat gedruckte hebräisch-jiddisch-spanische Bibelglossar »Mikre Dardeki« (Kinderlehren) sowie weitere *Kinderlehren,* die als Übersetzungshilfen dann vor allem im Verlauf des 18. Jh.s Bedeutung gewannen; *stilistische Übungsbücher, Schreiblehren* und *Briefsteller,* unter denen die von Moses ben Michael Kohen zusammengestellten hebräischen und jiddischen Stilübungen »Et Sofer« (Stil des Schreibens; [1]Fürth 1691) und die »Taitschen Brifen-Kunzepten« (Amsterdam, Ende 1774) besondere Beachtung verdienen. Arithmetische Lehrbücher, die allerdings erst vom Ende des 17. Jh.s nachgewiesen werden können, und kaufmännische Lehrbücher, die zudem als Reisebegleiter des jüdischen Kaufmanns und Wanderhändler ihre Bestimmung erfahren haben, runden das Bild von den jiddischen Volksbüchern ab.

Literatur:

Dinse Nr. 450 ff., Nr. 453 ff., Nr. 471 f., Nr. 604 ff.

Leopold Zunz: Zur Geschichte und Literatur, Berlin 1845, 279, Nr. 62.
Friedrich Heinrich von der Hagen: Die romantische und Volkslitteratur der Juden in Jüdisch-Deutscher Sprache, Berlin 1855.
Friedrich Christian Benedict Avé-Lallemant: Das Deutsche Gaunerthum in seiner socialpolitischen, literarischen und linguistischen Ausbildung zu seinem heutigen Bestande, Tl. 3, Leipzig 1862, S. 477 ff., 485 f.
Gustav Karpeles: Geschichte der Jüdischen Literatur, Bd. 2, Berlin 1886, S. 1012, 1028.
Max Grunwald: Anmerkungen zu den Märchen und Sagen der deutschen Juden; in Mitteilungen der Gesellschaft für jüdische Volkskunde, (Hamburg) 1/1898, H. 2, S. 65 f.
The Jewish Encyclopedia I, 357, 479; II, 302, 583; VII, 420, 423; VIII, 234; XI, 453, 669.
Paul Heitz/Fr. Ritter: Versuch einer Zusammenstellung der Deutschen Volksbücher des 15. und 16. Jahrhunderts, Straßburg 1924, S. 177.
Max Erik: Wegn alt-jidischn roman un nowele, Warschau 1926, S. 204 ff.
ders.: Di geschichte fun der jidischer literatur, Warschau 1928, S. 214 f., 331.
Encyclopedia Judaica IX, 128.
Arnold Paucker: Yiddish versions of Early German Prose Novels; in: The Journal of Jewish Studies 10/1959, p. 151–167.
ders.: Das Volksbuch von den Sieben Weisen Meistern in der jiddischen Literatur; in: Zeitschrift für Volkskunde, (Stuttgart) 57/1961, S. 177 ff.
ders.: Das deutsche Volksbuch bei den Juden; in: Zeitschrift für deutsche Philologie 80/1961, S. 302 ff.
Siegmund A. Wolf: Jiddisches Wörterbuch, Mannheim 1962, S. 48 f.
ders.: Zwei jiddische Arzneibücher von 1677 und 1679; in: Zur Geschichte der Pharmazie, 14/1962, S. 13 ff.
ders.: Über ein dem Maimonides zugeschriebenes jiddisches Arzneibuch; in: Zur Geschichte der Pharmazie 15/1963, S. 12 f.
ders.: Über eine jiddische Arzneibuch-Handschrift von 1474; in: Zur Geschichte der Pharmazie, 17/1965, S. 26 ff.
ders.: Ein handschriftliches jiddisches Arzneibuch von 1508; in: Zur Geschichte der Pharmazie, 19/1967, S. 14 f.
Monumenta Judaica, Katalog, ²Köln 1964, D 139, D 140.

c) Religiöse Unterhaltungsliteratur

Die Reaktion auf die »Taitschen Bicher«, wie die deutschen Erzählstoffe und Volksbücher im Vorwort des »Ma'asseh-Buchs« genannt werden, konnte nicht ausbleiben. Die traditionellen geistigen Strömungen des Judentums brachten im Rückgriff auf die mittelalterliche »Ma'asseh« eine genuin jüdische Volksliteratur hervor, die im besagten *»Ma'asseh-Buch«* ihren absoluten Höhepunkt erlebte. Mit dem erneuten Aufleben der jüdischen Mystik im 16. und 17. Jh. rückten die mit den sagenumwobenen Gestalten des deutschen Judentums verbundenen Erzählstoffe wieder in den literarischen Mittelpunkt. In der religiösen jiddischen Unterhaltungsliteratur erlebten so die zentralen Gestalten des mittelalterlichen »deutschen Chassidismus«, Samuel ben Kalonymos und sein Sohn Jehuda, ihre Wiedergeburt. Ein Teil der Erzählungen, die das gegen Ende des 16. Jh.s von einem unbekannten Verfasser zusammengestellte und wahrscheinlich vor 1600 in Oberitalien erstmals gedruckte »Ma'asseh-Buch« enthält, ist diesen beiden mittelalterlichen jüdischen »Helden« gewidmet. Die ursprünglich »drei hundert un etliche maassim« (= Taten, Handlungen im Sinne von Geschehnissen) umfassende Originalfassung des »Ma'asseh-Buchs« ist verschollen; der von Konrad Waldkirch 1602 in Basel auf Geheiß des Jakob ben Abraham Mesritz besorgte Nachdruck ist die älteste erhaltene Edition der Anthologie. Diese Basler Edition hat jedoch den Inhalt des Buchs auf 254 motivgeschichtlich höchst interessante Erzählungen gekürzt, von denen die ersten 157 »Ma'assim« talmudisch-agadischen Ursprungs sind, die folgenden Nummern 158–182 die »Ma'assim« von Rabbi Samuel ha-Chassid und Rabbi Jehuda ha-Chassid bringen und die letzte Gruppe teils zum allgemeinen jüdischen, teils zum orientalischen und abendländischen Erzählgut zu zählen ist. (In den »Ma'asseh-Buch«-Editionen des 18. Jh.s gesellen sich dann noch Legenden aus dem »Sohar« und den mystischen Schriften des Isaak Loria dazu.)

Die 207 Blatt starke Basler Edition des »Ma'asseh-Buchs« kann allerdings ebensowenig als jiddischer Volkslesestoff angesehen werden wie die oben genannte »Jossipon«-Prachtausgabe (Zürich 1546). Eine solche »Volksausgabe« liegt erst mit dem der Basler Edition bald folgenden Prager (!) Druck (o. J.) vor. Insgesamt erlebte das in seiner Popularität nur noch dem »Bovo-Buch« und der »Zenne Urenne« vergleichbare »Ma'asseh-Buch« zahlreiche Nachdrucke und Neubearbeitungen, die bis in die Gegenwart reichen.

Die für die Herausgabe des »Ma'asseh-Buchs« von Jakob ben Abraham Mesritz vorgegebenen (eher wohl vom Autor des Originals übernommenen) Intentionen entsprechen zwar den Absichten der jüdischen Geistlichkeit, die profanen, schädlichen deutschen Lesestoffe zurückzudrängen, mögen aber den Herausgeber selbst herzlich wenig beeindruckt haben. Immerhin gab nämlich Jakob ben Abraham Mesritz, der zwischen 1598 und 1603 in Basel als Buchhändler ansässig war, im gleichen Jahre, in dem das »Ma'asseh-Buch« erschienen ist, eine jiddische Version des deutschen Volksbuchs von den »Sieben weisen Meistern« heraus – und das, obwohl er sich in seiner Vorrede zum »Ma'asseh-Buch« recht aggressiv gegen die Lektüre von »Ditrich fun Bern« und »Meißter Hildabrant« ausspricht, die stellvertretend für »die Teitsche Bicher« stehen. Beide Druckwerke dienten einem buchhändlerischen Zweck; denn Jakob ben Abraham Mesritz zählte zur Kategorie der jüdischen »pakntreger«, wovon auch die Vorrede zu einem von ihm 1600 in Basel herausgegeben »Deitsch Bentschn«, einem kleinen Gebetbuch in jiddischer Sprache, Zeugnis ablegt.

Im wahren Sinne der Vorrede des »Ma'asseh-Buchs« verhielten sich etliche Autoren, die bei der Kompilation jiddischer Volkserbauungsbücher Talmud und Midrasch, Kabbala und Mussar in reichem Maße ausschöpften und auf traditionelle, mündlich überlieferte Erzählstoffe zurückgriffen. Dem Vorbild des großen »Ma'asseh-Buchs« folgten dann auch bald kleine »Ma'asseh-Bücher«, die vom 17. Jh. an in großer Zahl zur Veröffentlichung gelangten.

Hierzu zählen z. B. die »Ma'asseh fun ein Kalla« (Geschichte einer Braut), die »Ma'asseh fun Man un Weib« (Geschichte von einem Mann und einer Frau) und die »Ma'asseh fun Schl'lomoh ha-Melech« (Geschichte von König Salomon), die ein unbekannter Autor in der zweiten Hälfte des 17. Jh.s in Prag veröffentlichen ließ. Vom gleichen Anonymus stammt eine eigenständige Bearbeitung der »Historie von Ritter Siegmund und Magdalena«, die als »Maglena-Lid« Verbreitung gefunden hat.

Zu den bedeutendsten jüdischen Erzählungen gehört die »Ma'asse B'riah we-Simrah«, die tragisch-wunderbare Liebesgeschichte von Beria, der Tochter eines Hohenpriesters, und Simra, Sohn des gelehrten Richters Tobias. Sie findet sich in einer von Jizhak bar Jehuda Reutlingen 1580 gefertigten Kopie, die der Münchener Cod. hebr. 100 enthält. Starke Ähnlichkeit mit dieser Handschrift weisen zwei zwischen 1657 und 1662 von den Gebrüdern Bak in Prag gedruckte Editionen auf, die ebensowenig wie die Handschrift mit der 1597 bei ihrem Vater Jakob ben Gerson in Venedig erschienenen jiddischen Ausgabe identisch sind.

Elf »Ma'assim« enthält eine gegen Ende des 16. Jh.s angelegte Oxforder Sammelschrift, die einen reichen folkloristischen Schatz bietet. Ebenfalls handschriftlich – in einem Cambridger

Sammelband aus dem 16. Jh. – sind die drei Erzählungen »Ma'asseh me-Dansk« (Geschichte aus Danzig), »Ma'asseh me-Manz« (Geschichte aus Mainz) und »Ma'asseh me-Wirms« (Geschichte aus Worms) überliefert worden. Diese drei »Ma'assim« verweisen darauf, daß nicht nur zentrale Gestalten des Judentums, sondern auch jüdische Geisteszentren als Erzählgegenstand Berücksichtigung gefunden haben. Davon legt schließlich das nach dem »Ma'asseh-Buch« wohl bedeutendste jiddische Erzählwerk, der »Sefer Ma'asseh Nissim der Stat Wormeisa« (Buch der Wundergeschichten aus Worms) ein lebendiges Zeugnis ab. Dieses Geschichtenbuch, erstmals 1696 in Amsterdam von Elieser Liebermann ben Jiftach Josef (Juspa) ben Naftali Hirz in jiddischer Sprache herausgegeben, geht zurück auf die hebräische Kompilation seines Vaters (1604–1678), der als Schammesch in Worms wirkte. Einige der Geschichten sollen sich zu Lebzeiten des Juspa Schammesch zugetragen haben, andere greifen wiederum auf mittelalterliches Erzählgut zurück, wobei sie verschiedenen Überliefererketten folgen. Zu den Autoritäten zählt u. a. der Wunderrabbi Elia ha-Sakan ben Moses ben Josef Loans (1564–1636), Enkel des »Reichsrabbiners« der deutschen Juden, Joselmann Rosheim (Josef ben Gerschom Loans, um 1480–1554).

Obwohl der Herausgeber des »Ma'asseh-Buches« auch gegen das »Ku-Buch« polemisiert, zählen wir dieses wegen seines moralisierenden Gehalts ebenso zum Bestand der volkstümlichen geistlichen Dichtung wie die »Fuchsfabeln«. Die in der Vorrede zum »Ma'asseh-Buch« apostrophierte Abwertung des Buches »fun kueen« mag wohl eher als schriftstellerische oder buchhändlerische Konkurrenz gedeutet werden, denn als Verdammnis des mehr weltlichen Inhalts des populären Fabelbuchs. Vielleicht mag dem Herausgeber des »Ma'asseh-Buchs« auch der Blick auf die herausragende Gestalt der deutschen Fabeldichtung, Hans Sachs (1494–1576), und die wohl wahrgenommene Wirkung seiner literarischen Schöpfungen auch im Kreise der deutschen Stadtjuden die Verwerfung der Fabeldichtung als schlechthin ungeeigneter Lesestoff eingegeben haben. Andererseits kann man Jakob ben Samuel Bunem Koppelmann, der uns schon an früherer Stelle als Übersetzer begegnet ist, nicht den Vorwurf ersparen, daß er bei seiner Übertragung der hebräischen »Misch'le Schualim« (Fuchsfabeln) ins Jiddische wenig literarisches Einfühlungsvermögen bewiesen hat; denn die Originaldichtung des Berechia ben Natronai ha-Nakdan (Frankreich, 12. Jh.) besitzt ein bedeutend höheres literarisches

Niveau als Koppelmanns Paraphrase. Die jiddischen »Fuchsfabeln«, die 1583, dann 1585 und 1588 in Freiburg i. Br. im Druck erschienen sind, erlangten trotz ihrer literarischen Schwäche eine erstaunlich große Popularität, was andererseits bestimmte Rückschlüsse auf den Lesergeschmack jener Zeit erlaubt. Noch 1844 wurde das Buch in Warschau neu verlegt!

Älter als die Fabelsammlung Koppelmanns ist das besagte »Ku-Buch«, eine ebenfalls gereimte Fabelkompilation, die Abraham ben Matatja zusammengestellt und 1555 in Bern (= Verona) herausgegeben hat. Dieses jiddische Fabelbuch schöpft aus dem hebräischen »Sefer Misch'le Schualim« des Berechia und dem »Sefer Maschal ha-Kadmoni« (Buch des alten Gleichnisses) des Isaak ben Salomon Ibn Abi Sahula (Spanien, 13. Jh.). Es bringt allerdings die einzelnen Fabeln wesentlich geistreicher als Koppelmanns Werk zum Vortrag.

Eine noch 1697 bei Johann Wust in Frankfurt a. M. gedruckte Neufassung des »Ku-Buchs« besorgte Moses ben Elieser Wallich (geb. 1678 in Worms, gest. 1739 in Frankfurt a. M.) unter dem Titel »Sefer M'schalim« (Buch der Gleichnisse). Übrigens erschien eine eigenständig bearbeitete jiddische Fassung der »Östlichen Parabel« – so der Titel der Gleichnisse des Isaak ibn Sahula in der Literatur – erstmals 1693 in Frankfurt a. O., wo sie rund fünfzig Jahre später noch einmal verlegt wurde.

Literatur:

Dinse Nr. 474 ff., Nr. 480 ff.

Leopold Zunz: Zur Geschichte und Literatur, Berlin 1845, S. 297.
Moritz Steinschneider: Maase Beria...; in: Serapeum 25/1864, S. 72 ff.
ders.: Das »Maase-Buch«; in: Serapeum 27/1866, S. 1 ff.
ders.: Maase; in: Serapeum 30/1869, S. 138 f.
ders.: Die Geschichtsliteratur der Juden, Frankfurt a. M. 1905, Nr. 147.
Max Grünbaum: Jüdischdeutsche Chresthomathie, Leipzig 1882, S. 385 ff.
Gustav Karpeles: Geschichte der Jüdischen Literatur, Bd. 2, 714.
Max Grunwald: Märchen und Sagen der deutschen Juden; in: Mitteilungen der Gesellschaft für jüdische Volkskunde, (Hamburg) 1/1898, H. 1, S. 72 ff., H. 2, S. 3 ff.; 2/1899, H. 1, S. 23 ff.
A. Epstein: Jüdische Altertümer in Worms und Speyer, Breslau 1896.
The Jewish Encyclopedia I, 115; VII, 556; X, 636; XII, 461, 564.
Max Weinreich: Jidische jekar-hamziosn in Cambridge, England; in: Pinkos 1/1927, S. 23 ff., Nr. 4.

Max Erik: Di geschichte fun der jidischer literatur, Warschau 1928, S. 214, 339 f., 349, 367 ff.
Bertha Pappenheim: Allerlei Geschichten. Maasse-Buch. Buch der Sagen und Legenden aus Talmud und Midrasch nebst Volkserzählungen in jüdisch-deutscher Sprache, Frankfurt a. M. 1929.
Jacob Meitlis: Das Ma'assebuch. Seine Entstehung und Quellengeschichte, Berlin 1933.
ders.: The Ma'aseh in the Yiddish Ethical Literature, London 1958.
ders.: Di schwohim fun r. schmuel un r. juda chassid, London 1961.
Moses Gaster: Maaseh Book, Book of Jewish Tales and Legends. Translated from the Judeo-German, 2 vols., Philadelphia 1934.
ders.: The Massehbuch and the Brantspiegel; in: Jewish Studies in Memory of George A. Kohut, New York 1935, S. 270 ff.
Bernhard Heller: Beiträge zur Stoff und Quellengeschichte des Ma'assebuchs; in: Occident and Orient, London 1936, S. 234 ff.
ders.: Neue Schriften zum Maasse-Buch; in: Monatsschrft. f. Gesch. u. Wissensch. d. Judenthums, (Breslau) 80/1936, S. 128–141.
Ludwig Strauß: Geschichtenbuch. Aus dem jüdischdeutschen Maassebuch ausgewählt und übertragen, Berlin 1934.
Ilse Zimt Sand: The Vocabulary of the Mayse-Bukh, a Sample Glossary to a Middle Yiddish Text, M. A. Thesis, Columbia University 1956.
dies.: An Extract from an Unpublished Manuscript of the Mayse-Bukh of 1541 prepared for the Conference on Yiddish Studies, New York, April 7–10, 1958.
Siegmund A. Wolf: Jiddisches Wörterbuch, Mannheim 1962, S. 47 ff., 70 ff.
Monumenta Judaica, Handbuch, [2]Köln 1964, S. 243 ff., 253, 691, 695 f.
Haim Schwarzbaum: Studies in Jewish and World Folklore Berlin 1968, bes. S. 16–33.

d) Dramatische Dichtung

Vergleichbar mit den burlesken Fastnachtspielen der christlichen Umgebung bildeten die nicht selten derb-frivolen jiddischen Purimspiele eine der wenigen Möglichkeiten, der strengen jüdischen Sittenlehre zu entfliehen, um sich einem lustigen und ausgelassenen Geschehen hinzugeben. Neben der Komödie »Fun Taub Jeklein« gelangen vor allem die äußerst beliebten *»Achaschwerosch« (= Ahasverus)-Spiele* zur Aufführung, die ihren Ursprung in der biblischen Geschichte von der wunderbaren Errettung der Juden in Persien haben: Esther, die Nichte des in der persischen Diaspora lebenden Mordechai wird auf wundersame Weise von dem persischen König Achaschwerosch (= Xerxes I., 485–465 v. Chr.) zur Frau erwählt. Es gelingt ihr, die Intrigen des Großwesirs Haman zu vereiteln und die persischen Juden vor dem geplanten Massenmord zu retten. Wird nun bei der Lesung der Esther-Rolle am Purimfest der Name des verhaßten Haman genannt, so erhebt sich in der Synagoge ein lautes, mit Rasseln und Knarren untermaltes triumphales Geschrei. Diesen Brauch griffen im Mittelalter die jüdischen »Narren« auf und forcierten das lustig-laute Spektakel, indem sie, ausgehend vom biblischen Stoff und in der Maske der Gestalten der Esthergeschichte, karnevalsähnliche Umzüge mit eingeflochtenen Steggreifspielen und Parodien veranstalteten. Diese Persiflagen auf das biblische Geschehen wurde im Laufe der Zeit auf die Bühne gebracht, wo sie sich bald zu derben und übermütigen Komödien entwickelten.

Von der überschwenglichen, zuweilen auch frivolen Ausgelassenheit dieser Purimspiele zeugen die (allerdings nur selten belegten) »Achaschwerosch«-Editionen des 17. und 18. Jh.s. Es sind in der Regel Rollenbücher, die in gereimten Versen die Esthergeschichte lebendig werden lassen. Ein solches Rollenbuch enthält eine im Jahre 1697 von dem getauften Krakauer Juden Johann Jakob Christian Löber alias Moses Kohen für den christlichen Gelehrten Wagenseil angelegte Kopie einer älteren Vorlage. Die in Leipzig aufbewahrte Handschrift trägt den Titel »Ein schoen neu Purim Schpil, wie es is gegangen in achaschwerosch zeiten«. Andere Fassungen des »Achaschwerosch«-Spiels liegen in Drucken des 18. Jh.s vor.

Sieht man einmal von den Purimspielen ab, so fehlt das Schauspiel in der älteren jiddischen Literatur beinahe völlig. Dieser Mangel ist religiösen Gründen zuzuschreiben, die paradoxerweise die Entwicklung der Purimspiele ermöglichten.

Wohl ist in der Literatur die Rede von dramatischen Bearbeitungen biblischer Erzählstoffe wie »Adam und Eva«, Sodom und Gomorrha«, »Opferung Isaaks«, »Verkauf Josefs«, »Auszug aus Ägypten«, »Ägyptische Plagen«, »Moses und die Gesetzestafeln«, »Tod Mosis«, »Werbung um die Tora«, »Samuel und Saul«, »David und Goliath«, »Channa und Penina«, »Salomons Klugheit« und »Der Prophet Elias«, doch lassen sich diese Schauspiele nicht eindeutig nachweisen – sieht man einmal von einem »Goliath-Spiel« (Hanau o. J.) und einer zu Beginn des 18. Jh.s veröffentlichten Fassung des »Verkaufs Josefs« (»M'chiras Jossef«) ab.

Literatur:

Dinse Nr. 423 ff.

Israel Abrahams: Jewish Life in the Middle Ages, London 1896, S. 260 ff.

Ignacy Schipper: Geschichte fun jidischer teaterkunst un drama fun di eltste zeitn bis 1750, 2 Bd., Warschau 1923–25.

ders.: Jidische folks-dramatik, Warschau 1928.

Schlomo Bastomski: Purim-schpiln, Wilna 1926.

Max Weinreich: Zu der geschichte fun der elterer Ahaschverosch-schpil; in: Filologische schriftn, Bd. 2, Wilna 1928, Sp. 425 ff.

Max Erik: Di erschte jidische komedie; in: Filologische schriftn, Bd. 3, Wilna 1929, Sp. 555 ff.

Encyclopaedia Judaica VI, 18 f.

Judak Loeb Cahan: Jidischer folklore, Wilna 1938, S. 219 ff., 310 ff.

Siegmund A. Wolf: Jiddisches Wörterbuch, Mannheim 1962, S. 59 ff.

4. *Die kritische Mussarliteratur*

a) Sittenspiegel

Die frühen jiddischen Mussarbücher »Buch der Sitten« (1542) und »Frauenbüchlein« (1552) erlebten ihre Fortsetzung und Weiterentwicklung in jenen Sittenspiegeln und kritischen Morallehren, die zwischen 1600 und 1710 im Druck erschienen und in späterer Zeit des öfteren neu verlegt worden sind. Die jiddischen Sittenspiegel des 17. Jh.s führt eines der Hauptwerke der jiddischen Mussarliteratur dieser Zeit an: der »Sefer Brantschpigel«, ein Buch, das nicht nur durch seinen literarischen Wert, sondern mehr noch als ein ausgezeichnetes Zeugnis des Gesellschafts- und des häuslichen Lebens des aufstrebenden jüdischen Bürgertums im 16./17. Jh. seine Bedeutung erhält. In diesem von Moses Jeruschalmi, genannt Moses Henochs Altschul, verfaßten Sittenspiegel tritt nämlich der allgemeine ethische Gehalt, der noch den Hauptanteil der alten Mussarwerke ausmachte, zugunsten einer gezielten Kritik an den, der orthodoxen jüdischen Sittenlehre zuwiderlaufenden Lebensverhältnissen des Stadtjudentums zurück und bildet nunmehr nur noch das religiöse Fundament, auf dem nach wie vor alle Mussarwerke aufbauen: »Brennspiegel sind Spiegel, deren glattpolirte Oberfläche die auf sie fallenden Sonnenstrahlen in einer solchen Richtung zurückwerfen, daß sie sich in einer Entfernung vor dem Spiegel in einem engen Raum vereinigen, und auf Dinge, die man in diesen Brennraum bringt, wie das heftigste Feuer wirken« (Real-Encyclopaedie oder Conversationslexikon, Bd. 2, [5]Leipzig 1819, S. 40). – In diesem Sinne sind die Intentionen des Verfassers des »Sefer Brantschpigel« auszulegen; denn die Hauptadressatin des mit drastischer Kritik an den aufgelockerten Umgangsformen und Lebensgewohnheiten erfüllten »Brantschpigels« war die wohlhabende Jüdin aus bürgerlichem Hause, der dieses Buch als Spiegel der Selbsterkenntnis vorgehalten werden sollte, damit sie die in ihrem Gesicht eingebrannten Untugenden erkenne. Der Autor läßt es allerdings nicht bei der Kritik bewenden, sondern gibt, ausgeschmückt mit unterhaltenden jüdischen Erzählstoffen, handfeste Anweisungen und Empfehlungen für den im religiösen Sinne wohlgefällig verlaufenden Lebensalltag, wobei er keineswegs davor zurückschreckt, sehr intime Lebensbereiche anzusprechen und drastische Wohlverhaltenslehren für Haushalt, häusliche Umgangsformen, Ehepflichten, sexuelle Gepflogenheiten, Körperpflege und auch die rituellen Handreichungen beim Abortbesuch zu geben. Nicht nur das Bild der bürgerlichen jüdischen Welt, das im »Brantschpigel« eingefangen wird, entspricht der Leserzielgruppe, sondern ebenso die kunstreiche und kostbare Ausstattung der bei Konrad Waldkirch unter Verwendung des Titelbildstocks des »Ma'asseh-Buchs« gedruckten Basler Edition, die der Verleger Pinchas Jehuda Halprun Neuersdorf in Auftrag gab.

Neben dem »Brantspiegel« verblassen die beiden anderen Sittenspiegel, der »Zuchtspiegel« oder »Mar'eh Mussar« (Prag 1610) des Seligmann Ulma Günzburg und der »Zierspiegel (anzuhängen an die Wand)« oder »Mar'eh le-Hiskasches Bo« (Dyhernfurth 1693) des als Schammesch, Chasan und Sofer in Proßnitz wirkenden Elchanan ben Issachar Katz, obwohl gerade der »Zuchtspiegel« mehrere Nachdrucke erlebt hat und noch 1733 in Sulzbach neu verlegt worden ist. Beide Moralwerke ähneln sich im Aufbau: sie bringen Gleichnisse und ethische Sentenzen aus Talmud und anderen religiösen Schriften, die als Aphorismen des Lebensalltages Bedeutung gewonnen haben.

Literatur:

Dinse Nr. 554 ff.

Jacob Winter/August Wünsche: Die Jüdische Literatur seit Abschluß des Kanons, Bd. III, Trier 1896, S. 546 ff.

The Jewish Encyclopedia I, 478; V, 106; VI, 347.

Max Erik: Der »brantschpigel«, di enziklopedie fun der jidischer

frau in dem 17. jh.; in: Zeitschrift für jüdische Geschichte, Demographie. . ., (Minsk) Jg. 1926.
Moses Gaster: The Maasehbuch and the Brantspiegel, in: Jewish Stundies in Memory of George A. Kohut, New York 1935, S. 270 ff.
Shmuel Niger: Bleter, Geschichte der jidischer literatur, New York 1959, S. 35–107.

b) Sozialkritische Mussarliteratur

Die soziologische Relevanz des »Brantschpigels« findet sich im *»Jew Tow«* (Guten Herz) und anderen sozialkritischen Mussarbüchern des 17. Jh.s wieder, doch im Gegensatz zur Intention Moses Henochs', des Verfassers des »Brantschpigels«, intendiert der Autor des »Lew Tow«, Isaak ben Eljakim, nicht die Selbstkritik der bürgerlichen Stadtjudenschaft, sondern wendet sich mit dieser Kritik an die verarmte jüdische Landbevölkerung Osteuropas, wo die polnisch-jüdische Mystik des 16./17. Jh.s einen reichen Nährboden fand. Isaak ben Eljakim selbst stand dieser religiösen Bewegung sehr nahe, war er doch ein Schwiegersohn des Rabbi Scheftil Horwitz (1600–1660), eines ihrer geistigen Führer. Die vornehmlich in Polen, aber auch in anderen Teilen Osteuropas aufkeimenden neukabbalistischen Geistesströmungen verloren sich nicht im abstrakten religionsphilosophischen Gedankentum, sondern keimten auf dem kargen Boden der heruntergekommenen jüdischen Landbevölkerung, die erleben mußte, wie die wohlhabende und sozial gesicherte Stadtjudenschaft ihre hervorragende ökonomische Stellung für wachsende Privilegien rechtlicher und wirtschaftlicher Natur auszunutzen wußte, ohne daß die wirtschaftlich und sozial ungesicherten Landjuden Anteil daran nehmen durften.

Diese für die verarmte jüdische Landbevölkerung katastrophalen gesellschaftlichen Differenzierungen bilden den konkreten Hintergrund des »Lew Tow«, der seinen lebhaftesten Ausdruck in der von Isaak ben Eljakim formulierten, tiefe Resignation und bittere Selbstironie offenbarenden Devise findet: »doß gelt fargeit – der drek baschteit« – das Geld vergeht – der Dreck (aber) besteht! »Lew Tow« ([1]Prag 1620) faßt die der volkstümlichen polnisch-jüdischen Neukabbala immanenten Aussagen programmatisch zusammen, das Buch ist gleichzeitig Höhe- und Ausgangspunkt einer nachfolgenden, weitverbreiteten sozialkritischen Mussarliteratur in jiddischer Sprache, die sich weitgehendst von ihren hebräischen Vorbildern löst und originelle jiddische Sittenlehren bietet. Dabei sind es nicht so sehr die erdrückenden sozialen und ökonomischen Unterschiede zwischen Stadt- und Landjudenschaft, die kritisiert werden – diese Unterschiede müssen aus der religiösen Sicht des Autors sogar als gottgewollt angesehen werden! – sondern weit mehr Geiz und Hartherzigkeit der Besitzenden, die gegen das Gebot der »Zedaka«, der angewandten jüdischen Sozialethik und Nächstenliebe, verstoßen.

Die Grundtendenzen der sozialkritischen Mussarliteratur entspringen nur selten einer auflehnenden Haltung ihrer Autoren; der Grundton dieser Literatur ist eher resignierend als radikal. Darin zeigt sich der Fatalismus der meisten Mussarschreiber, die die Erklärung für die soziale Ungerechtigkeit und die Unbill der Zeit im allgemeinen Verfall der religiösen Sitten sehen. Der Weg, den die Autoren der sozialkritischen Mussarbücher einschlagen, ist demgemäß vorgegeben: es gilt das religiöse Leben im Sinne der orthodoxen Sittenlehre zu reformieren!

Der »Lew Tow« stellte in dieser Hinsicht das erste literarische Ergebnis der religiösen Erneuerung im Ostjudentum dar, weitere folgten, wobei die Autoren nicht selten an die frühen eschatologischen Mussarbücher anknüpften. Die Vorbereitungen auf die Ankunft des Messias und die damit verbundene Rückkehr nach Jerusalem bilden den Hauptgegenstand dieser Werke, die somit auf dem Boden der realen religionsgeschichtlichen Ereignisse stehen, die in der tief in das aschkenasische Judentum gehenden messianischen Bewegung des Sabbatai Zewi (1626–1676) einen ausgesprochenen Höhepunkt erlebten. So handelt z. B. die von Naftali ben Samuel Pappenheim geschriebene »Taitsche Aptek« ([1]Amsterdam 1652), die eigentlich den Titel »Awkas Rochel« (Gewürzkrämer-Stab) führte, von Zeichen und Tröstungen zur Zeit des Messias. Die Vorbereitung auf die Ankunft des Herbeigesehnten sollte von asketischer Buße und strenger Befolgung der Religionsgesetze erfüllt sein – zumindest kommen diese Intentionen in den dem Hohen Prager Rabbi Löw zugeschriebenen »Tikune T'schuwah Erez ha-Zewi« (Verordnungen der Buße des Landes der Herrlichkeit, Krakau 1636) zum Ausdruck. Als »Wegweiser nach Jerusalem« bot sich eine um die Mitte des 17. Jh.s von Moses ben Israel Naftali aus Prag verfaßte Eschatologie mit dem Titel »Darke Zion« (Wege Zions) an; die Sehnsucht auf das ewige Leben kommt in dem um 1670 von dem Prager Dajan Issacher Bär Eibschütz zusammengestellten Mussarbuch »Beer Scheba« (Sieben Brunnen) zum Tragen. Dieses ethische Werk, das der Autor seiner Frau Bella bat Jakob Perlhefter gewidmet hat, beschreibt in seinem ersten Teil das Paradies und handelt im zweiten Teil von der Hölle. Es wird in einer Oxforder Handschrift aufbewahrt.

Abgesehen von etlichen Nachläufern der kritischen und eschatologischen Mussarbücher, die weit bis ins 18. Jh. Verbreitung gefunden haben, setzen zwei populäre Sitten- und Moralwerke den Endpunkt der jiddischen Mussarliteratur. Das ist einmal das Mussarbuch »Sim'chas ha-Nefesch« (Seelenfreude, 1707) des Elchanan Hendel Kirchhahn ben Benjamin Wolf, eine aus Talmud und Midrasch und weiteren religiösen Werken geschöpfte Sittenlehre in Gleichnissen und Sentenzen, die in ihrem zweiten Teil die religiösen Bestimmungen und Gebräuche aufführt, wobei der Verfasser u. a. auf das bekannte »Frauenbüchlein« zurückgreift, zum anderen das zwei Jahre später in der gleichen Offizin, Matthias Andreae in Frankfurt a. M., gedruckte ethische Werk »Kaw ha-Jaschar« (Rechtes Maß) des Zewi Hirsch ben Ahron Samuel Kaidenower, des Schwiegervaters des Elchanan Hendel Kirchhahn.

Literatur:

Dinse Nr. 557 ff.

Leopold Zunz: Zur Geschichte und Literatur, Berlin 1845, S. 293, Nr. 185.

Gustav Karpeles: Geschichte der Jüdischen Literatur, Bd. 2, Berlin 1886, S. 1017.

Jacob Winter/August Wünsche: Die Jüdische Literatur seit Abschluß des Kanons, Bd. 3, Trier 1896, S. 541 f.

Pauline Miriam Fleiß: Das Buch Simchat Hanfesch von Henele Kirchhain aus dem Jahre 1727, Bern 1913.

The Jewish Encyclopedia V, 106; VII, 146, 414.

Isidor Kracauer: Geschichte der Juden in Frankfurt a. M., Frankfurt a. M. 1926–27, S. 309 ff.

Max Erik: Di geschichte fun der jidischer literatur, Warschau 1928, S. 251 f.

Monumenta Judaica, Handbuch, [2]Köln 1964, S. 696.

c) Jiddische Literatur zum Gesellschaftsleben der Juden in Deutschland und Osteuropa im 17. Jahrhundert

Ein lebendiges Zeugnis von den umwälzenden religiösen Strömungen, die der »falsche Messias« Sabbatai Zewi auch in der Hamburger Judengemeinde auslöste, legen die Memoiren der Bankiers- und Handelsfrau *Glückel von Hameln* (geboren 1645 in Hamburg, gestorben 1724 in Metz) ab. Diese zwischen 1691 und 1719 aufgezeichneten, insgesamt in einem naiven Stil gehaltenen, aber doch sehr sachlich und ohne jeden persönlichen Ehrgeiz abgefaßten »Sichronos« sind an ihre zwölf Kinder gerichtet, die alle zertreut in Europa, in Wien, Berlin, Kopenhagen, London, Metz und Kleve leben. Die dabei angesprochenen Themen sind äußerst vielseitig und sehr aufschlußreich im Hinblick auf die sozialen, religiösen und kulturellen Verhältnisse der deutschen Juden in dieser Zeit. Neben zahlreichen Mitteilungen aus dem Familien- und Geschäftsleben der vitalen und mit beiden Beinen auf der Erde stehenden Glückel, die immerhin noch im Alter von 54 Jahren nach Metz übersiedelte, um dort ihren zweiten Mann, den Bankier Cerf (Hirz) Lévy zu heiraten, entnehmen wir den Lebenserinnerungen authentische Hinweise auf gewisse Erscheinungsformen äußerer Assimilation der jüdischen Mittelschicht, zu der wir Glückel zu zählen haben. Trotz dieser Anpassungsbereitschaft bestehen die traditionellen jüdischen Bildungsideale weiter fort und werden trotz der erdrückenden Umwelteinflüsse verwirklicht. Ihre interessanten Anmerkungen zu verschiedenen Reisen, die sie im Laufe ihres erfüllten und bewegten Lebens nach Leipzig, Hannover, Amsterdam und Berlin führen, geben uns einen Aufschluß über die Lebensumstände der jüdischen Bevölkerung in diesen Städten. Für die Rezeption der jiddischen Literatur dieser Zeit finden sich in den »Sichronos« etliche Belege, obwohl Glückel sicherlich nicht als ein Beispiel der jüdischen Frau schlechthin anzusehen ist.

Wertvolle Aufschlüsse über das kulturelle und gesellschaftliche jüdische Leben im 17. Jh. geben selbstverständlich auch zahlreiche jiddische Briefe, die zum Teil in handschriftlichen Sammlungen vorliegen. Zu ihnen zählt der Codex Wien Suppl. 1174, der 47 überwiegend jiddisch abgefaßte Briefe Prager Juden vom 22. November 1619 enthält. Sie gewinnen im Zusammenhang mit den Ereignissen des 30jährigen Krieges Bedeutung.

Wahrscheinlich Ende des 17. Jh.s niedergeschrieben wurde die in einer Oxforder Handschrift aufbewahrte jiddische Fassung der »M'gilas Ewa« (Rolle der Feindschaft), eine Autobiographie des bekannten Prager Rabbiners Jomtov Lipmann ben Nathan ha-Levi Heller (1579–1654), der im Zusammenhang mit dem Prager Judenaufstand in den Jahren 1628–29 wegen des Vorwurfs der Korruption auf Beschluß Ferdinand II. verhaftet und zunächst zum Tode verurteilt, später dann nach Zahlung einer hohen Geldstrafe begnadigt und ausgewiesen worden ist.

Noch auf drei weitere literarische Zeugnisse über die kulturelle und soziale Situation der deutschen und osteuropäischen Juden im 17. Jh. sei der Blick gerichtet: Die »Beschreibung« eines Disputs zwischen einem deutschen (Aschkenas), polnischen (Poliak) und böhmischen Juden gibt uns ein unbekannter polnisch-jüdischer Autor. Den Hintergrund des Streitgesprächs liefern die bedenklichen wirtschaftlichen und sozialen Nöte der polnischen Juden, so daß der größte Teil des Mitte des 17. Jh.s im Druck erschienenen, nur acht Seiten umfassenden Büchleins von den Vorwürfen des polnischen Juden bestimmt wird, der insbesondere den deutschen Juden der mangelnden Hilfsbereitschaft und der Hartherzigkeit bezichtigt. Geschäftssinn und Geiz der deutschen Juden trügen – so der unbekannte Autor – zur Gesetzesübertretung und zum allgemeinen Verfall der religiösen Sitten bei. Der allgemeine religiöse Sittenverfall bildet auch das Hauptthema des »Judischen Teriaks« (»Zori ha-J'hudim«), einer gegen das von Samuel Friedrich Brenz aus Osterburg in Bayern verfaßte Antisemitikum »Jüdischer Schlangenbalg« (Nürnberg 1614) gerichteten jiddisch und hochdeutsch verfaßten Schrift, die Salomo Salman Zewi Hirsch aus Offenhausen zu Papier brachte und ein Jahr nach Erscheinen des »Jüdischen Schlangenbalgs« in Hanau verlegen ließ. Ein Nachdruck dieser Disputation (»Nizachon«) erschien 1677 in Amsterdam, und noch drei Jahre später gab Johannes Wülfer, ein Freund des oben genannten Wagenseils, eine lateinische Ausgabe des »Jüdischen Teriaks« zusammen mit der Streitschrift Brenz' heraus. Ebenfalls als Widerlegung der von christlicher Seite vorgebrachten polemischen Kritik am Judentum versteht sich das »Buch der Ferzeichnung«, das aus der Feder des zum Judentum übergetretenen Mönchs Israel Ger stammt. Wie schon die beiden oben genannten Schriften, enthält auch dieses Buch, das 1696 von Isaak Jakob (Bär) ben Saul Abraham in Amsterdam herausgegeben worden ist, zahlreiche Hinweise auf die zeitgenössischen Lebensverhältnisse der aschkenasischen Juden.

Literatur:

Dinse Nr. 297, Nr. 299 ff., Nr. 640 ff.

Gustav Karpeles: Geschichte der Jüdischen Literatur, Bd. 2, Berlin 1886, S. 1027.

David Kaufmann: Die Memoiren der Glückel von Hameln,

1645–1719. Hrsg., mit deutscher Einleit. und mit Anmerk. versehen, Frankf. a. M. 1896.
Alfred Landau: Die Sprache der Memoiren Glückels von Hameln; in: Mitteilungen zur jüdischen Volkskunde 7/1901, S. 20–68.
ders. und *Bernhard Wachstein:* Jüdische Privatbriefe aus dem Jahre 1619, Wien-Leipzig 1911.
The Jewish Encyclopedia X, 109.
Alfred Feilchenfeld: Denkwürdigkeiten der Glückel von Hameln, 1645–1719 aus dem Jüdisch-Deutschen übersetzt, mit Erläuterungen versehen und hrsg., Berlin 1920.
Max Erik: Di geschichte fun der jidischer literatur, Warschau 1928, S. 265.
Karl Habersaat: Repertorium der jiddischen Handschriften; in: Rivista degli studi orientali, (Rom) 29/1954, S. 56, S. 60.
Monumenta Judaica, Handbuch, ²Köln 1964, S. 269 f., 426.
Monumenta Judaica, Katalog, ²Köln 1964, D 116.

d) Lyrische Mussardichtung und historisches Liedgut

Neben dem allgemeinen sozio-ökonomischen Niedergang der in Osteuropa ansässigen jüdischen Landbevölkerung beeinträchtigten der Mitte des 17. Jh.s sich austobende Kosakenaufstand und der Schwedenkrieg die Lebensverhältnisse der Ostjuden erheblich. Die mit diesen Katastrophen verbundenen Greueltaten werden die geistige Haltung der gequälten und bedrohten Judenschaft entscheidend mitgeprägt haben. Sie erweckten den traditionellen jüdischen Klagegesang, die sog. »Kinos« (Klagelieder) zu neuem Leben, insofern ein Großteil der lyrischen Jiddischdichtung des 17. Jh.s den lokalen Bedrängnissen und Verfolgungen gewidmet war. Diese Trauergesänge sind erfüllt vom Schmerz über die erlittene Not und geben, indem sie stets zu realen Geschehnissen in den Judengemeinden Bezug nehmen, ein bewegtes Bild von der Lebensgefahr wieder, in der sich zu dieser Zeit Tausende von Juden befanden. Die allgemeine Anteilnahme an den traurigen Ereignissen war so groß, daß die »Kinos« oder »Kloglider« Aufnahme in den synagogalen Gesang fanden, wo sie als stetes und allgegenwärtiges Mahnmal noch bis in die Neuzeit ihren Bestand hatten. Beispielhaft für den religiösen Klagegesang sind die von den Chasan der Posener Judengemeinde, Löw Sofer ben Chajim, hebräisch und jiddischen abgefaßten »Kinos« (Dessau 1698) und öfter), die ins Ritual des zur Erinnerung an den Tag der Tempelzerstörung begangenen Trauertags (9. Aw) aufgenommen worden sind.

Den in zahlreichen Mussarwerken anklingenden eschatologischen Geistesströmungen entsprachen die *»getlichen Lider«*, später auch »gottesfurchtig Lider« genannt, die, wie der »Semer Arba Geulos« (Gesang der vier Erlösungen) oder das »Mazil-mi-Mawes-Lid« (Todesretter-Lied), von der Erlösung und Auferstehung nach dem Tode handeln. Verfasser dieser mystischen Gesänge waren nicht selten berufsmäßige Vortragskünstler (»Badchanim«), die an die Tradition ihrer mittelalterlichen Vorgänger anknüpften und ihre oft wehmütigen und besinnlichen Lieder auf Familienfeiern erklingen ließen. Zu ihnen zählen der Prager Schlomo Singer, der eigentlich Salomo ben Naftali hieß, und Jakob ben Elia ha-Levi aus Teplitz, dem man den bezeichnenden Namen »Frum Rew Jakov« gegeben hatte.
Der Letztgenannte verfaßte auch ein bekanntes jiddisches »Straflied«, das zu jenem eigenartigen jiddischen Moritatengesang dieser Zeit gehört. Die im Mussarstil gehaltenen »Straflieder« vermischten häufig aktuelle Nachrichten über die mit den Judenverfolgungen im Zusammenhang stehenden lokalen Ereignisse und menschlichen Schicksale mit wunderbaren Begebenheiten, Errettungen und Erlösungen, so daß sie trotz ihrer deutlich tendenziellen Grundaussage nur allzu häufig die Ausflucht in die befreiende Phantasie suchten. Als Ergebnis dieser Dichtkunst stellten sich dann des öfteren Wundergeschichten oder gar Schauermärchen ein, die zumindest kurzweilig von der bedrückenden Lebenslage ablenken konnten. Dort, wo die historischen Begebenheiten ausnahmsweise einmal die Gelegenheit zur Freude und Zufriedenheit boten, erklangen »Freidenlider«, so vor allem in Prag zur Ehre des judenfreundlichen Kaisers Leopold.

Aus dem reichen Schatz der jiddischen Historienlieder seien hier drei erwähnt: das von Jakob Tausk (Taussig) verfaßte »Moschiach-Lid« (Amsterdam 1666 und öfter; ein Lied über den »falschen Messias« Sabbatai Zewi), ein Mitte des 17. Jh.s in Prag veröffentlichtes »Schwedisch Lid«, das über Ereignisse des Schwedenkrieges im Jahre 1648 berichtet, und ein kurz nach 1616 geschriebenes »Schen Lid, M'gilas Vinz« (erhalten sind die Ed. Amsterdam 1648 und Frankfurt a. M. 1696), das sich auf den Frankfurter Fettmilch-Aufstand in den Jahren 1614–1616 bezieht. Sein Verfasser, Elchanan ben Abraham Helen, genannt Elchanan Frankfurt, ist auch der Schöpfer eines anderen bekannten »Schen Lids«, das zur *Mussar*dichtung zu rechnen ist: »Schir we-Semer Naeh el-Uroch ha-Goles« (Gesang und schönes Lied über das Verhalten im Exil). In diesem 1624 in Lublin (!) im Druck erschienenen Mussarlied beklagt der in Frankfurt am Main als Rabbiner wirkende Elchanan Frankfurt die gegen die orthodoxen Lehren verstoßenden Lebensgewohnheiten der Angehörigen seiner Judengemeinde. Besonders heftig kritisiert er die Unsitten und das Fehlverhalten der wohlhabenden jüdischen Bürger, sowohl der Männer wie der Frauen, die sich in vielem bereits dem Lebenswandel ihrer christlichen Umgebung angepaßt haben.

Literatur:

Dinse Nr. 350 ff., Nr. 384 ff., Nr. 387, Nr. 390 ff.

Johann Christoph Wagenseil: Belehrung der Jüdisch-Teutschen Red- und Schreibart [...], [1]Königsberg 1699, S. 119 ff.

Johann Jacob Schudt: Jüdische Merckwürdigkeiten [...], Tl. 3, Frankfurt a. M. 1714, S. 9 ff., S. 36 ff.

Leopold Zunz: Zur Geschichte und Literatur, Berlin 1845, S. 300, Nr. 241.

Friedrich Christian Benedict Avé-Lallemant: Das Deutsche Gaunerthum in seiner socialpolitischen, literarischen und linguistischen Ausbildung zu seinem heutigen Bestande, Tl. 3, Leipzig 1862, S. 413 f.

III. Die jiddische Literatur im 17.–18. Jahrhundert

1. Bibelübersetzungen

Im Mittelpunkt der jiddischen Literatur des 17.–18. Jh.s stehen die Bibelübersetzungen, mit denen die jiddische Übersetzungsliteratur ihren absoluten Höhepunkt erreicht. Die wesentlichen Impulse für die Schriftlegung dieser Literatur gehen von Westen aus. Somit scheint eine wesentliche Erkenntnis über die weitere Entwicklung des jiddischen Schrifttums bis hin zur jüdischen Aufklärung und Emanzipation in Deutschland Raum zu gewinnen: während die überwiegend im Ostraum (Krakau, Lublin) publizierten *Frauenbücher* und *Mussarschriften* den Weg der Verselbständigung und inneren Konsolidierung der jiddischen Literatur einschlugen, greift die nunmehr in Westeuropa im Druck erscheinende jiddische Übersetzungsliteratur auf hebräisch-aramäische Quellen zurück und unterbindet somit die im Ostjiddischen eingeleitete fruchtbare Entwicklung. Ausschlaggebend für diesen literarischen Wechsel waren politische und wirtschaftlich-soziale Gründe. Der zunehmende Druck der im Ostraum um sich greifenden Judenpogrome führte zu einer Situation der Ghettoisierung der ostjüdischen Kultur und im weiteren Verlauf der historischen Ereignisse zu einer Emigration ihres sichtbarsten Zeichens, der jiddischen Literatur. Somit war die im Ostraum in hoher Blüte stehende jiddische Literatur zum Sterben verurteilt, wenn es nicht gelang, sie an anderer, politisch gesicherter Stätte auferstehen zu lassen. Mit dem Zug der ostjüdischen Emigranten verlagerten sich auch die Erscheinungsorte der jiddischen Literatur weitgehend nach Westen – sieht man einmal von Prag als Druckort der populären jiddischen Massenpublikationen ab. Als Zentrum des jüdischen Geisteslebens in Europa erlebte Amsterdam im 17./18. Jh. die Begegnung des aus Portugal und Spanien nach Westeuropa strömenden sefardischen Judentums mit der von den ostjüdischen Emigranten neubelebten aschkenasischen Kultur.

Selbstverständlich konnte diese Begegnung nicht ohne Einfluß auf die weitere Entwicklung der jiddischen Literatur bleiben, wie die jiddischen Bibelübersetzungen des 17.–18. Jh.s belegen. Während bekanntlich die älteren jiddischen Bearbeitungen der biblischen Bücher unter Verwendung talmudisch-midraschischer Literatur, insbesondere der Gemara, vorgenommen wurden, bildete nunmehr die der religiösen Gelehrsamkeit der Sefardim entsprechende Tora alleinige Grundlage der jiddischen Bibelfassungen. Dabei verfolgten die beiden Amsterdamer Verleger und Drucker Uri Phoebus ben Ahron ha-Levi, in dessen Offizin u. a. die jiddischen Prachtausgaben des »Bovo-Buchs« und des »Jossipon« (beide 1661) entstanden, und Josef Athias bewußt den Plan, eine jiddische *Gesamt*bibel nach dem Vorbild der Lutherbibel zu erstellen.

Übersetzer der bei Uri Phoebus erstmals in den Jahren 1676–79 im Druck erschienenen jiddischen Gesamtbibel war derAuricher Rabbiner Jekutiel ben Isaak Blitz, der in der Druckerei des Uri Phoebus als Korrektor beschäftigt war. Die Übersetzung der zweiten, 1679 von Josef Athias herausgegebenen jiddischen Gesamtbibel stammte von Josef (Josel) ben Alexander Witzenhausen (1610–1686), der zwischen 1644 und 1680 als Setzer für Josef Athias arbeitete. 1688 erschien bei Josef Athias eine überarbeitete Ausgabe der Witzenhausen'schen Bibel, der im übrigen 1711 die Ehre zuteil wurde, in die in Wandsbek herausgegebene »Biblia Pentabla«, in der außerdem noch die Bibeln Ulenbergs, Luthers, Piscators und die niederländische Staatenbibel Berücksichtigung erfahren haben, aufgenommen zu werden.

Dem Vorbild dieser beiden Bibelwerke folgten bis zum Ausgang des 18. Jh.s weitere jiddische Bibelübersetzungen, die ebenfalls dem hebräischen Urtext wortgetreu folgten; doch schon bald verzichtete man wieder auf die Geschlossenheit des Bibelkanons und übertrug lediglich den Pentateuch und einzelne biblische Bücher, wie die von Gedalja Taikos ben Abraham Menachem 1759 in Amsterdam unter dem Titel »Beer ha-Torah« (Born der Tora) ins Jiddische übersetzte Pentateuchfassung mit Haftaros und M'gilos oder der von Elieser Sussmann ben Isaak Roedelsheim ins Jiddische übertragene hebräische Pentateuch »Mikre Meforasch« (Amsterdam 1749) beweisen. Beide Pentateuchübersetzungen wurden ebenso zu Unterrichtszwecken verwendet wie der »M'lamed Siach« (Sprachlehrer; Amsterdam 1710 und öfter) des Eljakim Götz ben Jakob, eine jiddische Fassung nebst Erläuterungen der wichtigsten Paraschas des Pentateuchs und der fünf M'gilos.

Die streng im Sinne der orthodoxen Lehrweise ausgeführten Übersetzungsarbeiten schließen auch jiddische Bearbeitungen des Psalters ein, dessen poetische Nachdichtungen bis ins 17. Jh. hinein die Gunst aller jüdischen Leserschichten erwarben. Unter den eher wissenschaftlichen Übersetzungen des 18. Jh.s gewinnt besonders der Psalter des Michael ben Abraham Kohen, genannt Michael Fürth, Bedeutung. Auf die Edition Amsterdam 1705 des Levita'schen Psalters zurückgreifend, setzt Michael Fürth in seinem 1725 in Wilhermsdorf veröffentlichten Übersetzungswerk die jiddischen Übertragungen interlinear in den hebräischen Haupttext, um so ein in Schule und Haus zu verwendendes Unterrichtswerk zu gestalten.

Literatur:

Dinse Nr. 64 ff., Nr. 105 f.

Max Grünbaum: Jüdischdeutsche Chestomathie, Leipzig 1882, S. 18 ff., 102 ff.

Fränkel, in: Allgemeine Deutsche Biographie, hrsg. durch die historische Kommission bei der Königlichen Akademie der Wissenschaften, Bd. 43, Leipzig 1898, S. 663 ff.

The Jewish Encyclopedia X, 442; XI, 669.

Willy Staerk/Albert Leitzmann: Die Jüdisch-Deutschen Bibelübersetzungen von den Anfängen bis zum Ausgang des 18. Jahrhunderts. Nach Handschriften und alten Drucken, Frankfurt a. M. 1923, S. 177 ff.

Israel Zinberg: Di geschichte fun der literatur bei jidn, Bd. 6, S. 138–161.

2. *Ritualbücher*

Liturgische Sammlungen, besondere Ritualwerke und Mohelbücher bilden den Bestand der religiösen jiddischen Gebrauchsliteratur des 17. und 18. Jh.s, die zu einem Großteil als Übersetzung hebräischer Originale im Druck erschien. Zu den liturgischen Werken zählen z. B. Gebetbücher für die Totenandacht wie »Ma'ane Laschon« (Rede der Zunge; Dyhernfurth 1689 und öfter), eine Sammlung von 47 rhythmischen Gebeten für die Grablegung, die der Darschan der Mainzer Judengemeinde, Elieser Liebermann Sofer ben Löw Rofe, unter Verwendung des hebräischen Originals des Jakob ben Abraham Salomo ([1]Prag 1615) zusammenstellte, oder »Schaar Schimeon« (Tor Simeons; Amsterdam 1714), eine von Moses ben Simon Frankfurter aus dem Nachlaß seines Vaters (daher der Titel) herausgegebene Sammlung von Gebeten und Ritualien am Kranken- und Sterbebett. Gebete und Ritualien enthält auch die von Salomo Salman ben Moses Rafael London kompilierte »Kehilas Schlomoh« (Sammlung Salomos; Frankfurt a. M. 1722). Die in diesem Ritualbuch zusammengestellten Vorschriften beziehen sich ebenso auf das jüdische Speisenritual wie die in dem Ritualwerk »Dinim we-Seder Melichah« (Vorschriften und Ordnung des Fleischsalzens; Venedig um 1600) des bereits an früherer Stelle erwähnten Jakob ben Elchanan Heilpern (= Heilbronn) zusammengefaßten, aus dem hebräischen »Toras ha-Chatas« des Moses ben Israel Isserles ausgezogenen rituellen Bestimmungen. Im Anhang dieses nur acht Seiten umfassenden Ritualbüchleins, das im übrigen der achtjährigen Moscita m'b't, gewidmet ist, die tüchtig im »leien teutsch un' galches (= Latein)«, dem Verfasser zu einem früheren Zeitpunkt geholfen hat, »maggiah sein« (= zu revidieren) ein »sefer tora« (Gesetzesrolle), erscheinen Gebete und religiöse Lieder. Speisegesetze und rituelles Schlachten (Schächten) bilden den Inhalt zahlreicher Ritualwerke des 18. Jh.s, zu denen die verschiedenen Ausgaben und Fassungen des »Seder ha-Nikur« (Ordnung des Reinigens) und der Schächtordnung »Schechitos u-Bedikos« (Schlachten und Untersuchen) zu zählen sind.

Der Bund mit Gott (hebr.: B'ris ha-Schem) wird durch die am achten Tage nach der Geburt beim neugeborenen Knaben vorgenommenen Beschneidung vollzogen. Ursprünglich nur im Familienkreis ausgeführt, wurde der heilige Akt der Beschneidung im Kreise der deutschen Juden seit spätestens Mitte des 11. Jh.s in der Synagoge als feierliche Zeremonie begangen. Neben dem Rabbiner sind vor allem der den Neugeborenen bei der Beschneidung auf den Knien haltende Pate, der Sandok, und der Mohel, der Beschneider, die den Gottesbund Vollziehenden. Ihre Handlungen regeln sich nach einem festgefügten Ritus und gelten neben den Sabbatregeln und den Speisegesetzen als eines der besonderen Kennzeichen jüdischer Gesetzestreue. Die den Ablauf des Beschneidungsaktes vorschreibenden rituellen Schriften liegen zwar in großer Anzahl vor, sind aber zumeist – der sakralen Bedeutung der Beschneidung angemessen – in der hebräischen, der heiligen Sprache, verfaßt. Jiddisch abgefaßte Kompendien der Beschneidungsregeln finden sich nur in geringer Anzahl. Zu ihnen zählt das von David Arje Löw, genannt David de Lida, zusammengestellte Mohelbuch »B'ris ha-Schem«, das erstmals 1694 zusammen mit seinem in hebräischer Sprache abgefaßten, ebenfalls die Beschneidungsregeln abhandelnden Werk »Sod ha-Schem« (Geheimnis Gottes) in Amsterdam zur Veröffentlichung gelangte. Als Beilage zur Edition Berlin 1710 dieses jiddischen Ritualwerkes erschien ein zweites jiddisches Beschneidungsbuch mit dem Titel »Mikweh Jis'rael« (Hoffnung Israels), das aus der Feder des Mordechai ben (Juda) Arje Löw Aschkenasi stammt.

Literatur:

Dinse Nr. 228 f., Nr. 246 f., Nr. 249 ff., Nr. 258 f.

Leopold Zunz: Zur Geschichte und Literatur, Berlin 1845, S. 290, Nr. 166.

Max Grunwald: Anmerkungen zu den Märchen und Sagen der deutschen Juden; in: Mitteilungen der Gesellschaft für jüdische Volkskunde, (Hamburg) 1/1898, H. 2, S. 65 f.

Max Weinreich: Mohelbuch aus der ostfriesischen Gemeinde Weener; in: Mitteilungen der Gesellschaft für jüdische Familienforschung, (Berlin) 3/1934, S. 471 ff.

The Jewish Encyclopedia IV, 460; V, 25, 493 f.; VI, 321; IX, 14.

Siegmund A. Wolf: Jiddisches Wörterbuch, Mannheim 1962, S. 74 ff.

3. Gemeindeverordnungen (Takanos)

Bereits im Mittelalter erfuhren die Gesetze der Tora durch die den veränderten Rechts- und Lebensverhältnissen Rechnung tragenden rabbinischen Beschlüsse die für die Aufrechterhaltung des geregelten religiösen Lebens notwendigen Ergänzungen. Für die deutsche Judenschaft haben z. B. die 1220 auf der Synode von Mainz beschlossenen Verordnungen der Gemeinden Speyer, Worms und Mainz (kurz »Takanos Schum« genannt) eine besondere Bedeutung gewonnen. Die politischen und sozialen Unruhen, denen eigentlich jede Judengemeinde im Laufe der Zeit ausgesetzt war, machten nach und nach den Erlaß neuer Verordnungen (Takanos) notwendig, die sich an den veränderten Zeitumständen orientierten.

Die in der Regel in Hebräisch abgefaßten »Takanos« gelangten erst zu Beginn des 18. Jh.s zur Übersetzung, so daß sie – zunächst noch handschriftlich, bald aber schon in Druckwerken überliefert – den Weg in die Öffentlichkeit fanden. Zu ihnen rechnen wir die Verordnungen der Amsterdamer und Fürther Judengemeinde, die beide im ersten Drittel des 18. Jh.s in jiddischer Fassung in Amsterdam herausgegeben worden sind.

Daneben existierten bis weit ins 19. Jh. hinein handschriftlich abgefaßte Protokollbücher, die in den aschkenasischen Gemeinden Westeuropas ebenfalls in jiddischer Sprache zu Papier gebracht worden sind.

Literatur:

Dinse Nr. 277 f., Nr. 280 f., Nr. 283 ff., Nr. 287 ff.

G. Wolf: Die alten Statuten der jüdischen Gemeinden in Mähren, samt den nachfolgenden Synodalbeschlüssen veröffentlicht, Wien 1880, S. 126 ff.

Julius Euting/C. T. Weiß: Das Elsässer Judendeutsch, Straßburg 1896, Monatsschrift für Geschichte und Wissenschaft des Judenthums, (Breslau) Jg. 1937, S. 223 f. und NF 13/1905, S. 230, Nr. 2.

Jahrbuch für jüdische Volkskunde, (Berlin) 25/1923, S. 227 ff.

Karl Habersaat: Beiträge zur jiddischen Dialektologie; in: Rivista degli studi orientali, (Rom) 26/1951, S. 24, Nr. 4.

ders.: Repertorium der jiddischen Handschriften; in: Rivista degli studi orientali, (Rom) 30/1955, S. 1 f.

Monumenta Judaica, Handbuch, [2]Köln 1964, S. 77, 96 ff., 674 f.

4. *Erbauungs- und Unterhaltungsliteratur*

Den Ausklang der jiddischen Literatur in Westeuropa, wie überhaupt der älteren jiddischen Literatur leiteten die Übersetzungen älterer hebräischer Mussarwerke ein, die zu einem Zeitpunkt zur Veröffentlichung gelangten, als die dem Ostjudentum entsprungene kritische Mussarliteratur verstummte. *Mussarbücher* wie die noch starke Züge der mystisch-eschatologischen Dichtung tragenden »Derech ha-Jaschar e-Olom ha-Ba« (Rechter Weg in die zukünftige Welt; [1]Frankfurt a. M. 1685), »Derech Mosche« (Weg des Moses; Amsterdam 1699), »Ma'abar Jabok« (Übergang über den Jabok; Frankfurt a. O. 1704), »Tal'mid Zach'kan« (Der Schüler – ein Spieler; [1]Amsterdam 1698), »Chisuk ha-Emunah« (Stärkung des Glaubens; Amsterdam 1717) oder der »Sefer B'chinas Olom im Bakaschas ha-Memin« (Prüfung der Welt und Mem-Gebet), auch »Zafenas-Paneach« (Offenbarer des Geheimnisses) betitelt, kündigten am Ende des 17. und Anfang des 18. Jh.s den Wechsel in der Mussarliteratur an. Die genannten Werke griffen wie viele andere jiddische Mussarbücher dieser Zeit in der Regel auf hebräische Vorlagen zurück, die sie oft mit wissenschaftlicher Sorgfalt übersetzten, und standen somit im krassen Gegensatz zu den originellen jiddischen Mussarwerken, die ein größeres Maß an Aktualität, Lebendigkeit und damit auch Volksverbundenheit besaßen. Verfasser der als Erbauungs- und religiöser Unterhaltungsliteratur dienenden, aus dem Hebräischen übertragenen jiddischen Mussarliteratur des 17./18. Jh.s waren häufig Wanderprediger, sogenannte ›maggidim‹, wie Jechiel Michael Epstein ben Abraham ha-Levi aus Proßnitz in Mähren, der den »Derech ha-Jaschar e-Olom ha-Ba« übersetzte, oder Moses ben Me'ir Kohen aus Gewitsch in Mähren, der Autor des »Derech Mosche«, die im Verlauf ihrer Wanderschaft zahlreiche Judengemeinden besuchten, um dort als volkstümlicher Prediger aufmerksame Zuhörer um sich zu versammeln. In diesem Sinne erhält der Titel »Derech Mosche« (Weg Mosis) seine doppelte Bedeutung.

Unter den aus verschiedenen klassischen Ethiken des Judentums geschöpften jiddischen Mussarwerken der Spätzeit waren wiederum etliche der jüdischen Frau gewidmet. Sittenbücher wie der »Sefer Kuchba le-Schabit« (Sternschuß, [1]Amsterdam 1695), der die Eitelkeit und den falschen Stolz der Frauen kritisiert, »igeres ha-Kodesch« (Heilige Abhandlung; [1]Fürth 1692?), ein Ehebüchlein und Ratgeber in sexuellen Fragen, oder der von Isaak Zoref ben Berl aus Nikolsburg vorgehaltene Sittenspiegel »Minhagim Eschet Chajil« (Gebräuche eines Biederweibes), der im Anhang des vom gleichen Autor verfaßten hebräischen Mussarbuchs »M'schiw Chema« (Der abwendet den Zorn) 1715 in Frankfurt a. M. im Druck erscheint, stellen in gewisser Weise die Fortsetzung der jiddischen Frauenmussarliteratur des 16.–17. Jh.s dar.

Aus der langen Reihe der allgemeinen jiddischen Mussarbücher des 17.–18. Jh.s, die überwiegend als Anleitung zur Gesetzestreue und zum bußfertigen Lebenswandel zu gelten haben, heben sich die von Löw Driesen vorgenommene Bearbeitung des klassischen Mussarwerkes »Sefer ha-Jirah« (Buch der Gottesfurcht) des Jona Gerondi, die Sittenschrift »Ewen Bochan im Derech ha-Jaschar« (Probierstein und rechter Weg) des Kalonymos ben Kalonymos in der Bearbeitung von Moses ben Chajim Eisenstadt und die von Isaak ben Moses Israel ins Jiddische übertragene Ethik »Chowos ha-L'wawos« (Pflichten des Herzens) des Bachja ben Josef Ibn Pakuda heraus. Dem erstmals 1711 in Frankfurt a. M. veröffentlichten jiddischen »Buch der Gottesfurcht« sind zu dem die Übertragungen der Sittenbriefe »geres Rambam« (Briefe des Moses ben Nachman) beigegeben. In der jiddischen Fassung des hebräischen Klassikers »Ewen Bochan« werden die zentralen Aussagen des Originals zusammengefaßt. Im Mittelpunkt der Kritik stehen Falschheit, Lüge und Heuchelei, vor allem aber die Prahlerei der Reichen, die in beißender Ironie bloßgestellt werden.

Die jiddische Erstfassung der »Herzenspflichten« (Sulzbach 1691), wurde von einem anonymen ostjüdischen Verfasser noch im Stile der polnisch-jüdischen Mystik angelegt, doch folgte die siebzehn Jahre später vom Schweriner Rabbinatsassessor Isaak ben Moses Israel vorgenommene, in Amsterdam herausgegebene Übersetzung streng dem Text des hebräischen Originals, das zusammen mit dem jiddischen Paralleltext den Inhalt dieser Ausgabe bildet. Eine Synthese aus mystisch-kabbalistischer und wissenschaftlicher Bearbeitung strebte die von Samuel ben Arje Löw ha-Levi zusammengestellte »Volksausgabe« an, die das Vorbild etlicher nachfolgender Neuauflagen der »Herzenspflichten« war. Noch 1924 ist in Wilna eine Überarbeitung des Buches neu verlegt worden!

Eine besondere Gattung der jiddischen Unterhaltungsliteratur des 17.–18. Jh.s finden wir in *historisch-nationalistischen Werken* vor, die dem Geschmack des in Amsterdam und anderen westeuropäischen Judengemeinden aufstrebenden Bürgertums entsprachen. Die Autoren dieser Bücher verfolgten ohne jeden Zweifel handfeste politische Interessen, und es lag durchaus in ihrer Absicht, national gestimmte Leser für die Rückkehr nach *Erez Jis'rael* zu gewinnen. »Mikweh Jis'rael« (Hoffnung Israels) war der Titel eines international weit verbreiteten jüdischen Geschichtsbuches, das von der Leidensgeschichte der zehn Stämme Israels im Exil handelt. Die niederländische Bearbeitung (1666) des in spanischer Sprache abgefaßten Originals »Esperança de Israel« (1650) bildete die Grundlage der 1691 in Amsterdam veröffentlichten jiddischen Übersetzung des Eljakim Götz ben Jakob.

In Amsterdam wurde auch die erste jiddische Zeitung *»Die Kurantin«* herausgegeben, die zwischen 1686 und 1687 zweimal in der Woche erschien. Sie veröffentlichte Berichte über das jüdische Leben in vielen Gemeinden, wobei der Leser nicht nur mit Nachrichten lokalen Interesses versorgt, sondern auch über Heldentaten und Leiden seiner Glaubensbrüder in aller Welt unterrichtet wurde. So erfuhr er z. B. etwas über Judenverbrennungen in Lissabon, über ein nächtliches Ausgehverbot für Juden im Ghetto Roms, das zum Schutz vor Gewalttätigkeiten des Straßenpöbels erlassen worden war. Er konnte miterleben, wie es Wiener Juden gelang, Glaubensbrüder aus der Gefangenschaft loszukaufen, oder wurde über die Existenz farbiger und weißer Juden in Indien informiert.

Reiseberichte und *geographische Werke* wie »Gelilos Erez Jis'rael« (Kreise des Landes Israel), »Tazaos Erez Jis'rael« (Ausgänge des Landes Israel; Amsterdam 1649) oder »Siwuw Kiwre Zadikim« (Umkreisung der Gräber der Gerechten; Frankfurt a. M. o. J.) erweckten die Hoffnung des im Exil verstreut lebenden jüdischen Volkes, die Rückkehr ins Land der Väter anzutreten, um dort die in Westeuropa nachgewiesene wirtschaftliche Kraft voll zu entfalten. Geschichtsbücher wie die von David ben Salomo ben Seligmann Gans, hebräisch verfaßte, von Salman ben Jehuda Hanau ins Jiddische übersetzte nationale Chronik »Zemach David« (Sproß Davids; Frankfurt a. M. 1698) oder das zweiteilige »Bes Jis'rael« (Haus Israels; Offenbach 1719) des Alexander ben Moses Ethausen, eine der wenigen jiddischen Eigenschöpfungen des 18. Jh.s, festigten den Glauben an die Wiedergeburt der nationalen religiösen und kulturellen Vergangenheit Israels.

Die politischen Aussagen der historischen Literatur wurden zumindest unterschwellig in jenen Büchern aufgegriffen, die mit Bitterkeit an die Leiden des jüdischen Volkes im Exil gemahnten. Diese Leidensgeschichte vertiefte die Motivation der Leser, das Ende des Galuthdaseins herzuleiten. In diesem Sinne verfolgten das vermutlich von Salomo Salman ben Moses Rafael London geschriebene Gedächtnisbuch »Schachor al Lawan Secher le-Chorban« (Schwarz auf Weiß das Andenken der Zerstörung; Frankfurt a. M. 1715) und andere Mahnschriften wie der von Eljakim Götz ben Jakob ins Jiddische übertragene »Sefer Schebet Jehuda« (Stab Jehudas; Amsterdam 1700) des Salomo ibn Varga oder »Jewen M'zulah« (Kot der Tiefe; Amsterdam 1686) den Leser aufrütteln sollten, die deutliche Intention, die Wiederaufrichtung eines jüdischen Staates ins Auge zu fassen.

Literatur:

Dinse Nr. 578 ff.; 583 ff.; 595 f.; 599; 645; 647 ff.; 655 f.

Gustav Karpeles: Geschichte der Jüdischen Literatur, Bd. 2, Berlin 1886, S. 1018, 1028.

Jacob Winter/August Wünsche: Die Jüdische Literatur seit Abschluß des Kanons, Bd. 3, Trier 1896, S. 537.

The Jewish Encyclopedia II, 302; V, 493, 565, 244; 639; IX, 61.

Siegmund A. Wolf: Jiddisches Wörterbuch, Mannheim 1962, S. 68 ff., 78 ff.

Monumenta Judaica. Handbuch, [2]Köln 1964, S. 696.

IV. Das Ende der älteren jiddischen Literatur

Der Niedergang der älteren jiddischen Literatur ging einher mit den geistigen Strömungen der Aufklärung in West-Europa, die am Ende des 18. Jh.s ihren Einfluß auch auf die deutsche Judenheit auszuüben vermochte. Das ohnehin im Abklingen begriffene westjiddische Idiom sollte nach dem Willen *Moses Mendelssohns* (1729–1786) und seiner Anhänger (den sog. Maskilim) seine Funktion als jüdische Volkssprache in Deutschland einbüßen, da es den jüdischen Emanzipationsbestrebungen hinderlich war. Ohne Zweifel mußten die jiddische Sprache und Literatur nach Maßgabe der Verfechter der Mendelssohnschen Ideen als pejorative Merkmale der religiösen und kulturellen Sonderstellung der deutschen Judenheit, die es ja aufzuheben galt, angesehen werden. Mendelssohn selbst sah im Jiddischen einen lästigen Jargon, der nach seinen Worten »nicht wenig zur Unsittlichkeit des gemeinen Mannes beigetragen hat«. Er forderte und förderte den Gebrauch des Hochdeutschen in Wort und Schrift und setzte mit seiner hochdeutsch abgefaßten (allerdings in hebräischen Lettern gedruckten) Bibelübersetzung selbst ein sichtbares Zeichen, in der Absicht, seinen jüdischen Glaubensbrüdern den »erste[n] Schritt zur Kultur [zu ebnen], von welcher [sie] in einer solchen Entfernung gehalten [würden], daß man an der Möglichkeit einer Verbesserung beinahe verzweifeln möchte«.

Die Abkehr von der jiddischen Sprache und Literatur läßt sich somit als ein signifikantes geistes- und kulturgeschichtliches Merkmal der jüdischen Aufklärung (Haskala) in Deutschland feststellen, als deren unbedingte Verfechter die sog. M'assefim (hebr. Sammler) hervortraten. Sie propagierten die Pflege der hebräischen Sprache und erschlossen in ihrer seit 1784 in Königsberg herausgegebenen hebräischen Zeitschrift weiten jüdischen Bevölkerungskreisen das Verständnis für die hebräische Sprache und Literatur. M'assefim waren auch *Isaak Euchel* (1756–1804) und *Ahron Halle Wolfssohn* (1754–1835), die paradoxerweise Schauspiele in jiddischer Sprache verfaßten! Euchels »Reb Hennoch« (1792) und Wolfssohns »Leichtsinn und Frömmelei« (1796) entsprachen sich thematisch, indem sie beide gegen die engstirnige Orthodoxie der älteren Generation und die mißverstandene, oberflächliche Aufklärung der jüngeren Generation eintraten. Wolfssohn schrieb noch ein weiteres jiddisches Tendenzstück: »David, der Besieger des Goliath« (1802), das sich gegen die ausschweifenden altjiddischen

Achaschwerosch-Spiele wandte. Ein ähnliches Anliegen verfolgte bereits ein Posener Maskil namens *Jakob* mit seinem ernsthaften Purimspiel »Errettung der Juden durch Mordechai und Esther« (1800). Weitere maskilische Komödien liegen in *Friedrich Wilhelm Gotters* »Die stolze Waschti« (1797) und *Joseph Herz'* (1776–1828) »Esther oder die belohnte Tugend« (Fürth 1827) vor. Herz' Komödie ähnelt stark der im gleichen Zeitraum von einem anonymen Aufklärer verfaßten Satire »Als der Sof [hebr. Ende] is gut, is alles gut«. In Verbindung mit »Reb Hennoch« und »Leichtsinn und Frömmelei« zu sehen ist das von *A. L. Rosenthal* 1822 zu Papier gebrachte jüdisch-hessische Lustspiel »Die Hochzeit zu Grobsdorf«, das in dem anonymen verfaßten »[Das] Hochzeitsfest zu Heuchelsheim (1810) einen Vorläufer besitzt. *Moritz Gottlieb Saphir* verspottet in seiner Posse »Der falsche Kaschtan« (1820) die Verfechter der Orthodoxie in der Preßburger Judengemeinde, und der Wiener *Josef Biedermann* schließt den Reigen der jiddischen Maskilim-Dramatik mit mehreren Possen und Singspielen, die er in den 60er Jahren des 19. Jh.s geschrieben hat.

Den Bestrebungen der Maskilim genau entgegengesetzt waren die in nachempfundener ostfränkisch-jüdischer Mundart verfaßten antijüdischen Komödien *Itzig Feitel Sterns,* hinter dem sich kein geringerer als Johann Friedrich Sigmund Freiherr von Holzschuher (1796–1861) verbirgt. Er inspirierte den pfälzischen Mundart-Dichter *Christian Heinrich Gilardone* (1798–1874) zu Parodien, Gedichten, prosaischen Aufsätzen und Possen in pfälzisch-loßnekoutischer Mundart (loßnekoutisch i. e. loschon kodesch = Hebräisch), ohne daß dieser jedoch die verletzende Tonart Holzschuhers anschlug und seinen tendenziösen Intentionen folgte.

Legen wir als Kriterium die Wirkungsbreite der o. g. Tendenzdichtungen zugrunde, so läßt sich ohne Zweifel feststellen, daß die vermeintlich große Anzahl literarischer Belege für die ausklingende Epoche der älteren jiddischen Literatur täuscht. Man kann davon ausgehen, daß die angeführten Beispiele allenfalls regionale, meist jedoch lokale Bedeutung besaßen. Berücksichtigt man zudem, daß die meisten der genannten Schauspiele lediglich in (z. T. nachgelassenen) Handschriften vorliegen, so stellt sich die Frage, ob sie jemals zur Aufführung gelangt sind. Den Niedergang der älteren jiddischen Literatur vermochten sie ebensowenig aufzuhalten wie z. B. zwei jiddische Zeitungen, die gegen Ende des 18. Jh.s herausgegeben wurden: die 1771 zweimal wöchentlich erscheinende »Dyhernfurther privilegierte Zeitung«, die Anfang 1721 einging, und das von *Abraham ben Gottschalk Speier* redigierte Wochenblatt »Beschreibung von der Veränderung oder Aufruhr in Frankreich, wie man nennt Revolution von Paris«, das 1789/90 seine Verbreitung im Elsaß fand. Allein schon die Kurzlebigkeit dieser Massenorgane zeugt von der abnehmenden Resonanz jiddischer Schriftwerke im deutschen Sprachgebiet gegen Ende des 18. Jh.s.

Literatur:

Dinse Nr. 430 f.

Karl Goedeke: Grundriß zur Geschichte der deutschen Dichtung, [2]XII, S. 535 und [2]XV, S. 1128 ff. (Werke).

Meyer Kaiserling: Moses Mendelssohn, Leipzig 1862, insbes. S. 285 und Anhang Nr. 45.

Josef Meisl: Haskalah. Geschichte der Aufklärungsbewegung unter den Juden in Russland, Berlin 1919, insbes. S. 1–31.

N. Meisl: Jiddische Literatur; in: Encyclopaedia Judaica, Bd. 9, Berlin 1932, Sp. 127–180.

Siegmund A. Wolf: Christian Heinrich Gilardone (1798–1874), ein vergessener pfälzischer Mundart-Dichter; in: Pfälzer Heimat 1/1975, S. 24–29.

Steven [Shlomo] Lowenstein: An Early 19th Century Western-Yiddish Drama (A ma'arow-jidische Pièce fun Onheib 19. Jh.); in: Yivo-Bleter, (New York) 45/1975, S. 57–83.

TEIL II

DIE NEUERE JIDDISCHE LITERATUR

I. Der Neubeginn

Die Wiedergeburt der jiddischen Literatur ging einher mit der religiösen Bewegung des Chassidismus, der zu Beginn des 19. Jh.s in den jüdischen Gemeinden Osteuropas zu hoher Blüte gelangte. Zu den literarischen Stoffen des Chassidismus zählten auch volkstümliche religiöse Druckwerke der älteren jiddischen Literatur, darunter die als billige Heftchen in Umlauf gebrachten Frauengebetbücher, die *›T'chinos‹*, die eine Fülle biblischer Anspielungen enthielten und alle Aspekte des menschlichen Lebens von der Geburt bis zum Tode berücksichtigten, mit denen eine in der jüdischen Tradition wurzelnde Frau konfrontiert werden konnte. Neben den *›T'chinos‹* sind noch jene jiddischen Büchlein zu erwähnen, denen die wundersamen Erzählungen, die Parabeln und Aphorismen von Israel Baal Schem Tov (1700–1760), des eigentlichen Begründers des Chassidismus, und seines ihm am meisten verbundenen Anhängers, Levi Jitzchok aus Berditschew (1740–1809), ihre Verbreitung verdankten.

Der *Chassidismus* betonte die Würde des einfachen Menschen und dadurch auch die Würde seiner Sprache. Er sanktionierte den Gebrauch des Jiddischen neben dem Hebräischen für das religiöse Gespräch zwischen Schüler und Rabbi, zwischen Mensch und Gott. Jiddische Erzählungen erläuterten hebräische Gebete und machten sie so bedeutungsvoller. Größte Beliebtheit erlangten die Erzählungen des *Rabbi Nachman aus Bratzlaw* (1772–1810), eines Urenkels des Baal Schem. Seiner Absicht entsprach es, die Moral seiner Leser zu heben, indem er ethische und religiöse Lehren in symbolischer Form darbot, um so das Interesse der Leser zu wecken, ihre Phantasie anzuregen und ihre Herzen bereitwilliger antworten zu lassen. Die Originalität dieser Parabeln liegt in der Verbindung volkstümlicher Erzählstoffe mit mystischen Visionen, die späteren Generationen des Bratzlawer Chassidismus als religiöse Offenbarung und Grundlage weiterführender esoterischer, kabbalistischer Interpretationen dienten. Andererseits lassen etliche Erzählungen erkennen, daß der Chassidismus diese Welt nicht als Tal der Tränen betrachtete. Sie sind erfüllt von Witz und Ironie; man lachte, sang und tanzte – besonders am Sabbat und an den Feiertagen. Am chassidischen »Hof« des Rabbi Baruch von Medschbusch gab es sogar einen offiziellen Spaßmacher und Hofnarren: *Herschele Ostropoler* (1770–1810). Dieser jüdische Till Eulenspiegel ist Mittelpunkt zahlreicher jiddischer Schriftchen, die erfüllt sind von seinen Streichen, Anekdoten und Witzeleien. Als Vorläufer verschiedener Volkshelden leitete er die fruchtbare Entwicklung unterhaltsamer, satirischer Volkserzählkunst ein, die ihren lebhaftesten Ausdruck in legendären Gestalten wie Motke Chabad aus Wilna (ca. 1820–1880) und dem arglosen, unpraktischen Reb Jossifel aus Chelm, dem jüdischen Schilda.

Auf einem höheren Niveau als die Narren und Spaßmacher bewegten sich die gelehrten Wanderprediger, die Maggidim, deren berühmtester, Jakob Krantz aus Dubnow, als *Dubnower Maggid* (ca. 1740–1804) bekannt wurde. Neben den Maggidim wirkten die Badchonim, die auf Hochzeiten Gäste zum Lachen und Weinen zu bringen hatten. Ihr Vortrag lebte vom improvisierten Gesang, der von heiteren Reminiszenzen bis zu tieftragischen Darstellungen des jüdischen Leidens reichte. Sowohl Maggidim wie Badchonim traten als Sittenlehrer in Erscheinung, die ihre Zuhörer im religiösen Sinne zu bessern trachteten.

Die gleiche Wirkung versuchten aus der Weltliteratur geschöpfte jiddische Erzählungen zu erzielen. Sie wurden inhaltlich so verändert, daß sie religiöse Bedürfnisse befriedigten, indem sie das moralische Moment ausdrücklich betonten. In diesem Sinne wurde z. B. 1817 Joachim Heinrich Campes Erzählung von der Entdeckung Amerikas von Chaim Chaikel Hurwitz (1749–1822) bearbeitet und mit einer Einleitung versehen, in der der Übersetzer deutlich die göttliche Fügung bei der Entdeckung der Neuen Welt hervorhebt. Etwa zur gleichen Zeit wurde Daniel Defoes *»Robinson Crusoe«* ins Jiddische übertragen – als die Geschichte von *Alter Leib*, eines alten, ehrlichen und frommen Kaufmanns und seines Dieners Schabbes (Defoes Freitag).

Die *Maskilim* – die Aufgeklärten – verfaßten ihre Schriften grundsätzlich in hebräischer Sprache, entdeckten jedoch bald, daß sie einen größeren Leserkreis erreichen und ihre chassidischen Gegenspieler wirkungsvoller bekämpfen konnten, wenn sie sich ebenfalls des Jiddischen bedienen würden. Die frühen Autoren »maskilischer« Romane, Kurzgeschichten und Schauspiele hatten das Ziel, ihre Leser zu belehren oder – wie

Elieser Zweifel (1815–1888) es ausdrückte – ihnen die Gruben zu zeigen, in die sie fallen, wenn sie sich falscher Liebe, Trunkenheit oder dem Kartenspiel ergeben. Da eine rein rationale Behandlung dieser Themen nur einen geringen Anreiz ausgeübt hätte, wurden literarische Gattungen entwickelt, die die Gefühle und die Phantasie der Leser eher ansprachen als gelehrsame Aufsätze und Abhandlungen: kleinere Novellen, Satiren, Parabeln und Dramen erschienen schon bald im Druck. Mendel Lefin (1749–1826), ein Philosoph aus Satanow in Podolien, der während seiner Berliner Jahre in den Kreisen Moses Mendelssohns und Gotthold Ephraim Lessings verkehrte und durch sie mit den Gedanken der Aufklärung vertraut wurde, übersetzte einige biblische Bücher ins Jiddische, wobei er sich bemühte, das jiddische Idiom, das in Podolien gesprochen wurde, zu treffen. Er verfaßte aber auch eine anti-chassidische Schmähschrift, und zwar in Form eines Briefes. Lefins Versuch, einer Synthese zwischen Glaube und Vernunft, zwischen östlichem Judentum und westlicher Aufklärung, war das Modell, dem Josef Perl (1773–1839) und Isaak Baer Levinsohn (1788–1860) folgten. Der als Erzieher in Tarnopol wirkende Perl brachte seinen galizischen Mitbürgern die Gedanken der Aufklärung nahe: Levinsohn, der oft der Moses Mendelssohn der russischen Juden genannt worden ist, benutzte den dramatischen Dialog in seiner Satire *»Die Hefker Welt«*, die in den dreißiger Jahren des 19. Jh.s in Manuskriptform Verbreitung fand, ehe sie mehr als ein halbes Jahrhundert später von Scholem Aleichem in die Literatur-Anthologie *»Die Jiddische Folksbibliothek«* (1888) aufgenommen wurde. Es stimmt, daß Levinsohn das Jiddische als ein vorübergehendes Übel ansah und den Tag herbeisehnte, an dem es verstummen würde. Solange es jedoch Juden gab, die am Jiddischen festhielten, mußte ein Schriftsteller diese Volkssprache benutzen – wollte er Einfluß auf seine Leser ausüben.

Israel Axenfeld (1787–1866) war der erste Maskil, der nur in jiddischer Sprache schrieb. Von seinen vielen Romanen und Kurzgeschichten wurde zu seinen Lebzeiten nur die Erzählung *»Sterntiechel«* (1861) veröffentlicht und von seinen Schauspielen lediglich *»Der erster Jiedischer Rekrut«* (1861); nach seinem Tode erschienen nur noch eine weitere Erzählung und zwei Schauspiele. Der begabteste der frühen maskilischen Schriftsteller war der elegant schreibende Arzt *Schlome Ettinger* (1801–1856), der Theaterstücke und Parabeln verfaßte, um die Abergläubischen aufzuklären und die Unwissenden zu bilden. Seine Komödie *»Serkele«*, um 1830 geschrieben, erlebte ihre erste Aufführung im Jahre 1864 durch die Schüler der Rabbiner-Akademie von Schitomir. Die Hauptrolle spielte kein geringerer als der junge Abraham Goldfaden! Sechzig Jahre später fand *»Serkele«* noch immer eine begeisterte Aufnahme beim Publikum, als sie von Sigmund Turkov in Warschau inszeniert wurde, und in den siebziger Jahren unseres Jahrhunderts nahm sie das Habimah-Theater in Israel in hebräischer Fassung in seinen Spielplan auf. Abraham Ber Gottlober (1811–1899) war in erster Linie ein hebräischer Schriftsteller, doch seit den dreißiger Jahren des vorigen Jahrhunderts schrieb er auch jiddische Gedichte sowie die Komödie *»Der Dektuch«* (1838). Er begründete diesen Wandel damit, daß er nur dann helfen könne, die Wunden der Juden zu heilen, wenn er sich in ihrer Volkssprache an sie wenden würde.

Keiner dieser gelehrten Maskilim erreichte jedoch eine so volkstümliche Wirkung wie *Eisik Meir Dick* (1814–1893), der nicht ohne Stolz mehrere Hunderttausend Leser seiner mehr als 400 Bücher zählen konnte. Dick war es, der den sentimentalen, den realistischen und den historischen Roman in die jiddische Literatur einführte. In keiner seiner Erzählungen versäumte er, den belehrenden Zweck seiner schriftstellerischen Tätigkeit herauszustellen: er wollte aufklären und die Moral seiner Leser heben.

Das gleiche Ziel verfolgten die *Badchonim*, vor allem die populären Liedermacher Berl Broder (1815–1866), Welwel Zbarzher (1826–1883) und Eliakum Zunser (1836–1913). Diese Volkssänger begannen anfangs der fünfziger Jahre des vorigen Jh.s ihre improvisierten und zunächst nur mündlich vorgetragenen Liedertexte zu drucken. Zur gleichen Zeit adaptierten einige Maskilim für ihre jiddischen Werke literarische Muster, die aus der deutschen, russischen und polnischen Literatur stammten. Auf diese Weise entwickelte sich die jiddische Sprache allmählich zu einem immer subtileren Ausdrucksmittel für ein immer größer werdendes Gebiet literarischer Themen und Ideen. Doch erst in den sechziger Jahren des 19. Jh.s sollte das Jiddische seine volle literarische Emanzipation erreichen, dann nämlich, als die erste jiddische Wochenzeitung von Bedeutung, *»Kol Mevasser«*, von Alexander Zederbaum ins Leben gerufen wurde; dann, als die aufblühende jiddische Lyrik Michael Gordons (1823–1890) im Druck erschien und Mendele Mocher Sforim (1836–1917) das Jiddische als hauptsächliches literarisches Ausdrucksmittel an die Stelle des Hebräischen setzte, erreichte das Anfangsstadium der modernen jiddischen Literatur seinen Endpunkt, und die jiddische Literatur konnte sich fernerhin zu klassischer Vollendung entwickeln.

Literatur:

L. I. Newman, S. Spitz (eds.): Hassidic Anthology, 1963.

A. Kaplan (Übs.): Rabbi Nachman Bratslaver's Wisdom, 1973.

M. Buber, Geschichten des Rabbi Nachman, 1906; *idem,* Legende des Baalschem, 1908.

A. Holdes: Maises, Witzn un Spitzlech fun Hershele Ostropoler, 1960.

E. Sherman: Hershele Ostropoler, 1931.

B. Bengal, S. Simon (Übs.): Wise Men of Chelm and Other Merry Tales, 1945.

S. Simon (Übs.): More Wise Men of Chelm and Their Merry Tales, 1965.

S. Tenenbaum: Wise Men of Chelm, 1965.

H. Glatt: He Spoke in Parables; Life and Works of the Dubnow Maggid, 1957.

B. Heinemann (Übs.): Maggid of Dubnow, 1971.

B. J. Bialostotsky: Mescholim fun Dubner Maggid, 1962.

L. I. Newman, S. Spitz (eds.): Maggidim and Hassidim, 1962.

Tashrak (Ps. von I. J. Zevin): Ale Mescholim fun Dubner Maggid, 2 Bde., 1925.

M. Erik: Etudn zu der Geschichte fun der Haskole (1789–1881), 1934.

I. Weinles (ed.): Josef Perls Jidische Ksovim, 1937.

L. S. Greenberg: Critical Investigation of the Works of Rabbi I. B. Levinsohn, 1930.

I. Axenfeld: Werk, I, 1931; II, 1938.

S. Ettinger: Ale Ksovim, 2 Bde., 1925; Geklibene Werk, 1935; Oisgeklibene Werk, 1957.

I. Fridkin: Abraham Gottlober un sein Epoche, 2 Bde., 1925–27.

E. M. Dick: Geklibene Werk, 1954.

N. M. Gelber: Aus Zwei Jahrhunderten, 1924, S. 70–101: Berl Broder.

S. Pizament: Broder Singer, 1960.

M. Weisberg: Wölwel Zbarazer, der fahrende Sänger des galizisch-jüdischen Humanismus, 1909.

E. Zunser: Selected Songs, 1928; Werk, 2 Bde., 1964.

S. Liptzin: Eliakum Zunser, Poet of His People, 1950.

II. Der Aufstieg (1863–1889)

Der eigentliche Begründer der modernen jiddischen Literatur, dem es gelang die jiddische Sprache auf ein anerkanntes literarisches Niveau zu erheben, war *Mendele Mocher Sforim*, der bereits einen guten Ruf als hebräischer Schriftsteller genoß, als er sich 1863 entschloß, die hebräische mit der jiddischen Sprache zu vertauschen. Obgleich Mendeles Bewunderer, Liebhaber der hebräischen Literatur, ihm nahelegten, sein Talent nicht für den von den gelehrten Maskilim verachteten »Jargon« zu verschwenden, überwand er diese Barriere des Vorurteils, um mit seinen jiddisch geschriebenen Werken jene einfachen Menschen zu erreichen, die die »heilige Sprache« nicht verstanden.

Während der vorangegangenen Jahre hatte *Alexander Zederbaum*, der Herausgeber von *»Hamelitz«*, den zaristischen Behörden die Genehmigung abgerungen, eine jiddische Beilage in seiner hebräischen Zeitschrift zu veröffentlichen. Die Publikation einer jiddischen Zeitung war ja schon in den Jahren 1686–1687 versucht worden, als in Amsterdam die halbwöchentliche *»Die Kurantin«* erschien; in Osteuropa hatte man Ähnliches mit der Herausgabe der Wochenschrift *»Der Beobachter an der Weichsel«* versucht, die 1823 in Warschau im Druck erschien. *»Kol Mevasser«*, der jiddischen Beilage zu *»Hamelitz«*, war ein größerer Erfolg beschieden: bald als eigenständiges Publikationsorgan erscheinend, trug diese Zeitschrift dazu bei, die Orthographie der jiddischen Sprache zu normieren und den jiddischen Wortschatz durch Neuschöpfungen zu bereichern.

»Kol Mevasser« machte die Leistungen der Pioniere der jiddischen Haskala-Literatur, Ettinger, Axenfeld und Gottlober, einem größeren Leserkreis bekannt und entwickelte sich zu einem publizistischen Forum, vor dem die Probleme der jüdischen Gemeinden öffentlich diskutiert wurden. *»Kol Mevasser«* gab einem gewissen Abraham Goldenfodim die Chance seines literarischen Debuts, bevor er als Abraham Goldfaden zum geistigen Vater des jiddischen Theaters aufstieg. *»Kol Mevasser«* war der Erscheinungsort des besten Romans Joel Linetzkys (1839–1915), *»Dos Poilische Jingel«*, einer ätzenden Satire auf den Chassidismus, die als Fortsetzungsroman erschien. Mit der Publikation von Mendeles *»Dos kleine Menschele«* in den Ausgaben des Jahres 1863 begann eine neue Ära der jiddi-

schen Literatur. Als schließlich *»Kol Mevasser«* zehn Jahre nach ihrer Gründung ihr Erscheinen einstellte, war eine große, sich ständig erweiternde Lesergemeinde geschaffen worden; neue Zeitschriftten konnten das Werk dieser Wochenschrift fortsetzen: *»Der alter Jisrolek«*, 1875 von Goldfaden und Linetzky in Lemberg, dem Zentrum Galiziens, ins Leben gerufen; *»Kol l'Am«*, 1876 in Königsberg von M. L. Radkinson gegründet, und das 1881 von Zederbaum in St. Petersburg erstmals herausgegebene *»Jiddische Folksblat«*. Die Anzahl der jiddischen Wochenzeitungen wuchs ständig, so daß bis zum Ende des 19. Jh.s nicht weniger als ein Dutzend Zeitschriften gleichzeitig erschienen, die sich alle an eine sich mehr und mehr ausweitende und immer besser informierte Leserschaft wandten.

Mit den jiddischen Wochenzeitungen erblühten auch der jiddische Roman und die jiddische Lyrik. In steigendem Maße bedienten sich engagierte Schriftsteller der jiddischen Sprache, um politische Mißstände und soziale Ungerechtigkeiten aufzudekken. So attackiert Mendele in seiner Satire *»Die Takse«* (1869) hohe Kommunalbeamte, die sich auf Kosten der Armen bereichern. Seine satirische Allegorie »Die Klatsche« (1873) stellt in der Figur eines in einen Ackergaul verwandelten jüdischen Prinzen das Schicksal aller Juden dar, die überall auf der Welt als ewige Sündenböcke herhalten müssen. Diesen beiden Werken folgten *»Fischke der Krumer«* (1868–1888), *»Massoes Benjamin Haschlischi«* (1878) und Mendeles längster Roman, *»Dos Winschfingerl«*, an dem er in den siebziger und achtziger Jahren arbeitete. Sie zählen zu seinen Meisterwerken und behandeln das Leben einfacher Juden, die als Außenseiter der Gesellschaft den feindlichen Angriffen ihrer Umwelt ausgesetzt sind. Im klassischen Werk *»Dos Winschfingerl«* findet seine Enttäuschung über die Haskala ihren nachhaltigsten Ausdruck.

Mendele schuf einen eigenen jiddischen Stil; deutsche, russische und polnische Vorbilder außer acht lassend, bereicherte er das geschriebene Jiddisch mit den Schätzen der gesprochenen, lebendigen Sprache, die er aus dem Munde der einfachen Menschen hörte. Er porträtierte das jüdische Leben mit all seinen Schatten- und Sonnenseiten, mit seinen Schrecken und seiner Einsamkeit – ehrlich, realistisch, ohne Verschönerungen und vorgefaßte Meinungen. Er malte in Worten, was er seit seiner frühesten Kindheit gesehen hatte: Armut, Schmutz, Verfall, aber auch Poesie, Freude und das Hoffen auf den Messias. Seine jüdischen Charaktere reichen von frühreifen, unterernährten

Kindern und verwaisten Findelkindern bis zu hochtrabenden, herzlosen Beamten, frommen Gelehrten und traurigen Witwen. Seine Satire ist erfüllt von den untragbaren Lebensbedingungen und einem nicht enden wollenden Aberglauben, sie strömt aus dem Herzen, das überquillt von Liebe und Mitleid für sein Volk. Mendele setzte sein literarisches Talent ein, um die Ungerechtigkeiten im öffentlichen Leben und die schlechten Sitten im Privatleben anzuprangern; er entdeckte die Pracht der Naturerscheinungen für die jiddische Literatur und gab ihnen einen jüdischen Anstrich und jüdisches Aussehen. In künstlerischen Meisterwerken schuf er ein Bild jüdischer Gassen, die im Schmutz ersticken und von lärmendem Durcheinander erfüllt sind. Er zeigte Häuser, die – obwohl düster und überfüllt – einen Schimmer der Hoffnung und des Glücks erkennen lassen.

Die jiddische Literatur der Mendele-Ära brachte dem einfachen Menschen Unterhaltungsstoff, aber sie erweiterte auch seinen Horizont. Die moralisierenden Erzählungen E. M. Dicks, die ihre größte Beliebtheit in den fünfziger und sechziger Jahren des 19. Jh.s erreichten, wurden in den siebziger und achtziger allmählich durch den volkstümlichen Roman ersetzt, dessen populärste Vertreter *Jakob Dineson* (1856–1919) und *Nahum Meir Schaikevicz* (1849–1905) waren, letzterer schrieb unter dem Pseudonym *Schomer*. Dineson badete geradezu seine Leser in Tränen. Sein erster Roman *»Der schwartzer Jungermantchik«* platzte im Jahre 1877 in die jiddische Literaturszene hinein, ähnlich wie Goethes *»Die Leiden des jungen Werthers«* mehr als ein Jahrhundert früher über die deutsche Literaturszene hereingebrochen war. Er öffnete besonders bei den zu Wunschträumen neigenden jungen Lesern die Schleusen der Gefühle: seine Erzählungen erfüllten die Forderungen des Herzens. Dinesons einfühlsamer, freundlicher und intimer Stil sprach die jüdischen Leser mehr an, als die in Satiren geäußerten Verwünschungen der Schlechtigkeit unserer Welt, wie frühere Autoren sie geschildert hatten.

Wegen des großen Einflusses, den der französische Romanautor auf ihn ausübte, könnte man Schomer den jiddischen Eugène Sue nennen. Schomers Erzählungen sind reich an unglaublichen Abenteuern und atemberaubenden Überraschungen. Seine jüdischen Aschenbrödel finden stets ihren Prinzen oder werden zumindest Gräfinnen; sein Millionär lebt als armer Bettler verkleidet und heiratet eine biedere, hart arbeitende Näherin, bevor er in seinen Stand zurückkehrt. Seine sensationellen Liebesgeschichten sinken jedoch nie zu süßlicher Sinnlichkeit herab, vielmehr befriedigt Schomer das Bedürfnis der breiten Masse nach aufregender Unterhaltung, Humor und Romantik, kombiniert mit der Illusion von Realität und Anstrengung, die für die Tugendhaften im Sieg gipfelt und für die Bösartigen mit Bestrafung endet.

Dieses Bedürfnis nach Romantik wurde auch durch das Jiddische Theater befriedigt, dessen hervorragende Persönlichkeit seit 1876 *Abraham Goldfaden* gewesen ist. Ein Vierteljahrhundert lang dominierte er am jiddischen Theater als Autor, Komponist, Direktor und Regisseur, ehe ein Vierteljahrhundert folgte, in dem das *Jiddische Theater* eine lebenswichtige Rolle im Kulturleben der jüdischen Bevölkerung vor allem der amerikanischen Szene spielte. Jakob Gordin, David Pinski, Peretz Hirschbein, Schalom Asch und andere Autoren erweiterten die Thematik, gaben dem Dialog mehr Subtilität und vertieften die Charakterdarstellung. Dieser Periode intensiver Aktivität folgte wiederum ein Vierteljahrhundert, in dem der Einfluß des Theaters als Ausdruck jüdischen Kulturlebens verlorenging. Während dieser ganzen Epoche des Aufstiegs, der Blüte und des Verfalls befreite sich das Jiddische Theater jedoch nie völlig von der durch Goldfaden begründeten dramatischen Tradition. Sein prägender Einfluß wirkte nachhaltig weiter.

Goldfadens Theaterstücke können in drei Kategorien eingeteilt werden: Die erste umfaßt seine frühen Komödien, die die Torheiten des Ghettolebens tadeln und Aufklärung predigen. Typisch für diese Komödien ist *»Schmendrick«* (1877), ein Schauspiel, dessen Titelheld sprichwörtliche Eigenschaften angenommen hat. Ein »Schmendrick« ist dumm, aber nicht bösartig, leichtgläubig und nicht rachsüchtig, dankbar für das, was das Leben ihm schenkt, ohne daß er danach gesucht hat, zudem leicht über Verlust und Schwächen hinwegzutrösten. Nicht weniger populär wurde *»Die beide Kuni-Lemel«*, eine jiddische Parallele zu Plautus' *»Menaechmi«* und Shakespeares *»Comedy of Errors«*, die sich ein volles Jahrhundert auf der Bühne behauptet hat. Noch in den siebziger Jahren unseres Jahrhunderts wurden eine hebräische Version und eine Filmfassung dieser Komödie ein Kassenschlager. Goldfadens Melodrama *»Kabzensohn et Hungerman«*, eine jiddische Parallele zu Molières *»Les Précieuses Ridicules«*, erfreute die Zuschauer noch in den späten sechziger Jahren des 20. Jh.s.

Die zweite Kategorie umfaßt diejenigen Theaterstücke, die Goldfaden nach den russischen Pogromen von 1881 geschrieben hat. Sie klagen die Fehler übertriebener Aufklärung und überhasteter Assimilation der Juden an die fremden Sitten und Lebensweisen an. Als typische Beispiele können *»Dr. Almasado«* (1882 in St. Petersburg uraufgeführt) und das spektakuläre Stück *»Moschiachs Zeiten«* (1887), ein Schauspiel in sechs Akten und dreißig Szenen, gelten.

Die dritte Kategorie schließlich umfaßt die großen Schauspiele, die dem nationalen Wiederaufstieg der Juden und den hoffnungsvollen zionistischen Strömungen gewidmet sind. Zu ihnen gehören das romantische Musikdrama *»Schulamis«*, das Historiendrama *»Bar Kochba«* und *»Ben-Ami«*, eine Bearbeitung von George Eliots *»Daniel Deronda«*, eines Romans, der beim ostjüdischen Leserpublikum einen nachhaltigeren Eindruck hinterließ als in seinem Ursprungsland England.

Alles in allem kann Goldfaden zwar nicht als origineller Denker gelten, doch besaß er das Talent, die Gedanken, die in den besten Köpfen· seiner Zeit kursierten, auf die Bühne zu projizieren. Er erfand seine Handlungen nicht selbst, aber während er sie aus erfolgreichen europäischen Dramen und Romanen übernahm, befreite er sie von ihren russischen, französischen, deutschen oder englischen Eigentümlichkeiten und brachte sie so seinem jüdischen Theaterpubklikum nahe. Die Theaterbühne war für Goldfaden eine Kopie der Bühne des Lebens; selbst seine übernatürlichen Geister, seine Dämonen und Hexen, sind nicht etwa symbolträchtige Figuren, sondern Inkarnationen lebendiger Wesen, denen man im Lebensalltag begegnen kann. So ist z. B. Bobbe Jachne in seinem Schauspiel *»Die Kischifmacherin«* keine abstrakte Personifizierung böser Mächte, sondern ein von großer Böswilligkeit erfülltes menschliches Wesen, eine Gestalt, mitten aus dem Leben seines Publikums gegriffen. Ihr Gegenspieler Hotsmach stellt sich nicht nur als ein Bote des göttlichen Willens dar, der die Machenschaften der Bösen unwirksam macht, er agiert zudem als ein liebenswertes menschliches Wesen voller Lebendigkeit, ein wenig absonderlich zwar, aber bewundernswert in seiner unerschöpflichen Freundlichkeit.

Goldfadens Tragödien und Komödien waren reich an musikalischen Zwischenspielen. Seine mitreißenden Melodien und Lieder reichten von Schlafliedern und Tanzmelodien bis zu patriotischen Hymnen und festlichen Chören. Lyrische Werke wie *»Dos Pintele Jied«* oder *»Jisrolik Kum Aheim«* wurden Volkslieder, die Millionen Menschen vertraut wurden. Für Goldfaden erfüllte Literatur nicht nur die Funktion der Unterhaltung, sondern war auch ein Bildungsmedium, ein Instrument, mit dem der jüdische Patriotismus entfacht werden konnte.

Er glaubte an die heilende Wirkung des Lachens, an die befruchtende Verbindung von Kunst und Moral, an die segensreiche Vereinigung von Schönheit und Güte. So setzte er nicht nur die Tradition der gelehrten Maskilim, sondern auch die der Volkssänger fort; indem er ihrem Vorbild folgte, brachte er das von ihnen Begonnene zu einer hohen Blüte dramatischer Kunst. Sein jiddisches Theater hatte gerade deshalb durchschlagenden Erfolg, weil Texte und Melodien, Philosophie und Moral so sehr mit dem duldsamen Geist seines Volkes übereinstimmten, und weil er die Hoffnungen seines Volkes auf die Erlösung aus dem Galuth-Dasein zu wecken wußte.

Die Rückkehr der Juden in ihr palästinensisches Heimatland war auch das Thema des äußerst beliebten Romans *»Der Jiedischer Muschik«* (1884) von Mordechai Spektor (1858–1925), einem realistischen Beobachter der jüdischen Szenerie, der sein Handwerk ausgezeichnet verstand. Das gleiche Thema wurde auch häufig von Simon Samuel Frug (1860–1916) aufgegriffen, der zunächst die Opfer der Pogrome von 1881 beklagen mußte, um dann später die ersten zionistischen Kolonisten zu segnen, die durch den höchsten Einsatz ihrer Arbeitskraft die Wiedergeburt des jüdischen Volkes in Palästina vorzubereiten hofften.

Während der in Russisch, Hebräisch und Jiddisch schreibende Frug die sich verschlechternde Schicksalslage in elegischen Versen beklagte, versuchte Mark Warschavsky (1848–1907) seine Leidensgenossen mit humoristischen Liedern und witzigen Couplets über den grauen Lebensalltag hinwegzuhelfen. Seine Lieder, besonders sein Schlaflied *»Oifn Pripitchek«*, wurden überall auf der Welt von Juden gesungen; seine Hochzeitslieder sind ein einziger Widerhall der Freude; seine Zionlieder brachten den russischen Juden Trost und Hoffnung.

Mit dem Ausgang der achtziger Jahre war der Grundstein für eine goldene Ära der jiddischen Literatur gelegt worden, eine Ära, die von den Meisterwerken Jitzchok Leibusch Peretz' (1852–1915) und Scholem Aleichems (1859–1916) beherrscht werden sollte.

Literatur:

Mendele Mocher Sforim: Alle Werke. 22 Bde., 1928.
S. Niger: Mendele Mocher Sforim, 1936.

S. Borovoi (ed.): Mendele un sein Zeit, 1940.
N. Maisel: Dos Mendele-Buch, 1959
D. Miron: A Traveler Disguised: The Rise of Modern Fiction in the 19th Century, 1973.
R. Granovsky: Linetzky un sein Dor, 1941.
S. Rozhansky (ed.): Jacob Dineson, 1956.
R. Shomer-Bachelis: Unser Foter Shomer, 1950.
M. Spektor: Gesammelte Werke, 10 Bde., 1927–29.
S. S. Frug: Alle Werke, 3 Bde., 1910.
M. Warschavsky: Jiddische Volkslieder, Warschau, 1901; Odessa, 1914; New York, 1918; Buenos Aires, 1958.
I. Schipper: Geschichte fun jiddischer Theaterkunst, 3 Bde., 1923–25.
B. Gorin: Geschichte fun jiddischen Theater, 1929.
A. Goldfaden: Goldfaden-Buch, 1926.
N. Meisel: Abraham Goldfaden, 1938.
A. Goldfaden: Geklibene Dramatische Werk, 1940.
J. Shatzy (ed.): Hundert Yor Goldfaden, 1940.
Z. Zylbercweig: Die Welt fun Jacob Gordin, 1964.

Als klassisches Zeitalter der neueren jiddischen Literatur gilt das letzte Vierteljahrhundert vor dem Ersten Weltkrieg. Es begann, als es dem größten jiddischen Humoristen, *Scholem Aleichem,* gelang, die besten jiddischen Schriftsteller für sein Jahrbuch *»Die Jiddische Folksbibliothek«* (1888–1889) zu gewinnen, und indem Peretz, der künstlerisch bedeutendste ostjüdische Schriftsteller, sich entschloß, seine Werke nicht nur in russischer, polnischer oder hebräischer Sprache, sondern auch in jiddischer Sprache zu veröffentlichen. In Scholem Aleichems literarischem Jahrbuch begann Peretz seine steile jiddische Schriftstellerkarriere mit der Veröffentlichung seiner lyrischen Romanze *»Monisch«*. David Frischmann (1860–1922) publizierte sein an Heine erinnerndes satirisches Gedicht in drei Gesängen *»Ophir«*, und Scholem Aleichem selbst steuerte die längeren Erzählungen *»Stempenju«* und *»Jossele Solovej«* bei. Zu den weiteren Autoren, die in *»Die Jiddische Folksbibliothek«* aufgenommen wurden, zählten vor allem Mendele Mocher Sforim, Joel Linetzky, Jakob Dineson, A. B. Gottlober, Eliakum Zunser und Jehuda Leib Gordon, um nur die bekanntesten zu erwähnen. Ebenfalls zwischen 1888 und 1889 bot Mordechai Spektor mit seinem Jahrbuch *»Der Hausfreund«* eine weitere, vielbeachtete Bühne literarischer Aktivitäten. Dem *»Hausfreund«* folgten zwei Jahre später Peretz' halbjährlich erscheinende Anthologie *»Die Jiddische Bibliothek«* sowie seine wohl noch wirkungsvolleren *»Jom Tov Bletlech«* (1894–1895), die vor jedem jüdischen Feiertag erschienen und Gedichte, Kurzgeschichten, Feuilletons und Übersetzungen sowohl anerkannter Schriftsteller wie auch von Nachwuchsautoren herausbrachten.

Nach der Gründung des Jüdischen Arbeiterbundes im Jahre 1897 und nach dem Ersten Zionistenkongreß in Basel im gleichen Jahre erwuchs die Notwendigkeit der Gründung jiddischer Massenpublikationsorgane, um die kontroversen Doktrinen einer breiten Öffentlichkeit bekanntzugeben. 1899 wurde die zionistische Monatsschrift *»Der Jud«* ins Leben gerufen, die bald darauf als Wochenschrift herausgegeben wurde. Die von J. H. Rawnitzky (1859–1944) redigierte Zeitschrift brachte beachtenswerte literarische Beiträge von H. D. Nomberg (1874–1927), Schalom Asch (1880–1957), Abraham Reisen (1876–1953), Nachman Syrkin (1867–1924) und Reuben Brainin (1862–1939) neben den Beiträgen der Klassiker Peretz und Scholem Aleichem. *»Der Jud«* bereitete den Weg für die vier Jahre später erstmals publizierte zionistische Tageszeitung *»Der Freind«*, die als erste jiddische Tageszeitung in Rußland überhaupt erschien. Ihr folgten andere Tageszeitungen wie der in Warschau von Zvi Hirsch Prilutzky herausgegebene *»Der Weg«*, die in St. Petersburg herausgegebene Zeitung S. L. Rapaports *»Dos Leben«* oder die bundistischen *»Der Weker«* und *»Folkszeitung«*. Zehn Jahre nach dem Erscheinen der ersten jiddischen Tageszeitung konnten die beiden in Warschau herausgegebenen *»Haint«* und *»Moment«* eine Auflagenhöhe von jeweils über 100 000 Exemplaren erreichen.

Jenseits des Atlantiks erwiesen sich die jiddischen Wochenzeitungen außerstande, die Bedürfnisse der Immigrantenmassen zu befriedigen, die seit den achtziger Jahren des vorigen Jh.s nach Nordamerika strömten. 1885 gründete Kasriel Zvi Sarasohn die erste jiddische Tageszeitung in New York, das *»Tageblatt«*; 1897 folgte der von Abraham Cahan herausgegebene *»Forverts«*. 1901 erschien zum ersten Mal das *»Morgen Journal,* das sich, von Jakob Sapirstein und Peter Wiernick redigiert, vornehmlich an orthodoxe Leser wandte. Im gleichen Jahr brachte Louis Miller *»Die Wahrheit«* heraus. Alle diese Tageszeitungen publizierten nicht nur Nachrichten und journalistische Themen, sondern – in Fortsetzung der Tradition der jiddischen Zeitungen in der Alten Welt – auch literarische Stoffe hoher Qualität. So brachte der *»Forverts«* in seinen ersten Jahren Beiträge von Morris Winchevsky, Schalom Asch, Abraham Reisen, I. J. Singer, Zalman Schneour und Abraham Liessin, während *»Die Wahrheit«* Chaim Zhitlowsky, Nachman Syrkin, Ber Borochov und Scholem Aleichem gewann. Die Auflagenhöhe der in den USA erscheinenden jiddischen Tageszeitungen stieg bis zum Ausbruch des Ersten Weltkrieges auf 760 000 Exemplare. Für die Schriftsteller bot die jiddische Presse sowohl in Osteuropa wie in Nordamerika nicht nur ein überaus breites Leserpublikum, sondern zudem die Möglichkeit, der schriftstellerischen Tätigkeit als Beruf nachzugehen.

Andererseits konnte diese Massenpresse, die Gedichte, Feuilletons, Kurzgeschichten und Fortsetzungsromane druckte, den Dramatikern nicht die Möglichkeit bieten, ihre Werke zu veröffentlichen, ein Mangel, den das in hoher Blüte stehende Theater auszugleichen hatte. Die Qualität des Jiddischen Theaters verbesserte sich in der Schriftstellergeneration nach Goldfaden enorm, als literarische Persönlichkeiten wie Peretz, Scholem Aleichem, Schalom Asch, David Pinski, Peretz Hirschbein,

Jakob Gordin, Leon Kobrin und Z. Libin Theaterstücke schrieben, die mit großem Erfolg durch begabte Regisseure und Schauspieler zur Aufführung gelangten. Zu den hervorragendsten Theaterleuten zählten Jakob P. Adler, David Kessler und Boris Tomaschefsky.

Das Ansehen des jiddischen Schauspiels wuchs, als jiddische Schriftsteller der Generation vor dem Ersten Weltkrieg dem jüdischen Volk in ihren dramatischen Meisterwerken Würde und Anerkennung verschafften. Was Goethe und Schiller für die deutsche Klassik waren, wurden Peretz und Scholem Aleichem für die jiddische Klassik.

Die literarische Breite *Peretz'* bezeugen Gedichte, Dramen, Essays, Reiseskizzen und Literaturkritiken, unter denen seine Kurzgeschichten und Skizzen herausragen. Sie vereinen klare Beobachtung des wirklichen Lebens mit romantischen, mystischen Motiven. In seinen Erzählungen werden sichtbare Erscheinungsformen überdeckt von höheren Schichten ewiger Wahrheit, zu denen man emporsteigt auf der Leiter des Glaubens oder durch das Medium des Traums. Seine demütigen Gestalten wie Bontsie Schweig, Chaim der Lastenträger oder Schmeril der Holzknecht werden nicht von ihren schweren Lebensaufgaben und der endlosen, stumpfsinnigen Routine erdrückt; sie glauben an eine höhere Wirklichkeit, an eine gerechtere Existenz, die ihnen am Ende ihrer Erdenreise beschieden ist.

Eine beträchtliche Anzahl der literarischen Skizzen Peretz' behandeln Mystiker, Kabbalisten und Chassidim. Peretz erfaßte die Bedeutung des Chassidismus für das Überleben der Juden, die ihm innewohnende seelische Kraft und seinen poetischen Einfluß auf das allzu prosaische Leben. Er fühlte, daß das Tanzen, Singen und die Fröhlichkeit, die vom Chassidismus gefördert wurden, den Juden halfen, ihre Lebensängste zu überwinden, um sich am Sabbat und während der Feiertage für die harten Anforderungen der Arbeitswoche zu stärken. In der Erzählung *»Zwischen zwei Berg«* beschreibt Peretz eingehend eine Versammlung von Chassidim am Simchat Torah-Tag, dem Torah-Freudenfest: ihre Augen glänzen, ein melodisches Stimmgewirr erfüllt die Luft, Gläubige in langen Gewändern tanzen im Sonnenschein wie sorglose Kinder; Himmel und Erde scheinen sich der ansteckenden Fröhlichkeit anzuschließen, und die Seele des Universums scheint in den süßen Akkorden dahinzuschmelzen. In seinem Theaterstück *»Die goldene Keit«* schildert Peretz einen chassidischen Meister, Reb Schlome, der den Sabbat verlängern will, auf daß das ganze Leben ein ewiger Sabbat werde und das messianische Königreich der Frömmigkeit und Entrückung schon jetzt erstehe. Doch Peretz kannte die Schwäche des menschlichen Herzens und die Probleme, die sich ergeben, will man Menschen unbegrenzt in höheren geistigen Sphären halten. Deshalb zeigt er diese Menschen, wie sie sich den extremen Forderungen, die Reb Schlome an sie stellt, entziehen und sich wieder ihren irdischen Verrichtungen zuwenden. Die »goldene Kette« der Judenheit, geschmiedet von der Sehnsucht nach dem Messias, bleibt jedoch ungebrochen und wird von den Nachkommen Reb Schlomes durch die Generationen weitergereicht. Nach Peretz' Aussage können Menschen, die in der Tradition des Chassidismus oder des orthodoxen Judentums stehen, keine Leere oder Einsamkeit empfinden; nur säkularisierte Juden, die ihrer Ratio folgen, ihren profanen Erfolg suchen und der vollständigen Erfüllung rein persönlicher Wünsche leben, verbringen ein tristes und hoffnungsloses Dasein.

In seinen Erzählungen versucht Peretz, das Essentielle der von ihm beschriebenen Phänomene darzustellen. In jedem Stück Natur, organisch wie anorganisch, spürt er die wahrnehmbare Verkörperung geistiger Züge auf, in jedem Individuum die Verwandtschaft mit den universellen Werten und in jeder nationalen oder religiösen Gruppe den einzigartigen Ausdruck eines göttlichen Willens. Peretz sieht jedes Volk als auserwähltes Volk; auserwählt , durch seine eigene Geschichte, Geographie und ethnische Zusammensetzung ein Schicksal zu erfahren, das nicht identisch ist mit dem irgendeines anderen Volkes, dabei glaubend, daß die Juden ein einziges Volk sind, auch wenn sie überall verstreut in der Welt leben. Willentlich oder unwillentlich sind die Juden ein Weltvolk geworden. Über seine flüchtigen und zufälligen Charakterzüge hinaus besitzt dieses Volk gemeinschaftliche Eigenheiten, gemeinsame, unvergängliche Wertvorstellungen, gemeinsame Vorstellungen von Gut und Böse und einen gemeinschaftlichen Sinn für moralische Verantwortung. Peretz definiert das »Jude-Sein« als die jüdische Art, die Dinge zu betrachten, als den universellen Geist, wie er in der jüdischen Seele existiert, die Betrachtung der Welt als eine überorganische Einheit, die durch eine einzige supramaterielle Kraft zusammengehalten wird.

Da jede Literatur die spezifische Kultur eines Volkes zum Ausdruck bringt, muß – so Peretz – die jüdische Literatur auf der jüdischen Tradition und Geschichte basieren; sie muß der Ausdruck jüdischer Ideale sein und das jüdische Leben in Vergangenheit und Gegenwart widerspiegeln: vom strahlenden Aufstieg des Volkes Israel am Sinai durch die lange Nacht des Martyriums bis zu den zeitgenössischen Bestrebungen der Erneuerung, ja sogar bis hin zur Vorausschau auf die messianische Zukunft. Sie muß das Wesen des Jüdischen nicht als statisches, sondern vielmehr als dynamisches Phänomen darstellen, muß die Weiterentwicklung und alle Aspekte des jüdischen Denkens und Fühlens umfassen: sie muß helfen, die jüdischen Massen zu bilden, das Herz jedes Juden zu erwärmen und ihm die Mittel zu beschaffen, ganz als ein denkendes menschliches Wesen zu leben.

Peretz, der das Prinzip der Humanität in der Synthese aller nationalen Kulturen und Philosophien und ihrer intensiven gegenseitigen Befruchtung sah, war der profundeste Sprecher der jüdischen Intellektuellen, die Stimme ihres Gewissens, der geistvolle Dolmetsch ihrer Schmerzen, ihrer Enttäuschungen, aber auch ihrer Hoffnungen und Ideale. Der populärste Schriftsteller des klassischen Triumvirats war aber weder Peretz noch Mendele, sondern *Scholem Aleichem*, da er es verstand, in seinen Werken am deutlichsten und einfühlsamsten die unausgesprochenen Wünsche, die unverwirklichten Träume, die ungelösten Probleme und die unsterblichen Hoffnungen des Durchschnittsmenschen anzusprechen. In seinen Werken dominieren nicht die heroischen oder außergewöhnlichen Menschen, weder Rebellen noch Heilige, sondern gewöhnliche, einfache Juden.

Aufgewachsen in einer ukrainischen Kleinstadt, die er später als Kasrilewke, Symbol jüdischer Kleinstadtkultur schlechthin, unsterblich machte, begann er seine schriftstelleriche Laufbahn mit Artikeln in hebräischer und russischer Sprache, ehe nach 1883 Jiddisch seine wichtigste literarische Sprache wurde. Zeitweiliger Wohlstand ermöglichte es ihm, als Literaturmäzen aufzutreten, um so z. B. zwei Bände der »Jiddischen Folksbibliothek« (1888–1889) zu finanzieren, redigieren und publizieren. Als er aber sein Vermögen verlor, mußte er sich völlig auf seine schriftstellerischen Fähigkeiten verlassen. Während der neunziger Jahre arbeitete er an den Skizzen über *»Tewje«*, den jüdischen Milchmann, der auf seinem klapperigen Wagen die Straße von Kasrilewke nach Jehupetz entlangfährt und über die menschliche Natur und die Welt philosophiert sowie über *»Menachem Mendel«*, den Lebemann, der vom Vermögen träumt, das er schon fast zu greifen scheint, dessen Spekulationen aber stets unglücklich verlaufen.

Scholem Aleichems Einzigartigkeit liegt in seiner Fähigkeit, Bizarres und Groteskes, Menschliches und Idyllisches, tragischen Humor und warmherzige Fröhlichkeit miteinander zu verbinden, liegt in seiner Fähigkeit, den tragischen Untergrund wahrzunehmen, auf dem die Struktur des menschlichen Lebens beruht, gleichzeitig aber auch den unzerstörbaren Willen darzustellen, irgendwie noch das kleinste bißchen Freude aus jeder Lebenslage herzuleiten. Sein Lachen ist ein Lachen unter Tränen, ein stoischer Humor, der alle Hindernisse und Enttäuschungen überwindet. *Tewje* ist seine symbolische Gestalt, die den anscheinend naiven, in Wirklichkeit aber weisen Juden verkörpert, der – obwohl einem widrigen Schicksal unterworfen – trotz aller Skepsis diese Welt zu verstehen, nie verzweifelt und nie seinen Glauben verliert.

Mit *Menachem Mendel* aus Jehupetz stellt Scholem Aleichem einen anderen Typ des kleinen Mannes dar: einen jüdischen Schlemihl und Don Quixote, einen dynamischen Luftikus, der ständig in fieberhafter Erregung hinter irdischen Wundern herjagt, die sich jedoch bei genauerer Überprüfung in Luft auflösen. Sein großer Traum vom Reichtum erfüllt sich nie, so daß er sich in Spekulationen rettet, die bei geringem Einsatz größtmöglichen Gewinn bringen sollen, ein Ziel, das er jedoch nie erreicht. *Menachem Mendel* ist beides, eine Karikatur Scholem Aleichems selbst in seinen jüngeren Jahren und die gleichnishafte Gestalt jener Generation des jüdischen Humoristen, die, den Schutz und die Sicherheit Kasrilewkes fliehend, im Malstrom der großen Städte aufgrund ihrer begrenzten Lebenserfahrung und ihres mangelnden ökonomischen Wissens untergingen.

Scholem Aleichem lehrte die Juden, die sich stets in Schwierigkeiten befanden und einer feindseligen Umwelt ausgesetzt waren, über ihre Bedrängnis zu lachen. Er sprach sie an als Mitglieder einer großen Familie, die in Klatsch und Streit, doch ohne Boshaftigkeiten miteinander lebten, erfüllt von einem tiefen Verantwortungsbewußtsein für den Mitmenschen und immer bereit, einander im Notfall zu helfen. Sie fühlen den Schmerz der ganzen Menschheit, obwohl die Menschheit keine Notiz von ihnen nimmt; sie tragen farblose, schäbige Kleider, ihre Seelen jedoch leuchten voller Farbe und sind lebendig. – Scholem Aleichem liebte sie mit allen ihren Torheiten und Schwächen. Am meisten jedoch liebte er Kinder, deren unvergeßliche Porträts er stimmungsvoll und voller Zärtlichkeit zeichnete. In den Geschichten von *Mottel Peise*, dem früh verwaisten Kantorsohn, schuf er eine klassische Knabengestalt, das jüdische Gegenstück zu Mark Twains Tom Sawyer und Huckleberry Finn, der, erfüllt von unstillbarer Wißbegier und unerfülltem Tatendrang, aufbricht, um in Amerika, dem Land der unbegrenzten Möglichkeiten, Glück und Erfolg zu finden. In seinen Empfindungen und Erlebnissen spiegelt sich deutlich die eigene Person Scholem Aleichems wider, der Mottel Peise nicht nur sein (literarisches) Leben, sondern auch seine eigene Seele gegeben hat.

Neben *Tewje, Menachem Mendel* und *Mottel Peise* schuf Scholem Aleichem Dutzende von Gestalten: Männer, Frauen und Kinder, Juden und Nicht-Juden, Bürger und Bauern, die alle aus dem Leben gegriffen sind und deren Handlungsweisen und sozialen Beziehungen die Kultur der in jenem Teile Rußlands lebenden gesellschaftlichen Gruppen festhalten. Scholem Aleichems Satire ist mild und nicht sarkastisch, sein Lachen ermunternd und nicht vernichtend. Am liebsten kleidet er seine Erzählungen in Monologe seiner Gestalten, die dem Leser ihr Herz ausschütten. In seinen Werken vermissen wir die wirklichen Bösewichter ebenso wie die heroischen Gestalten. Das Heldentum seiner Gestalten beruht vielmehr darin, wie sie ihr leidvolles Schicksal still ertragen und stets Kraft gewinnen, aus jeder Niederlage neuen Lebensmut zu schöpfen. Widerwärtigkeiten begegnen sie lächelnd, auch wenn ihnen Tränen in den Augen stehen. Sie finden immer wieder einen Weg, aus der Verzweiflung ins Reich der Träume zu fliehen.

Als Meister des Dialogs und scharfer Beobachter von Bewegungen und Tonfall der Menschen schrieb Scholem Aleichem auch Dramen, zu deren besten *»Schwer Zu Sein a Jied«* (1914) und *»Dos groiße Gewins«* (1916) zu zählen sind. Das erstgenannte handelt von einem christlichen Studenten, der mit einem jüdischen Studenten die Identität tauscht, um so Widrigkeiten und Diskriminierungen, denen Juden ausgesetzt sind, am eigenen Leibe zu erfahren. Das zweite Drama erzielt noch heute auf den Bühnen der ganzen Welt großen Erfolg; doch keine der Erzähl- oder Bühnengestalten Scholem Aleichems wurde so populär wie Tewje, der Milchmann. Das Musical *»Anatevka«* *(»The Fiddler on the Roof«)* war das erste international erfolgreiche Musical, dessen Inhalt dem Leben der osteuropäischen Juden gewidmet ist.

Zahlreiche Anekdoten und Aphorismen Scholem Aleichems

werden überall dort zum besten gegeben, wo sich Juden treffen. Er lehrte sie, wie man durch Spaß dem Schmerz entflieht – und wie man Freude am Leben gewinnen kann, indem man die traditionellen und zeitlosen Gebräuche des Judentums achtet. Sein Humor erhellt den grauen, langweiligen Alltag, sein Lachen hallt überall dort wider, wo Jiddisch gelesen und verstanden wird. Mit ihm – und mit Peretz – erreichte die jiddische Literatur ihren Höhepunkt; bedauerlich bleibt nur, daß er keine Nachfolger inspirierte wie es Peretz gelang. Peretz förderte die Karriere etlicher Schüler, zu denen David Pinski (1872–1959), Hirsch David Nomberg (1874–1927), Abraham Reisen (1876–1953), Schalom Asch (1880–1957), I. M. Weissenberg (1881–1938), Peretz Hirschbein (1880–1948), Solomon Bloomgarden (1870–1927), der unter dem Pseudonym Jehoasch schrieb, und Menachem Boraischa (1888–1949) gehören.

Pinskis lange literarische Laufbahn begann 1892, als er durch Peretz in Warschau beeinflußt wurde, Kurzgeschichten zu verfassen. Er ging nach Berlin, wo Gerhart Hauptmanns proletarische Dramen erfolgreich aufgeführt wurden, schrieb selbst naturalistische Dramen, wobei er sich nicht damit zufrieden gab, die Warmherzigkeit und Naivität armer, unterprivilegierter Menschen darzustellen, sondern ihnen Kraft und Leidenschaft verlieh, aufzubegehren und für eine bessere Weltordnung zu kämpfen. Pinski entdeckte den jüdischen Fabrikarbeiter für die Dramenwelt, als die industrielle Revolution in Rußland noch in den Kinderschuhen steckte. Seine Gestalten sind entblößt von einer idealisierenden äußeren Verkleidung, sie stellen hart und offen ihr Inneres zur Schau und gewinnen so an Wahrhaftigkeit und Stärke. Sie sprechen das Jiddisch der Marktplätze und Werkbänke: Salzbruchstücke, Redefloskeln, sich ständig wiederholende einsilbige Wörter. Ihr Aufstand gegen Gott und die Gesellschaft vollzieht sich individuell, motiviert durch das Bedürfnis, einen letzten Rest menschlicher Würde zu bewahren.

Nach seiner Emigration nach New York im Jahre 1899 vollendete Pinski seine populärste Komödie *»Der Oitser«* (1906), die ihre Uraufführung in deutscher Sprache durch Max Reinhardt in Berlin erlebte. Später wurde sie dann erfolgreich auf jiddischen Bühnen in Europa und Amerika aufgeführt. Pinskis Humor ist frei von Sarkasmus, seine Darstellung menschlicher Schwächen besitzt einen moralischen Unterton. Wie sein Vorbild Henrik Ibsen war er in erster Linie ein »Dramatiker der Ideen«, und wie bei Ibsen vollzieht sich in seinen Dramen der Übergang vom Realismus zum Symbolismus, der oft bis an die Grenze des Allegorischen reicht. Diese Entwicklung wird besonders deutlich in seinen späteren historischen und messianischen Dramen, während er in seinen Romanen weiter dem realistischen Stil verpflichtet bleibt. Davon zeugen vor allem die auf der jüdisch-amerikanischen Szene spielenden bedeutenderen Romane, »Arnold Levenberg« (1919) und »Dos Hois fun Noach Edon« (1929). Das letztgenannte Werk ist eine Familienchronik, zu vergleichen mit Thomas Manns »Buddenbrooks« oder John Galsworthys »Forsyte Saga«, in der er das Porträt einer jüdischen Emigranten-Familie über drei Generationen hin zeichnet.

1949 ließ Pinski sich in Haifa nieder, wo sein Haus der Mittelpunkt des jiddischen Schriftstellerkreises »Jungisrael« wurde. Hier fanden die aufstrebenden jungen jiddischen Literaten Israels jene Aufmunterung und Anregung, die Pinski seinerseits von Peretz erhalten hatte.

Die Erzählungen *Nombergs,* von denen die bekannteste *»Fligelman«* (1905) war, besitzen einen charakteristischen Zug von Skeptizismus und Pessimismus. Nomberg liebte die ironischen Wertungen seiner Erzählpersonen, die stellvertretend für seine Mitmenschen standen, er besaß eine Vorliebe für dekadente Intellektuelle als männliche und für gehemmte, überreife, selbstsüchtige und verbitterte Frauen als weibliche Hauptfiguren. Mit seiner Logik zerriß er den Schleier romantischer Illusionen und entdeckte ausdruckslose Gesichter mit verschwommenen Zügen hinter diesem Schleier, ganz im Gegensatz zu *Abraham Reisen,* der als Lyriker und Autor von Kurzgeschichten literarischen Ruhm erntete. Reisens Gestalten sind vom harten Leben gezeichnete, zurückgestoßene, ängstliche, hungrige und farblose Menschen, die trotz ihres bedauernswerten Schicksals ihre Würde nicht verlieren. Seine Lyrik ist einfach und ungekünstelt, voller Melancholie, doch nicht deprimierend. Eine kurze zeitlang unter dem Einfluß Heinrich Heines stehend, dessen *»Buch der Lieder«* ihm als Vorlage diente, erkannte Reisen sehr bald, daß es falsch war, die erwachende, jugendliche Liebe kokett und ironisch darzustellen; die Wirklichkeit des jüdischen Lebens erforderte eine andere Einstellung als die Heines. Liebe war noch ein neues Thema in der jiddischen Lyrik und ein zynischer Tonfall durchaus nicht angebracht. Es galt somit einen ideelleren Standort zu beziehen und eine symbolischere Tiefe zu gewinnen, die ihre Inspiration aus der traditionellen

Quelle, dem »Hohenlied Salomons«, schöpfte. Diese Tradition wirkt auch noch in seinen Erzählungen fort, deren Höhepunkte intensive dramatische Wirkungen mit einem Minimum an Worten erzielen. Obgleich aktuelle Situationen aus dem jüdischen Leben seiner Zeit dargestellt werden, bereichert Reisen sie mit biblischer Anschaulichkeit.

Schalom Aschs äußerst fruchtbare Schriftstellertätigkeit dauerte 57 Jahre. In dieser Zeit verfaßte er sechzig Werke, hauptsächlich Romane und Dramen. Seinen frühen literarischen Ruhm verdankt er seiner idyllischen Erzählung *»Dos Stetl«* (1904) und seiner Tragödie *»Gott fun Nekome«* (1907). *»Dos Stetl«* ist eine nostalgische Erzählung über die Schönheit und Innerlichkeit des jüdischen Lebens in den kleinen Gemeinden weitab vom Hauptstrom der europäischen Kultur. Asch beschreibt liebevoll und einfühlsam das Leben in einer solchen Kleinstadt, ganz im Gegensatz zu jenen satirischen Darstellungen, die dieses Kleinstadtleben zuvor der Lächerlichkeit preisgegeben hatten. Bereits Scholem Aleichem versuchte, das zum Symbol jüdischer Rückständigkeit und Unaufgeklärtheit entartete Kleinstadtmilieu in einem anderen, besseren Licht darzustellen; aber erst Asch gelang es wirklich, diesem Milieu auch seine schönen Seiten abzugewinnen, indem er in den schmutzstarrenden Straßen und inmitten der grauen Eintönigkeit immer wieder das Einströmen des Lichts und romantische Augenblicke wahrnehmen konnte.

Das erfolgreichste seiner 21 Bühnenstücke, das wegen seiner blasphemischen Titels sehr häufig Anlaß zu Kontroversen bot, war wohl *»Gott fun Nekome«*, zu dessem Durchbruch Max Reinhardts Aufführung im Deutschen Theater in Berlin maßgeblich beitrug. Aschs geschichtliche Romane wie *»Kiddusch ha-Schem«* (1920), *»Die Kischifmacherin fun Kastilien«* (1921) und *»Der Tilim Jied«* (1934) glorifizieren jüdische Taten der Brüderlichkeit und des stillen Heldentums. Wiederholt griff er Themen auf, die dem Konflikt zwischen nicht-jüdischer physischer Macht und jüdischer moralischer Erhabenheit, zwischen scheinbarem und kurzanhaltendem Triumph der bewaffneten Faust und dem dauerhaften Sieg des jüdischen Geistes, der im Akt des Martyriums am größten war, gewidmet waren. Umso nachhaltiger wirkte der Schock beim jüdischen Leser, als Asch im Jahre 1939, auf dem Höhepunkt der Hitlerschen Triumphe seinen christologischen Roman *»Der Nazarener«* veröffentlichte, in dem der Versuch unternommen wurde, Jesus Christus auch aus jüdischer Sicht Anerkennung zu verschaffen. *»Der*

Nazarener« erschien ebenso wie die ihm folgenden Romane *»Der Apostel«* und *»Maria«* zu einem höchst unglücklichen Zeitpunkt und wurde während der Auschwitz-Jahre von seinen jüdischen Lesern abgelehnt. Die überschwengliche Zustimmung vieler hunderttausende nicht-jüdischer Leser milderte Aschs Verbitterung keineswegs, noch befreite sie ihn von dem tiefwurzelnden Gefühl der Einsamkeit. Die wunderbare Errettung der an Leib und Seele Verstümmelten aus den Ghettos und Konzentrationslagern zeigte ihm die Widerstandskraft seines Volkes. Gerade er hatte so oft den unzerbrechlichen und einzigartigen Lebenswillen seiner Glaubensbrüder in seinen frühen Werken dargestellt, als er aber zu seinen Lebzeiten die Katastrophen auf sie niederbrechen sah, verlor er seinen Glauben daran, daß sein Volk seine eigene historische Existenz weiterhin aufrechterhalten konnte. In den letzten zehn Jahren seines Lebens bereute er, daß er vorübergehend sein Vertrauen an das jüdische Volk verloren hatte. Er nahm die Arbeit an seinem Roman *»Moses«* wieder auf, die wegen seiner Arbeit an der christologischen Trilogie hatte ruhen müssen. Im Jahre 1954 ließ er sich in Israel nieder, wo sich der rastlose Wanderer endlich zu Hause fühlte. Die Kontroverse über ihn ebbte allmählich ab, und man erinnerte sich wieder an ihn als den romantischen Schilderer des jüdischen Kleinstadtlebens, das nach der Vernichtung der ostjüdischen Siedlungen in seinen frühen Werken gleichsam wieder erstand. Welche Verfehlungen Asch auch immer begangen haben mag, er hat das große Ziel aller jiddischen Schriftsteller erreicht, hatte erreicht, was nicht einmal seinem Mentor Peretz gelungen war: er machte es Europa und Amerika bewußt, daß mit der jiddischen Literatur ein kulturelles Ausdrucksmittel einer einzigartigen historischen Volksgruppe entstanden war, und daß diese Literatur Werke von ästhetischer Schönheit und moralischer Größe hervorgebracht hat.

Im Gegensatz zu Aschs romantischer Idealisierung der jüdischen Kleinstadtszenerie entwarf *I. M. Weissenberg* ein Bild desselben Milieus, das alles andere als idyllisch war. Als überzeugter Vertreter des Naturalismus betonte er die Auswirkungen der neuen revolutionären Ideen, die diese kleinen Städte aus ihrer Lethargie rissen und ihre sozialen Grundlagen erschütterten. Seine ausdrucksvollste Erzählung hat den Titel »A Stetl« und erschien zwei Jahre nach Aschs Erzählung mit ähnlich lautendem Titel.

Auch *Peretz Hirschbein* begann mit naturalistischen Stücken in hebräischer Sprache und wurde als »Dramatiker der Kellerwohnungen« begrüßt. Bald jedoch wechselte er zum Jiddischen und zur Technik des Symbolismus über, worauf er als jiddischer Maeterlinck gepriesen wurde. Seine symbolistischen Theaterstücke versuchten visionäre Stimmungen statt klarer realistischer Bezüge wiederzugeben, versuchten das Leben darzustellen, wie es sein sollte, nicht aber wie es wirklich war. *»Die puste Kretschme«* (1912) und *»Griene Felder«* (1916), seine besten Dramen, die wie einige andere dramatische Meisterwerke Hirschbeins das Repertoire des jiddischen Theaters bereicherten, brachten ihm, als Mischungen von Realismus und Mystizismus, größeren literarischen Erfolg als seine weniger bekannten Romane über das jüdische Leben auf sowjetischen Kolchosen oder in der Riesenstadt New York.

Jehoasch war der erste große jiddische Naturdichter. Er bereicherte das Jiddische und die jiddische Literatur mit gehaltvollen Liedern, Balladen, Fabeln, Legenden, Satiren, Reiseskizzen und Übersetzungen von Klassikern der Weltliteratur. Seine überragende Leistung jedoch war seine Bibelübersetzung, an der er dreißig lange Jahre arbeitete, wobei er aus dem historischen, aber auch mundartlichen Sprachschatz schöpfte.

Menachem Boraischa schließlich begegnete seinen Lesern vornehmlich als religiöser Dichter, immer auf der Suche nach dem Verständnis für die Geheimnisse zwischen Himmel und Erde, zwischen Leben und Tod. Ihm bedeutete die Poesie die intuitive Erfassung der Wahrheit, die untrennbar verbunden war mit Religion, Philosophie und Geschichte. Seine literarische Leitfigur war Moses, in dem er die Fähigkeit der Offenbarung, nationaler Vision, messianischen Glaubens und der Gottesfürchtigkeit verkörpert sah. 1914 verließ Boraischa den Peretz-Kreis in Warschau, und obgleich er vielen Beschäftigungen in den jüdischen Gemeinden und im literarischen Leben Amerikas nachging, blieb er bis an sein Lebensende ein einsamer, unsteter Wanderer, immer auf der Suche nach tieferen Einsichten, stets unzufrieden mit den Erkenntnissen und der Weisheit, die er gewonnen hatte. Sein autobiographisches, philosophisches Versepos *»Der Geher«* (1943) zeichnet seine Erlebnisse und Abenteuer im Reich der Gedanken auf; es blieb sein bedeutendstes Werk.

Die oben genannten jiddischen Autoren wurden noch zu seinen Lebzeiten durch Peretz in starkem Maße beeinflußt, doch es gibt wohl kaum einen jiddischen Schriftsteller, der in späterer Zeit nicht zumindest zeitweise dem Einfluß der Gedanken und literarischen Neuerungen Peretz' unterlegen war. Die literarische »Stetl«-Kultur der Peretz-Generation erlebte ihren Untergang durch die russische Revolution, die Verstädterung der jüdischen Massen und den ständigen Strom der nach Westeuropa und Übersee ziehenden Auswanderer. Die Einheit der jiddischen Literatur zerbrach nach dem Ersten Weltkrieg, wobei die in der Sowjetunion geschaffene jiddische Literatur von jenem literarischen Hauptstrom abzweigte, der von Polen, Rumänien und dem Baltikum nach Nord- und Südamerika floß. Mit dem Tod der »großen Drei«, Peretz (1915), Scholem Aleichem (1916) und Mendele Mocher Sforim (1917) kam auch das Ende der klassischen Ära der jiddischen Literatur.

Literatur:

Weltverband fun jiddische Journalisten: Die jiddische Presse Wos Is Gewen, 1975.

M. Soltes: The Yiddsih Press, an Americanizing Agency, 1925.

A. Eliasberg (ed.): Ostjüdische Erzähler, 1920.

I. L. Peretz: Werk, 20 Bde., Vilna 1925–29; 18 Bde., Buenos Aires, 1944; 11 Bde., New York, 1946.

A. A. Roback: Peretz, Psychologist of Literature, 1935.

S. Liptzin: Peretz, Bilingual Edition, 1947.

M. Samuel: Prince of the Ghetto, 1948.

N. Maizel: Peretz un sein Dor Schreiber, 1951.

U. Weinreich: The Field of Yiddish, 1954, pp. 292–99: »Guide to English Translations of Peretz.«

M. Samuel: The World of Sholom Aleichem, 1943.

S. Gittleman: Sholom Aleichem: A Non-Critical Introduction, 1974. Fiddler On the Roof; Based on Sholom Aleichem's Stories, 1964.

U. Weinreich: The Field of Yiddish, 1954, pp. 285–291: »Guide to English Translations of Sholom Aleichem.«

Y. Jeshurin: David Pinski Bibliographie, 1961.

D. Pinski: Dramen, 5 Bde., 1919–20; Ten Plays, 1920; Three Plays, 1918.

H. D. Nomberg: Werk, 9 Bde., 1926–30.

S. Slutzky: Abraham Reisen Bibliographie, 1956.

I. M. Weissenberg: Geklibene Werk, Warsaw, 1950; New York, 1954; Chicago, 1959.

B. Wit-Witkewitz: Jehoash Bibliographie, 1944.

Jehoash: Werk, 10 Bde., 1920–21.

M. Boraischa: Der Geher, 2 Bde., 1943.

ders.: Durch Doires, 1950 (Bibliographie von L. Finkelstein).

IV. Die jiddische Literatur in Europa im Zeitraum zwischen den beiden Weltkriegen

1. *Sowjetrußland*

Jiddisches Literaturschaffen im revolutionären und nach-revolutionären Rußland konzentrierte sich im wesentlichen auf *Kiew*, die Hauptstadt des geistigen Lebens in der Ukraine, *Minsk*, die Hauptstadt Weißrußlands, und *Moskau*, wohin die Juden strömten, sobald die zaristischen Beschränkungen aufgehoben waren.

Ein Rausch ergriff die jüdische Jugend, als mit dem Jahre 1917 der Zeitpunkt jüdischer Emanzipation in Sowjetrußland gekommen war. Eine glänzende Schar strahlender und mutiger Dichter, deren Schaffenskraft nach dem erzwungenen Schweigen der Kriegsjahre freigesetzt wurde, verkündete lautstark ihre Freude über die neue Ordnung, die ihnen Garantien für Freiheit und Gleichheit versprach. Sie waren bereit, die ganze Welt in einem allumfassenden Reigen der Brüderlichkeit zu umarmen. Ihre Hochstimmung hielt jedoch nur kurze Zeit an; denn die von Denikin, Petlura und anderen Konterrevolutionären angeführten Pogrom-Horden fielen besonders in die seit langem von kopfstarker jüdischer Bevölkerung bewohnten Landstriche der Armen und Rechtlosen ein und verbreiteten überall Tod und Leid. Die angagierten jiddischen Dichter griffen zu Schwert und Feder, um die neugewonnene und schon wieder gefährdete Freiheit zu verteidigen. So fielen zwei unter ihnen, *Oscher Schwartzman* (1890–1919) und *Beinisch Steinman* (1897–1919), an der Front, noch bevor sie ihr dreißigstes Lebensjahr erreicht hatten und ihr lyrisches Talent sich hatte entfalten können. Als schließlich nach hartem Kampf, in dem zahlreiche jüdische Ortschaften zerstört worden waren, der Sieg errungen war, brach in den betroffenen Gebieten der Hunger aus. Aber die strengen Bestimmungen des militaristischen Kommunismus wurden ersetzt durch die »Neue Wirtschaftspolitik«, die der Initiative des einzelnen mehr Raum gab – nicht nur im Handel und Gewerbe, auch in der Literatur und im Journalismus. Während der Jahre der »Neuen Wirtschaftspolitik« wurde Kiew zum Zentrum der jiddischen Literatur in der Sowjetunion, nachdem die früheren Zentren Warschau und Wilna vom ehemaligen russischen Territorium abgetrennt worden waren. Moskau und Minsk spielten noch nicht jene Rolle, um als Herausforderung für Kiew Bedeutung zu gewinnen, und die »Weisen Männer von Odessa« – Chochme Odessa – die ohnehin mehr in hebräischer als in jiddischer Sprache schrieben, schwiegen entweder oder waren nach New York, Berlin und Palästina emigriert. Die beiden Mentoren der Kiewer Schriftstellergruppe waren *David Bergelson* (1884–1952) und *Der Nister*, Pseudonym für Pinchas Kaganovicz (1884–1950).

Bergelson, der seinen Tod während der letzten stalinistischen Säuberungsaktion fand, erregte zum ersten Mal die Aufmerksamkeit des literarischen Publikums, als seine Novelle »Arum Woksal« (1909) und sein Roman »Noch Alemen« (1913), der als das einfühlsamste Meisterwerk impressionistischer Literatur bezeichnet wurde, zur Veröffentlichung gelangten. Seine vorrevolutionären Gestalten verkörpern die Gefühle der Resignation jener Juden, die am Rande des Weltgeschehens in entlegenden Dörfern ihr dumpfes Dasein fristen – in der Vorahnung heraufziehender Stürme und eines bevorstehenden dramatischen Wandels. Bergelson ist der Maler zwielichtiger Stimmungen, herbstlicher Landschaften, dahinschwindender Hoffnungen, anhaltenden Unglücks und unerfüllter Sehnsucht. In seinen nach-revolutionären Romanen beschreibt er den schmerzhaften Übergang des lethargischen Alltags in den Dörfern und Städten der Ukraine zur neuen sowjetischen Ordnung. Obwohl er diese bejahte, lebte in ihm dennoch das Heimweh nach einer Welt, die es nicht mehr gab, der Welt seiner Kindheit mit ihrem bedächtigen Frieden und ihrer verschwenderischen Ziellosigkeit.

»Der Nister« begann seine literarische Karriere 1907 mit Prosagedichten, erfüllt von Traumvorstellungen, in denen übernatürliche Wesen jüdischer, christlicher und olympischer Abstammung zusammentrafen. Später veröffentlichte er Lieder, Oden, Versgebete, Allegorien, mystische Visionen und Balladen, die eigentlich geschrieben waren, um Kinder zu erfreuen, deren Bedeutungsinhalte aber über das kindliche Begriffsvermögen hinausgingen. Nach der russischen Oktoberrevolution fühlte er sich als Symbolist und Neuromantiker isoliert in seiner Rolle als unpolitischer Schriftsteller. Jahrelang schwieg er, als die Schlagwörter »Antiromantik« und »Sozialistischer Realismus« das von den Sowjets vorgeschriebene literarische Programm bestimmten. Als schließlich der auf ihn ausgeübte Druck zu groß wurde, wandte er sich in seinem letzten und größten Prosa-Epos »Mischpoche Maschber« (1939) dem realistischen Stil zu, aber nicht, um das zeitgenössische Leben zu schildern, sondern um eine Ära zu beschreiben, die bereits Geschichte war.

Unter der Ägide Bergelsons und Des Nisters profilierte sich ein Triumvirat begabter Schriftsteller, Leib Kvitko (1890–1952), David Hofstein (1889–1952) und Peretz Markisch (1895–1952), die dem literarischen, pädagogischen und kulturellen Schaffen in jiddischer Sprache die notwendigen Impulse verliehen. Sie sangen das Lob der sowjetischen Errungenschaften in Krieg und Frieden. Trotz ihrer dauernden Anpassung an die wechselnden Richtungen der sowjetischen Politik wurden Kvitko, Hofstein und Markisch zusammen mit Bergelson und Dem Nister während der stalinistischen Säuberungsaktionen gegen jüdische Intellektuelle im Jahr 1948 ins Gefängnis geworfen und dann schließlich am 12. August 1952 von einem Erschießungskommando liquidiert. Erst nach Jahren wurden sie als »Opfer eines Justizirrtums« rehabilitiert.

In den dreißiger Jahren, als die kommunistische Partei die Literatur strenger zu beaufsichtigen begann, wurde die Vorrangstellung Kiews im jiddischen Literaturschaffen vom jüdischen Zentrum in Minsk bestritten. Die Eiferer in Minsk warfen ihren Kollegen in Kiew mangelndes Parteibewußtsein und dekadenten Symbolismus vor und rühmten sich ihres eigenen proletarischen Bewußtseins. Das Hauptorgan der Minsker Schriftsteller war der 1925 gegründete »Stern«. In seinen Druckspalten legten die Essayisten die Regeln für die jiddische proletarische Literatur fest und maßregelten schärfstens alle Autoren, die von dieser Linie abwichen. Beträchtlichen Einfluß übten dabei Ber Orschansky (1883–1945) und Jasche Bronstein (1906–1937) aus. Jener leitete eine jiddische Abteilung am Institut für weißrussische Kultur. Dieser war bis zu seiner Liquidierung als Volksfeind als führender jiddischer Literaturprofessor tätig. 1928 schloß sich der expressionistische Schriftsteller *Mosche Kulbak* (1896–1940) der Minsker Gruppe an. Aber bald mußte er einsehen, daß er seinen expressionistischen »Ketzereien« abzuschwören und der Linie des sozialistischen Realismus zu folgen hatte. Er tat dies in seinem wichtigsten Roman »Zelmianer« (1931–1935). 1937, auf der Höhe seines literarischen Ruhms, wurde Kulbak verhaftet und kam drei Jahre später in einem sibirischen Arbeitslager um. 1956 wurde auch er als unschuldiges Opfer des Stalinismus rehabilitiert.

Max Erik (1898–1937), der vorzügliche Literaturhistoriker, verließ Wilna im Jahre 1929, um nach Minsk zu gehen und dort die jiddische Literaturforschung zu leiten, ehe er ebenfalls verhaftet wurde und in einem Lager den Tod fand. Aus der Gruppe der Minsker Schriftsteller ragten ferner Selik Axelrod (1904–1941) und Izzie Charik (1898–1937) hervor und erregten über die Grenzen Weißrußlands hinaus Aufmerksamkeit. Axelrod wurde des Verbrechens des jüdischen Nationalismus beschuldigt und in einem russischen Gefängnis erschossen, Charik wurde ebenfalls verhaftet und zu Tode gefoltert.

Nach der Liquidierung der meisten Mitglieder der Minsker Gruppe in den Jahren 1936–1937 lebte nur das Moskauer Literaturzentrum als Konkurrenz Kiews weiter fort; es dauerte jedoch nicht lange und die eiserne Disziplin und strikte Uniformität der stalinistischen Diktatur löschten jegliche Unterschiedlichkeit zwischen diesen verbliebenen Zentren der jiddischen Literatur in der Sowjetunion völlig aus. Alle Schriftsteller wurden Parteifunktionäre, die ihre literarischen Werke als ein nützliches Werkzeug der Staatsgewalt einzusetzen hatten, um mitzuhelfen, den »sowjetischen« Menschen zu formen. Noch wurde die jiddische Sprache toleriert, doch der Inhalt der jiddischen Publikationen unterlag einer unnachgiebigen Kontrolle und beschränkte sich schließlich immer mehr auf nicht-jüdische Themen und Stoffe. Die Parole lautete: Sowjetisch im Inhalt/Jiddisch in der Form! Inhalt und Form konnten jedoch nicht ernstlich voneinander getrennt werden, da einzelne Wörter und Redensarten, besonders dann, wenn sie hebräischen Ursprungs waren, mit Assoziationen der jüdischen Geschichte und Religion verbunden waren. Die in Sowjetrußland wirkenden jiddischen Schriftsteller mußten deshalb äußerst umsichtig im Gebrauch der Sprache sein und dabei Hebraismen und biblische Ausdrücke weitestgehend vermeiden. Da sie diesen Anforderungen häufig nicht nachkommen konnten oder wollten, setzten sie sich nur allzu oft der politischen Inquisition der kommunistischen Geheimpolizei aus und wurden wiederholt gezwungen, Verstöße gegen die offiziellen Richtlinien einzugestehen und öffentlich zu bekennen. So lebten sie in einem andauernden Zustand der Unsicherheit: die sich ständig verändernde Parteilinie in der Literatur gipfelte in Werken, die einmal als große sowjetische Leistungen gelobt, ein anderes Mal dann wieder als subversive Schriften verdammt wurden. Mit der wachsenden Verwirrung und Unsicherheit der Autoren sank die Qualität der literarischen Produktion, ehe schließlich alle jiddischen Publikationen in den letzten Jahren der Stalin-Ära unterdrückt wurden.

»Emes« war das Hauptorgan der jiddisch schreibenden Kommunisten in Moskau zwischen 1918 und 1945. Sein Herausgeber war *Mosche Litvakov* (1875–1937), der Hauptvertreter der sowjetischen Parteilinie in der Literatur bis zu seiner eigenen Liquidation. Ihm folgte *Itzik Fefer* (1900–1952), der lange Zeit die Bühne der jiddischen Literatur in Moskau beherrschte. Sein Aufstieg läßt sich auf drei Faktoren zurückführen, auf seine proletarische Orthodoxie, auf seine leidenschaftliche Ausdruckskraft und auf sein lyrisches Talent. 1943 wurde er zusammen mit dem besten jiddischen Schauspieler Schlomo Michoels (1890–1948) in die USA geschickt, um in jüdischen Kreisen Unterstützung für den sowjetischen Kampf gegen die Nazis zu finden. Es war gerade die Zeit, in der er in seinen stolzen Dichtungen seiner Freude Ausdruck verlieh, Jude zu sein und dem Volke Samsons, der Makkabäer, eines Spinoza, Marx und Heine anzugehören. Diese Erklärung kam ihm jedoch teuer zu stehen; denn trotz der guten Dienste, die er der sowjetischen Sache geleistet hatte, wurde er ein Opfer der stalinistischen Säuberungswelle. 1948 verhaftet, wurde er vier Jahre lang festgehalten und gefoltert, ehe er schließlich zusammen mit seinen Freunden wie Feinden erschossen wurde.

Zu den prominenteren jiddischen Schriftstellern der Moskauer Gruppe gehörten Lyriker wie Aaron Kuschnirov (1890–1949), Schmuel Halkin (1897–1960), Ezra Finenberg (1899–1946) und Schmuel Rossin (1890–1941), Romanciers wie Schmuel Persov (1890–1952) und Schmuel Nissan Godiner (1893–1942) und Literaturkritiker wie Meir Winer (1893–1941) und Aaron Gurstein (1895–1941).

Der Zweite Weltkrieg forderte seinen Blutzoll auch unter den jiddischen Schriftstellern, doch weitaus größer war die Zahl derer, die nach dem Krieg dem stalinistischen Personenkult zum Opfer fielen. Zu diesen Opfern zählten die bedeutendsten Autoren der jiddischen Literatur in der Sowjetunion, die alle in der Nacht des 12. August 1952 erschossen wurden. Hunderte saßen noch in den Gefängniszellen oder waren in entlegenen Arbeitslagern interniert, von denen die meisten in den letzten Jahren der Stalinistischen Gewaltherrschaft dahinsiechten. Sie verschwanden spurlos, ihre Gräber blieben zumeist unbekannt.

Die letzte Nummer der einzigen jiddischen Zeitung Moskaus, »Einigkeit«, erschien am 20. November 1948. Ungefähr zur gleichen Zeit wurde das ›Jüdische Antifaschistische Komitee‹, die letzte jiddische Organisation in der Sowjetunion überhaupt, aufgelöst, und gleichzeitig die Hauptmitarbeiter der Organisation ins Gefängnis geschafft. »Emes«, der letzte jiddische Verlag wurde geschlossen. Das sowjetische Judentum war zum Schweigen verurteilt worden. Alle Nachforschungen nach dem Schicksal Einzelner oder von Gruppen blieben erfolglos. Erst 1956 sickerten Nachrichten über die vier Jahre zuvor erfolgte Liquidierung der Träger der jiddischen Literatur in der Sowjetunion durch. In der Mitte unseres Jahrhunderts schien diese Literatur somit dem Untergang geweiht zu sein, nachdem 1948 noch sechzig Bücher, in den folgenden zehn Jahren aber kein einziges mehr veröffentlicht worden war. Als jedoch das volle Ausmaß des von dem Obersten Sowjet inszinierten jüdischen Massenmordes bekannt wurde, setzte in der nachstalinistischen Ära ein gewisser Umschwung ein, und die sowjetischen Behörden lockerten in bescheidenem Maße die der jüdischen Kultur auferlegten Beschränkungen. Die unschuldigen Opfer der stalinistischen Säuberungswelle wurden rehabilitiert, etliche Autoren, die die grauenvollen Qualen der Inhaftierung und der Arbeitslager überlebt hatten, kehrten in der Chruschtschow-Ära nach Moskau und Kiew zurück. Unter ihnen waren die Romanautoren Salman Wendroff (1877–1971) und Itzik Kipnis (1896–1974), deren Geist ungebrochen war.

Vergleicht man die Gesamtzahl der wenigen jiddischen Werke, die nach 1948 in der Sowjetunion erscheinen durften, mit der großen Zahl von Übersetzungen der von jiddischen Autoren in eben diesem Zeitraum verfaßten Werke, so sieht man das Ausmaß der Katastrophe, die über die jiddische Sprache und Literatur hereinbrach: allein in den zehn Jahren zwischen 1955 und 1964 erschienen 282 Titel jüdischer Autoren, die in 15 Sprachen übersetzt worden sind und eine Gesamtauflage von 16 Millionen Exemplaren erreichten. Die einzige bedeutende jiddische Publikation in der Sowjetunion nach dem Zweiten Weltkrieg war die literarische Zweimonatsschrift »Sowetisch Heimland«, die 1961 erstmals erschien, ab 1965 dann monatlich herausgegeben wurde. Ihr Herausgeber, *Aaron Wergelis*, fungierte als offizieller Vertreter der jiddischen Literatur in der Sowjetunion gegenüber der Regierung. Die in der Sowjetunion ansässigen jiddischen Autoren gehörten der älteren Generation an, der Schriftstellernachwuchs blieb aus; zudem verließen viele der die Stalin-Ära überlebenden Autoren nach Lockerung der Auswanderungsverbote die Sowjetunion, um in

Israel eine neue Heimat zu finden und ihre Schaffenskraft zurückzugewinnen.

Literatur:

B. Orschansky: Die jiddische Literatur in Weissrussland nach der Revoluzie, 1931.
A. Abtshuk: Etudn un Materialn zu der Geschichte fun der jiddischer Literatur-Bawegung in U.S.S.R. (1917–1927), 1934.
N. I. Gotlib: Sovetische Schreiber, 1945.
N. Maisel: Dos Jiddische Schafn un der Jiddischer Schreiber in Sovetenfarband, 1954.
S. Niger: Jiddische Schreiber in Sovet-Russland, 1958.
J. Yanowitsch: Mit jiddische Schreiber in Russland, 1959.
A. Pomerantz: Die Sovetische Haruge-Malches, 1962.
K. Schmeruk (ed.): A Shpigl oif a Stein, Antalogie, 1964.
S. Liptzin: Maturing of Yiddish Literature, 1970.
O. *Schwartzman:* Alle Lieder, 1926.
Oscher Schwarzmann, Gewidmet dem 20. Jortog fun sein heldischn Toit, 1940.
N. Maisel: Noente un Eigene, 1957: pp. 208–23.
D. Bergelson: Alle Werk, 8 Bde., 1929.
ders.: Geklibene Werk, 4 Bde., 1922–23.
E. Dobrushin: David Bergelson, 1947.
Der Nister: Derzehlungen un Essaien, 1957.
D. Hofstein, Gesamelte Werk, 1930.
ders.: Geklibene Lieder, 1931.
ders.: Geklibene Werk, 1939.
ders.: Oisgewehlte Werk, 1948.
J. Bronstein: Atake, 1930.
Scheferische Problems fun der jiddischer sovetischer Poezie, 1936.

2. *Polen*

Jenseits der russischen Grenze blühte die jiddische Sprache in der Zeit zwischen den beiden Weltkriegen in Polen, Litauen und Rumänien, wo jiddische Schulen, jiddische Akademien und jiddisches Kulturbewußtsein ihr Ansehen hochhielten. Die Lehre vom jüdischen »Diaspora-Nationalismus«, die *Simon M. Dubnow* (1860–1941) entwickelte, förderten den Gebrauch der hebräischen und jiddischen Sprache. Während die ›Zionistische Bewegung‹ dem Hebräischen den Vorzug gab, stärkte die ›Bundistische Bewegung‹ die Stellung des Jiddischen. Der Philosoph des »Jiddismus«, *Chaim Zhitlowsky* (1865–1943) sah in der jiddischen Sprache und Literatur das vereinigende Band der weit verstreuten Juden, das ein Überleben in der Fremde gewährleistete. Er begrüßte den Gebrauch der jiddischen Sprache auch als Sprache der Wissenschaft, als ein Medium, das die Eigenständigkeit der Gedanken und Gefühle der Juden ermöglichte, ohne das erforderliche Wissen auf den Gebieten der Kunst, Wissenschaft und Technik bei fremden Völkern zu suchen und in einer fremden Sprache ausdrücken zu müssen. Im Gegensatz zu assimilierten Juden wie Heine, Marx oder Ricardo, die zum Ansehen des deutschen bzw. englischen Volkes beigetragen haben, hätten Peretz, Scholem Aleichem oder Schalom Asch durch eben den Gebrauch der jiddischen Sprache das Ansehen des jüdischen Volkes gestärkt. Der Kampf der Verfechter der jiddischen Sprache und Literatur wurde somit gleichbedeutend mit einem Kampf um eine eigenständige, freie, vielseitige, reiche und fruchtbare Kultur des jüdischen Volkes, der als ein Kampf um Leben und Ehre des Juden schlechthin anzusehen war. Im Jahre 1908 veranstalteten Zhitlowsky und andere Exponenten des Jiddismus in Czernowitz, der damaligen Hauptstadt der österreichischen Provinz Bukowina und Sitz einer großen jüdischen Gemeinde, einen Kongreß, der Teilnehmer aller Schattierungen des jüdischen Lebens zusammenbrachte: zionistische Hebraisten auf der einen, militante Bundisten auf der anderen Seite, Wissenschaftler und Philosophen, Dichter und Verleger. Nach vielen Sitzungen mit erregten Debatten wurde schließlich ein Konsensus erreicht: Hebräisch wurde zu *der* jüdischen Nationalsprache und Jiddisch zu *einer* nationalen Sprache der Juden erklärt. Nach Beendigung des Kongresses machten sich Peretz, Asch, Reisen, Nomberg und andere Kongreßteilnehmer auf den Weg, um in den jüdischen Gemeinden Anhänger für die von ihnen proklamierte politische, kulturelle und soziale Gleichheit des Jiddischen mit anderen europäischen Sprachen zu gewinnen. Es ging ihnen allerdings auch darum, das Jiddische aus seiner Rolle als Massendialekt zu einer anerkannten wissenschaftlichen und literarischen Sprache zu führen. Die Auswirkungen des Czernowitzer Kongresses wurden bald spürbar, indem seine Ideologie die Grundlage vieler Bildungsinstitute wurde, die nach dem Ersten Weltkrieg aufblühten; sie gab den Anreiz, Klassiker der Weltliteratur ins Jiddische zu übersetzen; sie stimulierte Forschungen und Publikationen in jiddischer Sprache, führte zu einer Bereinigung und Bereicherung der jiddischen Sprache und ebnete schließlich jüdischen Wissenschaftlern den Weg, im Jahre 1925 das *Jiddi-*

sche Wissenschaftliche Institut (YIVO) in Wilna zu gründen. Dieses Institut, das heute in den USA weiterwirkt, diente der Untersuchung und Standardisierung des Jiddischen und der Entwicklung eines Zentralarchivs der jiddischsprechenden Judenheit.

Literarisch hinterließ der Tod Peretz' im Jahre 1915 eine Lücke in Polen, die nur schwer zu schließen war. Während der folgenden zwei Jahrzehnte wurden zwei literarische Bewegungen gleichzeitig aktiv: In Warschau fand sich eine Gruppe von Naturalisten zusammen, die sich um den Novellisten und Herausgeber I. M. Weissenberg sammelte. Zwei seiner treuesten Schüler, *Oiser Warschavsky* (1898–1944) und *Schimon Horonchik* (1889–1939), schilderten in düsteren Farben die Demoralisierung der kleinen jüdischen Gemeinden, die nach der russischen Oktoberrevolution aus ihrem vertrauten, traditionellen Gemeindeleben herausgerissen worden waren.

In Konkurrenz zum Naturalismus entwickelte sich ein neoromantischer Trend, der eigentlich schon in Schalom Asch wurzelte, dann aber durch die erfolgreiche Aufführung des mystischen Dramas »Dybbuk« des Folkloristen *S. Anski* (1863–1920) im Jahre 1920 aktualisiert wurde. Auch die Essays und romantischen Erzählungen I. J. Trunks (1887–1941) basierten fast ausnahmslos auf folkloristischem Material, wobei er ebenso wie Mosche Justman (1889–1942), besser bekannt unter seinem Pseudonym B. Jeuschsohn, eine Synthese aus europäischem Rationalismus und jüdischem Mystizismus anstrebte. Der Novellist *Israel Joshua Singer* (1893–1944) erzielte seine ersten Erfolge mit seinen romantischen Werken, wandte sich jedoch später einem immer reineren Realismus zu. Sein Roman »Josche Kalb« (1932), der den Chassidismus weitaus weniger schmeichelhaft schilderte als die Werke I. J. Trunks oder Jeuschsohns, war der Vorläufer seines erfolgreichsten Prosawerkes »Brieder Aschkenasi« (1935), dessen Inhalt ein Jahrhundert jüdischen Lebens in Lodz, von der nachnapoleonischen Ära bis in die Zeit der Polnischen Republik der Zwanziger Jahre, zusammenfaßt. In drei Bänden beschreibt der Roman den raschen Aufstieg der Stadt Lodz von einem unbedeutenden Dorf bis zu einem blühenden Zentrum der Textilindustrie in den Jahren der letzten zaristischen Regierung, ehe sie nach der russischen Oktoberrevolution, von seinem Hinterland und dem riesigen russischen Markt abgeschnitten, dem unausbleiblichen Verfall entgegenging. Das allen Erzählungen Singers zugrundeliegende Hauptthema ist die Vereinsamung des unverstandenen

Individuums in der ihn umgebenden konformistischen Masse. In »Chaver Nachman« (1938) schildert Singer, der die rauhe Wirklichkeit Sowjetrußlands am eigenen Leibe erfahren mußte, die Enttäuschung des einzelnen Menschen, dem das »Wundermittel« des Kommunismus gereicht wird. In »Die Mischpoche Carnovsky« (1943) läßt er drei Zentren des jüdischen Lebens – Polen, Deutschland, Amerika – Revue passieren und kommt für alle drei zu pessimistischen Schlußfolgerungen.

Die Hauptstadt Polens war das Domizil eines expressionistischen Zirkels, dem der Publizist Hillel Zeitlin den abwertenden Namen »Khaliastra« gab, den diese Gruppe jedoch als Zeichen der Ehre und keineswegs der Diskriminierung annahm. Der vom literarischen Dreigestirn Melech Ravitch (1893–1976), Uri Zvi Greenberg (1894 geboren) und Peretz Markisch (1895–1952) geleitete Schriftstellerkreis predigte revolutionäre Begeisterung, ungeschminkte Lyrik und erging sich in grenzenloser, stürmischer Exaltation. Als das Triumvirat jedoch Warschau verließ – Ravitch, um ruhelos alle Kontinente zu durchstreifen, Greenberg, um eine der Säulen der hebräischen Renaissance in Israel zu werden, und Markisch, um seine Erfüllung in der Sowjetunion zu suchen – fand diese expressionistische Bewegung ein abruptes Ende, ohne jedoch ihren Einfluß auf Künstler wie Marc Chagall (1887 geboren) oder Schriftsteller wie Isaac Bashevis Singer (1894 geboren) zu verlieren.

Isaac Bashevis Singer, der in den USA als Verfasser phantastischer Romane in der zweiten Hälfte des 20. Jh.s den Höhepunkt seines literarischen Ruhms erreichte, war der jüngere Bruder I. J. Singers. Seine schriftstellerische Laufbahn mit zarten, idyllischen Erzählungen beginnend, wandte er sich bald grotesken, expressionistischen Erzählstoffen zu, in denen die Verlockungen der Sinne einerseits, die bußevollen Läuterungen andererseits die Hauptmotive bildeten. Ist seinen willensschwachen Charakteren ein tragisches Schicksal beschieden, so erleben seine charakterstarken Helden einen strahlenden Aufstieg zu moralischer Größe, nachdem sie zuvor allen Versuchungen getrotzt, allen Verlockungen widerstanden oder alle Fehltritte zu büßen verstanden haben. Oft hebt er dabei die Grenzen zwischen Natürlichem und Übernatürlichem, zwischen Lebenden und Toten auf. Sein anspruchsvollster Roman, *»Mischpoche Moskat«* (1950), ist eine Chronik des Verfalls einer Warschauer Patrizierfamilie von ihrer Glanzzeit im ersten Jahrzehnt des 20. Jh.s bis zu ihrem Untergang im Bombenhagel des Jahres 1939. Obwohl I. Bashevis Singer zu den begabtesten jiddischen Romanautoren zu rechnen ist, erregte er Widerspruch, weil er zu häufig nach sensationellen Effekten strebte, zu deutlich und abstoßend Momente der sinnlichen Liebe darstellte und zu sehr die grausamen Momente des Lebens betonte.

In den zwanziger und dreißiger Jahren fand sich in Warschau ein weiterer literarischer Kreis zusammen, dessen Mittelpunkt der »Khaliastra«-Gegner Hillel Zeitlin (1872–1943) und seine beiden Söhne Aaron (1898–1973) und Elchanan (1900–1943) waren. In das Haus der Zeitlins zog es auch die Erzähler Z. J. Onochi (1878–1947), Jone Rosenfeld (1880–1944), Joel Mastboim (1884–1963), Schlome Gilbert (1885–1942), den unter dem Pseudonym A. Almi schreibenden Elihu Chaim Scheps (1892–1963) und Joseph Tunkel (1881–1949).

Aaron Zeitlin trat als religiöser Dichter und bedeutender Kenner der Kabbala und des jüdischen Mystizismus hervor. Teufel, Doppelgänger, Dämonen, Dybbuks, Geister, Astralerscheinungen, Seelenwanderungen, Engel und Erzengel bestimmen in großer Zahl den Inhalt seiner Erzählungen, in denen in den Kämpfen zwischen den Geistern des Bösen und den gottesfürchtigen Menschen am Ende immer das Gute über das Böse triumphiert. Die Seelen der Sünder werden gerettet, der Tod wird enthüllt als Übergang zwischen dem irdischen und dem ewigen Leben. Selbst nach dem grauenvollen Ende seiner Familie durch die Judenverfolgungen der Nationalsozialisten fuhr Zeitlin fort, seinen Glauben an den Gott seiner Väter zu verkünden, einen Gott, der zerstört und neu erschafft. Jude zu sein, bedeutet für Zeitlin, sich auf einem immerwährenden Weg zu Gott zu bewegen, selbst wenn dieser letzendlich unerreichbar ist. Es bedeutet ferner das hoffnungsvolle Warten auf den Messias, selbst wenn sich sein Erscheinen so lange verzögert. Messianische Visionen erfüllen viele seiner Gedichte und durchdringen sein Drama »Jakob Frank« (1929), in dem der falsche Messias Frank dem Baal Schem gegenübergestellt wird, der den Weg bereitet für eine das eigene Ich auslöschende, in göttlicher Demut sich findende religiösen Bewegung, die Bewegung des Chassidismus.

Zysman Segalowitch (1884–1949) war nur kurze Zeit dem Zeitlin-Kreis verbunden. Unter dem Einfluß von Heines Weltschmerz und des Byronismus begann er sein schriftstellerisches Werk als empfindsamer, verträumter Romantiker. Sein Gedicht »Kazmerzh« (1912) brachte ihm frühen Ruhm; seine folgenden Gedichte über Entstehen und Vergehen der Liebe, über Freude, die von Melancholie überschattet wird, über die weißen Blüten des Frühlings und den goldenen Zauber des Herbstes erreichten ihren Höhepunkt mit »Regina« (1915), der idyllischen Geschichte einer stolzen, eleganten, geheimnisvollen Frau, die, begehrt, gefunden, verloren und wiedergefunden, schließlich für immer verschwindet, dankbare Erinnerungen hinterlassend. Eine solche Vorstellung entsteigt dem Traum eines empfindsamen Poeten im Frühling seines Lebens, sprüht vor überschäumender Vitalität in der Glut des Sommers und vergeht im schmelzenden Schnee des endenden Winters. In seinem lyrischen Zyklus »Zeitike Troiben« (1920) feiert Segalowitch sein Entzücken über die leidenschaftliche Liebe in klangvollen Versen. Sein Ideal war es, von der Liebe zu singen, sich in ihr sattzutrinken und in ihr bis zur Verzehrung zu entflammen. Aber in den dreißiger Jahren erlosch die Flamme der Liebe in ihm, und statt Traum und Ekstase empfand er nur noch Leere, und Traurigkeit sank mit bleierner Schwere auf ihn hernieder. Als die deutschen Truppen in Warschau einfielen, floh er vor ihnen. Er erlebte Schrecken, Verzweiflung und Hartherzigkeit, bis er endlich Tel Aviv erreichte, wo er sich sicher fühlen konnte. Selbst hier jedoch wurde er von Visionen heimgesucht, in denen er die unglücklichen Juden sah, die in Warschau, Auschwitz und Treblinka ihr Ende fanden, bis er Erleichterung in den herzzerreißenden Strophen seiner Elegie »Dorten« (1944) fand. »Dorten« war seine Bezeichnung für die Hölle, in der seine Glaubensbrüder verbrannt wurden – nicht im übertragenen Sinne, sondern konkret in des Wortes eigentlicher Bedeutung! Segalowitch verbrachte seine letzten Lebensjahre überschattet von den tragischen Erinnerungen der zurückliegenden Zeit; sein Aufschrei, der ohne Antwort blieb, fand erst einen Widerhall in den späten Gedichten *Kadia Molodowskys* (1894–1974). Ihre frühe Lyrik der zwanziger Jahre wandte sich vor allem an die Herzen der jüdischen Frauen, indem sie von ihren Sorgen, der mütterlichen Zärtlichkeit und jenen schlaflosen Nächten sang, in denen kindliche Gebärden die finsteren Gedanken verscheuchen halfen. Der Gesang der Verse ihrer »Kindermaasselech« (1930) erklang in den jüdischen Schulen Osteuropas, bis diese zu existieren aufhörten. Ihre späte Lyrik ist getragen von der tragischen Psychologie zerrissener jüdischer Herzen, sie wird charakterisiert durch Kürze und Schlichtheit und ist erfüllt von einer sanften Suggestivkraft. Ihr Alterswerk gipfelt in Schilderungen, die die Phantasie anregen und gleichzeitig die Emotionen der Leser beruhigen. Davon legen ihre Zionlieder »In Jeruschalaim Kumen Malochim« (1952) ein beredtes Zeugnis ab: die tiefes Leid tragenden Überlebenden des nationalsozialistischen Judenmassakers finden in Jerusalem auf wundervolle Weise neue Lebenskraft und schöpfen Hoffnung aus der sich aufs neue an ihnen erfüllenden Barmherzigkeit Gottes.

Warschau behielt zwar seine Rolle als Zentrum der jiddischen Literatur in Polen bei, doch beanspruchten sehr bald zwei andere Hauptorte der jiddischen Literatur in Polen die Aufmerksamkeit der Leserschaft: Lemberg, das jetzt Lvov hieß, und Wilna. In Lemberg hatten sich kurz vor Beginn des Ersten Weltkrieges galizische Autoren zu einer Schriftstellergruppe vereint, die ihre Inspiration bei den Wiener Impressionisten Arthur Schnitzler, Hugo von Hofmannsthal, Richard Beer-Hofmann, Peter Altenberg und Stefan Zweig bezog. Während des Krieges fanden einige dieser Gruppe in Wien wieder zusammen, wo sie versuchten, eine Grundlage für jiddische Publikationen und ein jiddisches Theater zu schaffen. Die verstärkten jüdischen Assimilierungsbestrebungen in der Donaurepublik begünstigten nach dem Sturz der Habsburger die Entwicklung einer jüdischen Literatur in deutscher Sprache, nicht jedoch in jiddischer; daher kehrten die Lemberger Schriftsteller nach dem Kriege in ihre Heimat zurück. Zu den Bekannteren dieses Zirkels zählten Gerschom Bader (1868–1953), Herausgeber der ersten jiddischen Tageszeitung in Galizien, die Dichter Schmuel Jakob Imber (1889–1942), Melech Chmelnitzky (1885–1946), David Königsberg (1889–1942), Ber Schnaper (1903–1943) und Ber Horowitz (1895–1942) sowie die Essayisten Mosche Groß-Zimmermann (1891–1973), Mosche Silburg (1884–1942) und Mendel Singer (1890–1976), die Dichterin Rochel Korn (1898 geboren), der Theaterdirektor Jakob Mestel (1884–1958), der zionistische Verleger Berl Locker (1887–1972) und A. M. Fuchs (1890–1974), Verfasser realistischer Romane. Auch Melech Ravitch war, ehe er nach Warschau ging, mit dieser Gruppe eng verbunden, und Mendel Neugröschel (1903–1965), der erst später zu dieser Gruppe stieß, wurde ihr Chronist. Die meisten Mitglieder des Lemberger Literaturkreises kamen während der Besetzung Galizien durch die deutschen Truppen im Zweiten Weltkrieg ums Leben, andere fanden vor und nach den nationalsozialistischen Greueltaten ihren Weg nach Amerika, während andere wiederum ihre literarische Karriere in Israel fortsetzten.

Die Wilnaer Literatengruppe wurde unter der Bezeichnung *»Jungwilna«* bekannt. Sie stellte während des Jahrzehnts vor dem Zweiten Weltkrieg eine engverbundene, deutlich geprägte Gruppe junger Autoren dar, die ihre künstlerische Arbeit zu einer Zeit begann, als jiddische Schulen, Lehrerseminare, Zeitungen und Verlage in Wilna in voller Blüte standen. Anfangs wurde diese Gruppe von dem Verleger und Literaturhistoriker Salman Reisen (1867–1941) ermutigt; ihre Begeisterung für eine säkularisierte jiddische Literatur wurde genährt von solchen bahnbrechenden Gelehrten und hingebungsvollen Lehrern wie Falk Heilperin (1876–1945), Max Weinreich (1894–1969), Selik Kalmanovicz (1881–1944) und Abraham Golomb (1888 geboren). »YIVO«, 1925 in Wilna gegründet, offerierte eine wissenschaftliche Plattform und eine kongeniale Atmosphäre für alle die, die das Studium des Jiddischen aufzunehmen gedachten. »Jungwilna« vereinigte, neben anderen, Autoren wie Abraham Sutzkever (1913 geboren), Chaim Grade (1910 geboren), Schmerke Kaczerginski (1908–1954), Leiser Wolf (1910–1943), Hirsch Glick (1922–1944), Elchanan Wogler (1907–1969) und Peretz Miranski (1908 geboren). Obgleich die Besetzung Wilnas durch die Deutschen im Jahre 1941 verheerende Folgen für sie hatte, überlebten einige der jiddischen Kulturschaffenden und setzten ihre Arbeit im Ausland fort.

Literatur:

M. Ravitch: Mein Lexikon: Jiddische Dichter, Derzehler, Dramaturgn in Poiln, I, 1945; II, 1947.
I. J. Trunk: Jiddische Prose in Poiln, 1949.
M. Neugröschl: Moderne jiddische Literatur in Galizie, 1955.
I. Birinbaum (ed.): Jiddischer Theater in Europe zwischn beide Weltmilchomes. 1971.
A. S. Sternberg (ed.): Simon Dubnow, the Man and His Work, 1963.
J. Fraenkel: Dubnow, Herzl and Ahad Haam, 1963.
I. Friedlaender: Dubnow's Theory of Jewish Nationalism, 1905.
C. Zhitlowsky: Gesamelte Schriften, 15 Bde., 1912–32.
ders.: Alle Werk, 4 Bde., 1945–53.
ders.: Zichrones fun mein Lebn, 3 Bde., 1935–40. Zhitlowsky Zamlbuch, 1929.
I. J. Trunk: Poiln, 7 Bde., 1949–53.
M. B. Justman: Fun unser alten Oitzer, 8 Bde., 1932.
I. H. Buchen: I. B. Singer and the Eternal Past, 1968.
M. Allentuck (ed.): The Achievements of I. B. Singer, 1969.

M. Ravitch: Dos Maase-Buch fun mein Lebn, 3 Bde., 1962–75.
E. Sapir: The Work of the Yiddish Scientific Institute, 1933.
S. Liptzin: Yivo's Way, 1943.
ders.: Yivo in America, 1945.

3. Rumänien

Nach dem Zusammenschluß der älteren rumänischen Provinzen mit Bessarabien und der Bukowina erlebte die jiddische Literatur eine kurze Blütezeit. Der aus Galizien stammende Volkssänger Welwel Zbarzher Ehrenkranz (1826–1883) hatte bereits im Jahre 1876 die jiddische Literatur im älteren Rumänien populär gemacht; Abraham Goldfaden legte, nachdem er Rußland verlassen hatte, in Jassy den Grundstein für das künftige jiddische Theater. Unter den rumänischen Autoren jiddischer Literatur des 19. Jh.s trat besonders *Jakob Psanter* (1820–1900) hervor, der die Dichtungen populärer Badchonim für das rumänische Publikum bearbeitete. In seiner ›Geschichte des rumänischen Judentums‹ versuchte Psanter den Nachweis zu erbringen, daß seit den Tagen Nebukadnezars Juden in Rumänien gelebt haben. Daneben war seine Darstellung von großem Wert als Waffe für den jahrzehntelangen Kampf der rumänischen Juden um ihre bürgerlichen Rechte.

Unter den Wegbereitern der jiddischen Literatur in Rumänien traten am Vorabend des Ersten Weltkrieges besonders *Jakob Groper* (1890–1966) als Dichter und Redakteur sowie *Jakob Botoschansky* (1892–1964) als Kritiker, Essayist, Journalist und Dramatiker hervor. In den Jahren 1914 und 1915 gehörten beide zu den wichtigsten Mitarbeitern der Literaturzeitschrift »Licht«, die in Jassy herausgeben wurde. 1922 schloß sich ihnen in Bukarest *Schlomo Bickel* (1896–1969) an, der sich bald als Rumäniens begabtester und produktivster Redakteur, Essayist und Literaturkritiker erwies. Den Höhepunkt seiner wissenschaftlichen Laufbahn erreichte er allerdings nach seiner Emigration in New York, wo er die Forschungsarbeiten YIVOs leitete und Mitherausgeber der einflußreichen jiddischen Monatsschrift »Die Zukunft« war.

Aus Bessarabien stammten der begabte jiddische Erzähler Elieser Steinbarg (1880–1932), der Dramatiker Jakob Sternberg (1890–1973) und der Romanautor Moische Altman (1890 geboren). *Steinbarg* ist der originellste Autor jiddischer Fabeln, die er in Dialogform verfaßte. Nicht nur Tiere und

Pflanzen bilden ihre Charaktere, sondern sehr oft auch tote Gegenstände, denen er menschliche Eigenschaften verleiht, wobei es seiner Absicht entspricht, die Tragik und Ungerechtigkeiten dieser Welt durch sie aufzuzeigen. *Sternberg,* der Steinbargs Fabeln herausgab, begann seine schriftstellerische Laufbahn mit Gedichten, Kurzgeschichten, kleinen Theaterstücken und satirischen Revuen für das jiddische Theater in Bukarest. Er führte ein bewegtes Leben, brachte nach dem Zweiten Weltkrieg jiddische Theaterstücke auf die Bühne in Kischinew, verbrachte fünf Jahre in einem sibirischen Arbeitslager und ließ sich schließlich in Moskau nieder, um dort über die inzwischen Geschichte gewordene vorrevolutionäre Epoche der jiddischen Literatur zu schreiben. *Altman,* der in der gleichen Stadt wie Sternberg geboren war, tat sich in den zwanziger Jahren mit Kurzgeschichten, die einen moralischen Unterton besaßen, und in den dreißiger Jahren mit Romanen über das jüdische Leben in Bessarabien hervor.

Der hervorragendste Vertreter der jiddischen Literatur in Rumänien war aber ohne Zweifel *Itzik Manger* (1901–1969). In seiner frühen Lyrik gelang es Manger, die Schlichtheit der Volkslieder und Volksballaden mit eleganten poetischen Strukturen zu verknüpfen, die er den klassischen und romantischen Dichtern der deutschen Literatur entlieh. In seinen Werken vernimmt man das Echo so bekannter galizischer Volkspoeten wie Welwel Zbarzher, Berl Broder und Abraham Goldfaden ebenso wie die Klänge der »Lenore« Bürgers, des »Erlkönigs« Goethes und der gespenstischen Balladen des jungen Heine. Mönche, Nonnen und Zigeuner erscheinen in seiner Dichtung neben ehrbaren jüdischen Jungfrauen und den biblischen Gestalten Rebekka, Joseph und David. Manger beschreibt sein Leben selbst als das des verlorenen Sohnes eines einfachen Schneiders, dessen Jugendjahre im Winde verwehen, bis er jenen goldenen Strahl freudiger Poesie erblickt, der es ihm ermöglicht, die Schönheit der Welt in allen Winkeln auszuleuchten und die realen Gegebenheiten in eine phantastische Traumwelt zu verwandeln. Die Welt durch eine blaue Laterne der Illusion betrachtend, gewinnt er allen Erscheinungsformen Freundliches und Helles ab. In seiner Gedichtsammlung »Lamtern in Wint« (1933) reift der ›Troubador des Lichts und der Freude‹ zur Vollendung heran, indem er der personifizierten Natur ein pulsierendes Leben verleiht. Fröhlichkeit und ironische Weisheit bestimmen den Ton seiner Lyrik, die immer dann von Stimmungen der Trauer und Resignation erfüllt wird, wenn ihm trotz aller Lobgesänge seine Einsamkeit und die unerreichbare Ferne des Gottes seiner Väter bewußt wird. In dieser Stimmung greift er zur Bibel, die für Manger so lebendig wird, wie sie es in der Phantasie seiner Kinderzeit war. In seinen biblischen Gesängen werden die Patriarchen zu zeitgenössischen Gestalten, in seinen »Megilla-Liedern« (1936) faßt er Purim-Episoden in dramatischer Balladenform zusammen und ergänzt sie durch fiktionale Episoden, die die biblische Quelle nicht kennt.

Als wohl begabtester Nachfolger der großen Volksdramatiker bearbeitete Manger Goldfadens Theaterstücke für die auf Goldfaden folgende Generation und erlangte mit diesen Neufassungen bemerkenswerte Erfolge. »Dos Buch Fun Gan-Eden« (1939) faßt Mangers bezauberndste, phantastischste und groteskeste Erzählungen zusammen, die das Leben im Paradies authentisch zu beschreiben versuchen. Mit ihnen erreicht er den Höhepunkt seines literarischen Schaffens.

Den Wegbereitern einer jiddischen Literatur in Rumänien folgten am Vorabend des Zweiten Weltkrieges weitere hoffnungsvolle Schriftsteller, von denen jedoch viele die nationalsozialistischen Judendeportationen nicht überlebten. Zu den Überlebenden gehörten Jacob Friedman (1910–1972), ein tiefreligiöser Autor, der mit seinem dramatischen Mysterium »Nefilim« (1963) besondere Anerkennung erlangte; Freed Weininger (1915 geboren), der in seiner Lyrik Motive der Bukowina, Nord- und Südamerikas und Israels, aber auch kosmische Visionen und philosophische Meditationen verarbeitete; Motl Sakzier (1907 geboren), der nicht nur proletarische Verse schrieb, sondern auch vom Leben auf den Pariser Boulevards und Wiener Straßen träumte; Jitzchak Paner (1890 geboren), ein einflußreicher Verleger, Feuilletonist und Dichter in der Bukowina, und Baruch Hager (1896 geboren), dessen chassidistische Erzählungen, die ihren Höhepunkt in »Malchus Chassidus« (1955) erreichten, weitreichende Anerkennung fanden.

Nach dem Zweiten Weltkrieg nahmen der Umfang und die Qualität der jiddischen Literatur in Rumänien stark ab. Die Hauptgründe hierfür sind einmal in der Abtrennung der Bukowina und Bessarabiens von Rumänien, zum anderen darin zu sehen, daß viele jüdische Intellektuelle in die sowjetischen Zentren oder nach Israel auswanderten. Hinzu kam der politische Druck der Staatsmacht, sich der Kultur der Bevölkerungsmehrheit anzupassen, was auf die Dauer dazu führte, daß die Zahl derjenigen, die überhaupt noch Jiddisch lesen konnten, in starkem Umfang abnahm.

Literatur:

S. Bickel: Rumania, 1961.
ders.: Schreiber fun mein Dor, 2 Bde., 1958–1965.
M. Starkman (ed.): Shlome Bickel Yovel-Buch, 1967.
J. Botoschansky: Lebensgeschichte fun a jiddischen Zhurnalist, 3 Bde., 1948.
ders.: Mame Jiddisch, 1949.
M. Altman: Oisgewehlte Schriften, 1974.
C. S. Kazdan: Die letzte Tkufe in Itzik Mangers Lebn un Schaffn (1939–1969), 1973.
Y. Panner: Schriftn zum Portret fun Itzik Manger, 1976.
J. Friedman: Lieder un Poemes, 3 Bde., 1974.
M. Rispler (ed.): Oifsteig: Zamlbuch I, 1964, II, 1972.

4. Westeuropa

Im Zuge der großen Immigrationswelle osteuropäischer Juden in den siebziger Jahren des 19. Jh.s wurde *London* zu einem wichtigen westeuropäischen Zentrum jiddischer Sprache und Literatur. Die ersten Autoren benutzten das Jiddische noch, um es als sprachliches Medium ihrer sozialistischen oder anarchistischen Doktrinen einzusetzen. Mit seiner Hilfe sollte es gelingen, die einströmenden Neuankömmlinge politisch zu beeinflussen. Zu diesen Schriftstellern zählten Aaron Liebermann (1845–1880), Morris Winchevsky (1856–1932), Philip Krantz (1858–1922), David Goldblatt (1866–1945) und Benjamin Feigenbaum (1860–1922). Für viele ostjüdische Emigranten stellte England jedoch nur eine Zwischenstation dar, besonders da die englische Regierung, angesichts des anhaltenden Stroms verarmter jüdischer Opfer der russischen Pogrome, die von steigender Unruhe erfaßt wurde, sie dazu ermutigte, den Weg nach Übersee fortzusetzen. Der westwärts gerichteten jüdischen Massenemigration folgten in den neunziger Jahren jiddische Schriftsteller, Intellektuelle, Schauspieler und Theaterdirektoren, die aber zumeist ihren Weg in die USA fortsetzten. Zu denjenigen jiddischen Autoren und Gelehrten, die sich in England niederließen und dort einen unverkennbaren Einfluß auf ihre aus dem Osten vertriebenen Glaubensbrüder ausübten, gehörte *Moses Gaster* (1856–1939), der nicht nur als Oberhaupt der sephardischen Gemeinde in London und als Leiter einer sehr aktiven zionistischen Bewegung, sondern auch als Forscher auf dem Gebiete der jiddischen Sprache und durch seine sorgfältige Übertragung und Interpretation des »Ma'asseh-Buches« von 1602 hervortrat. Andere jiddische Schriftsteller in England waren *Morris Meyer* (1879–1944), der das Niveau des jiddischen Journalismus in England hob, englische, deutsche und rumänische Theaterstücke ins Jiddische übersetzte und jiddische Theaterunternehmungen förderte; der Dichter und Kunstkenner Moshe Oved (1885–1958); Leo König (1889–1970), der in seinen Essays profunde Erkenntnisse über Kunst und Literatur lieferte, und Joseph Leftwich (1892 geboren), ein zweisprachiger Dichter und Essayist, der auch jiddische Prosa und Poesie ins Englische übersetzte und durch seine Anthologien die englischen Leser auf die reichen Schätze der jiddischen Literatur aufmerksam machte.

Im Vergleich zu den vorausgegangenen und folgenden Jahrzehnten muß das erste Drittel des 20. Jh.s als eine wenig ertragreiche Periode jiddischer Literatur in England angesehen werden. Nach der Machtergreifung Hitlers trugen jedoch nach England geflohene jiddische Schriftsteller und Gelehrte dazu bei, den Verfall der jiddischen Literatur in England vorerst aufzuhalten. Zu ihnen gehörten der Erzähler A. M. Fuchs (1890–1974) und der Dichter A. N. Stencl (1898 geboren), der die Literaturzeitschrift »Loschen un Leben« gründete. Diese Zeitschrift verstand sich als Bewahrer der jiddischen Literatur in England, ohne jedoch ihren Verfall aufhalten zu können. Die Kinder der Emigranten sprachen längst die englische Sprache und in den meisten Schulen, in denen jüdische Studien betrieben wurden, gab man dem Hebräischen den Vorzug gegenüber dem Jiddischen. Eine zunehmende Überalterung und Abnahme des Publikums jiddischer Theateraufführungen konnte als ein sichtbares Zeichen des Niedergangs der jiddischen Literatur in England angesehen werden, und da Englisch zur ausschließlichen Verkehrssprache der in England geborenen Juden wurde, wurden die jiddischen Schriftsteller in zunehmendem Maße ihres Leserpublikums beraubt.

In Frankreich entstand überhaupt erst nach dem Ersten Weltkrieg ein Zentrum jiddischer Literatur; denn der Hauptstrom der ostjüdischen Emigranten floß über England in die USA, nach Kanada und Südafrika. Die erste bedeutsame Gruppe ostjüdischer Emigranten, die es nach Frankreich trieb, waren die Radikalen und Sozialisten, die, nach dem Scheitern der Revolution von 1905, Rußland verlassen mußten. Diese politischen Flüchtlinge sprachen jedoch zumeist Russisch. Zu ihnen gesellten sich dann jene Jiddisch sprechenden Juden, die vor den Pogromen flohen. Ihnen fehlten die Geldmittel, um nach Übersee zu gehen.

Zwischen den beiden Weltkriegen wurden in *Paris* jiddische Theater gegründet und jiddische Wochen- und Monatszeitschriften herausgegeben. Unter den wenigen in der französischen Hauptstadt ansässigen jiddischen Schriftstellern ragte Israel Efroykin (1884–1954) als führende Persönlichkeit des jüdischen Gemeinde- und Geistesleben hervor. Ferner sind zu erwähnen: Ben Adir (1875–1942), Herausgeber einer jiddischen Enzyklopädie; Elias Tcherikover (1881–1943), Historiker und Mitbegründer der YIVO; I. Finer (1908 geboren), der sich der Resistance anschloß, und dessen Erzählungen im wesentlichen Beobachtungen und Erlebnisse der Kriegsjahre wiedergeben; Chaim Sloves (1905 geboren), ein Essayist und Dramatiker, dessen Theaterstücke in allen Kontinenten Aufführungen erlebten; Moshe Shulstein (1911 geb.) ein profilierter Dichter, Essayist und Dramatiker; Moshe Dluznowsky (1906–1977), der in den marokkanischen Mellahs (= Judenviertel) der jiddischen Literatur ein neues Gebiet entdeckte, und Leiser Domankievicz (1899–1973), Literaturkritiker und Herausgeber der jiddischen Pariser Tageszeitung »Unser Wort«.

Während Frankreich und England nur unbedeutende Verbreitungsgebiete der neueren jiddischen Literatur darstellten, gewann die USA zunehmend an Bedeutung als Zentrum der modernen jiddischen Literatur, und es war New York, das eine bis zum Aufstieg der jiddischen Literatur in Israel währende Vormachtstellung innehatte.

Literatur:

A. N. Stencl (ed.): Loshn un Leben, 1941–77.
L. Leneman (ed.): Almanach Paris, 3 Bde., 1955–72.

V. Die jiddische Literatur in Amerika

Die jiddische Literatur Amerikas konnte nie ihren ostjüdischen Ursprung vergessen machen, wenngleich sie sich den besonderen Gegebenheiten ihrer politischen, sozialen und kulturellen Umwelt anpaßte. Ihr Aufschwung ging einher mit dem jüdischen Massenexodus der achtziger Jahre, als im zaristischen Rußland der politische Druck übermächtig wurde. Unter den Jiddisch sprechenden ostjüdischen Einwanderern befanden sich zahlreiche junge Intellektuelle, die in den Vereinigten Staaten das gelobte Land der Freiheit erblickten, bald jedoch einzusehen begannen, daß die politische Freiheit, die sie vorzufinden glaubten, durch die wirtschaftliche Sicherheit des einzelnen Menschen gewährleistet sein muß, will sich seine Persönlichkeit frei entfalten. Der Kampf gegen die wirtschaftliche Not wurde deshalb von den Wortführern der Emigranten mit der gleichen Energie und den gleichen Leitsätzen geführt wie ehedem der Kampf gegen die zaristische Tyrannei. Nicht wenige zündende Verse jiddischer Dichter entfachten diesen Kampf gegen die Not der Armut und für die Würde der Arbeit, Verse, die die jüdischen Arbeiter zur Solidarität gegenüber ihren Ausbeutern aufriefen, die in Kellerversammlungen, auf Streikposten und in den Gefängniszellen, in die man die Streikenden einsperrte, gesungen wurden. Viele dieser Liederdichter schrieben eigentlich nur Pamphlete in Versform, doch die begabtesten unter ihnen – David Edelstadt (1866–1892), Joseph Bovshover (1873–1915), Morris Rosenfeld (1862–1923) und Morris Winchevsky (1856–1933) – hinterließen ein lyrisches Opus von bleibendem Wert.

Trotz beredter Appelle an die Arbeiter der Welt, sich zu solidarisieren, konnten sich die jiddischen Dichter nicht auf eine gemeinsame politische Plattform einigen, und die literarische Atmosphäre war erfüllt von gegenseitigen Angriffen der Vertreter verschiedener sozialer und weltanschaulicher Ideologien. Als Hauptexponenten der engagierten Dichter standen sich Anarchisten auf der einen und Sozialisten auf der anderen Seite gegenüber.

Zu den markantesten anarchistischen Dichtern, die zwar heftig und in rauhen Tönen, im übrigen aber diszipliniert ihre Überzeugungen zur Gestaltung brachten, gehörte *Edelstadt*, dessen ideale Gesellschaft auf der Basis einer allumfassenden Gleichheit gestaltet werden sollte. Seine Angriffe richteten sich nicht nur gegen die Herrschenden der Welt, sondern auch gegen Kirchen und Synagogen und die Fesseln der Theologie, die nur durch die Kunst, Wissenschaft und den industriellen Fortschritt gesprengt werden konnten. Zu seinen Verbündeten zählte *Bovshover*, der seine literarische Nachfolge antrat. Bovshovers von einem abstrakten Humanitätsideal erfüllten Verse schmähten die Schlechtigkeit der Welt, geißelten Priester und Plutokraten, Könige und Henker. Seine Inspirationen schöpfte er aus der apokalyptischen, atheistischen Lyrik Shelleys und der bissigen sozialkritischen Lyrik Heinrich Heines.

Die Lyrik der achtziger Jahre spiegelt die Vorherrschaft der anarchistischen Ideen unter den radikalen jüdischen Einwanderern wider. Mit dem Aufkommen der Gewerkschaften und durch den Einsatz jüdischer Gewerkschaftsführer, die durch den demokratischen Prozeß freier politischer Wahlen den Zusammenbruch der Ausbeuterbetriebe herbeizuführen gedachten, fanden auch die Doktrinen des Sozialismus ihren Nährboden in den jüdischen Arbeiterfamilien. Die Lyrik des Sozialismus verdrängte nunmehr die anarchistische Lyrik aus ihrer gesellschaftspolitischen Funktion. Zu ihren bekanntesten Vertretern zählten Morris Winchevsky und Morris Rosenfeld. *Winchevsky* hatte – bevor er 1894 in die USA kam – in England unter dem Einfluß des messianischen Sozialismus William Morris' gestanden. In seiner neuen Heimat befaßte er sich weiter mit kosmopolitischen Problemen, ersetzte Propaganda durch ausdrucksvolle Lyrik, in der er sozialistische Doktrinen in lebendige, bildhafte Darstellungen umwandelte. Rosenfeld hingegen negierte im Gegensatz zu Winchevsky einen Internationalismus und redete vielmehr einem jüdischen Nationalismus innerhalb einer Welt des Sozialismus das Wort. Seine eher empfindsame Lyrik hält das Surren der Maschinen und das Stöhnen müder Arbeiter fest, die diese Maschinen zu bedienen hatten und zu seelenlosen Marionetten der Arbeitswelt degradiert worden waren.

Ein weiterer sozial engagierter Dichter, *Abraham Liessin* (1872–1938), der seine schriftstellerische Laufbahn als revolutionärer Sozialist begann, ermutigte die jüdischen Arbeitermassen in ihren politischen Kämpfen gegen das Ausbeutertum. Den Höhepunkt seiner Karriere erreichte er mit der Herausgabe der einflußreichsten jiddischen Literaturzeitschrift »Die Zukunft«, eine Monatsschrift, die er ein Vierteljahrhundert lang leitete und die noch heute die besten jiddischen Schriftsteller anzieht. Seine hervorragende Bedeutung ist in seiner Rolle als poetischer

Sprecher eines proletarischen Zionismus zu sehen, der sich gegen den assimilatorischen Kosmopolitismus wandte.

Mit Liessin, Jehoasch, H. Rosenblatt und Joseph Rolnick, die sich alle in den neunziger Jahren in den USA niederließen, begann der Übergang von der propagandistischen Lyrik des Sozialismus zu der tendenzlosen Lyrik des Dichterkreises »Die Junge«. Damit vollzog sich gleichzeitig für die amerikanische jiddische Literatur eine Wende vom Naturalismus zum Impressionismus. *Rosenblatt* (1878–1956) nahm seine literarische Arbeit unter dem Einfluß Abraham Reisens und Jehoaschs auf und entdeckte in Los Angeles den Westen Amerikas für die jiddische Literatur. In seiner Lyrik spiegelt sich die Herrlichkeit der Landschaft Kaliforniens, in seinen Erzählungen setzt er sich für die Freiheit der zum Untergang verurteilten Indianer des »Wilden Westens« ein. *Rolnick* (1879–1955) war ein Dichter des Idylls, der sich inmitten der Backsteinhäuser und Asphaltstraßen New Yorks voller Sehnsucht an den Duft bebauter Felder, das Plätschern eines stillen Baches, das Sirren der Sicheln im reifen Korn und an die frische Kühle des Morgentaus erinnern konnte. Das typische Rolnick-Gedicht besteht aus Vierzeilern, die mit äußerster Klarheit und Knappheit einen einzigen Gedanken oder eine einzige Gemütsbewegung wiedergeben, wobei die Komplexität der Gedanken oder Stimmungen in einfachere, deutlichere Komponenten aufgelöst und zu einem Zyklus aufeinanderfolgender Verse vereint wird.

»Die Junge« erfüllten 1907 mit der Veröffentlichung ihrer periodisch erscheinenden Literaturzeitschrift »Jugend« die Szene der jiddischen Literatur in den USA mit neuem Leben. Die in diesem Kreis zusammengeschlossenen Schriftsteller waren frei von jüdischem Nationalismus und politischem Kosmopolitismus. Sie nahmen den poetischen Leitgedanken des l'art pour l'art auf und legten in ihren Werken weniger Nachdruck auf den Inhalt als vielmehr auf eine vollendete Form. Ihre Wortschöpfungen dienten nicht der Erläuterung politischer Konzepte oder Probleme, sondern allein dazu, Stimmungen mitzuteilen und Klangeffekte zu erzielen. Sie übertrugen die aktuellen Neuerungen der westlichen Literaturtheorie und -praxis auf die jiddische Literatur und schufen verdienstvolle Werke und kongeniale Übertragungen ausländischer Lyrik. Ihrer ersten Zeitschrift folgten bald die zweite, »Literatur« (1910), und dann, zwischen 1912 und 1916, die gehaltvollen »Schriften«. David Ignatoff (1885–1953) war das dynamischste, aber auch umstrittenste Mitglied der Impressionistengruppe, Mosche

Leib Halpern (1886–1932) das schillerndste. Mani-Leib (1884–1953), Zisha Landau (1889–1937) und Reuben Iceland (1884–1955) rückten im ersten Band der »Schriften« in den Mittelpunkt des öffentlichen Interesses, weil sie es verstanden, Ideen und Technik der Gruppe besonders deutlich zu machen; aber auch nachfolgende Literaten wie I. J. Schwartz (1885–1971), Isaac Raboy (1882–1944), Joseph Opatoshu (1886–1954), Joel Slonim (1885–1944), Moshe Nadir (1885–1943), M. J. Haimowitz (1881–1958), Berl Lapin (1889–1952), Moshe Bassin (1889–1963) und A. M. Dillon (1883–1934) nahmen bald teil an den Veröffentlichungen, Diskussionen und Aktivitäten der Gruppe. Literarische Cafés bildeten die ihnen gemäßen Treffpunkte, und die Bohème kultivierten sie als ihre Lebensart.

Für *Mani-Leib* war die bohemistische Lebensart mehr als nur ein äußerer Ausdruck – ein ruheloser Romantiker und umherschweifender Spielmann, liebte er überaus raffinierte Empfindungen, suchte er magische Übertöne und Regenbogenfarben zwischen den tristen Wohnblöcken der Großstädte. Als Komponist zahlreicher Volksballaden und populärer Lieder von absoluter Schlichtheit, schuf er daneben Sonette voller gedanklicher Reife und vollendeter Form.

Zisha Landau, der unter dem Einfluß Mani-Leibs stand, entwickelte aus einer Mischung von Verzückung und romantischer Ironie einen persönlichen Stil, der es zuließ, Phantasiewelten aufzubauen, die dann doch wie Seifenblasen zerplatzten. Kraft und Robustheit heuchelnd, Schmerz, Verzweiflung und exotische Abenteuer vorspielend, zog er im Grunde die Ruhe des Alltags, die Entspannung am Kamin und die Stille der einfachen Seelen vor.

Während Zisha Landau und Mani-Leib die Sprache als musikalisches Instrument handhabten, schuf *Reuben Iceland* schillernde Wortmalereien. Sein Ziel war es, die flüchtigen Augenblicke des Alltags in Versen festzuhalten, eine Szene oder ein Gefühl in feste Substanz zu überführen, ehe sie im Wirbel der schnellebigen Ereignisse verlorengingen. *Berl Lapin* zog die expressive Klarheit der introvertierten Tiefgründigkeit vor. Er rang um jedes Wort, bis er seine wesentliche Bedeutung, seinen melodiösen Klang, sein festumrissenes Bild gewonnen hatte. Die Straßenschluchten und der Dschungel New Yorks bestimmten die Themen und Motive seiner Lyrik. Weitaus dynamischer als Lapin war *Moshe Leib Halpern,* der sardonische Verse schrieb und ins Groteske reichende Vorstellungen entwikkelte, aufsässig in seinen Gefühlen, heftig in seinem Stil, gewaltsam, ungeschliffen, rauh, düster und undiszipliniert, spielte er oft den Clown und prahlte mit seiner Heiterkeit, doch seine aufdringliche Fröhlichkeit verbarg nur seine heimlichen Tränen. In seinem Herzen blieb er ein hilfloses Kind, ausgesetzt einer Welt ohne Mitleid, die geprägt war von verlogener Moral und vorgetäuschten sozialen Empfindungen. Seine späte Lyrik spiegelt die Verzweiflung und Auflehnung gegen die Armut wider, in deren Fesseln er gefangen blieb. Seine Verse wechseln zwischen schriller Verteidigung des Individuums und tiefem Mitgefühl für die Unterprivilegierten, zwischem robuster Sinnlichkeit und philosophischem Pessimismus, zwischen Lebensbejahung und Nihilismus.

Auch *Moshe Nadir* verband zarte Poesie mit beißender Ironie. Während er seine Mitmenschen mit originellen Einfällen und der Brillanz seiner Paradoxa entzückte, wurde er selbst fast erdrückt von dem Wissen um die Sinnlosigkeit des Lebens und die Nähe des Todes, von der Einsicht in die Vergänglichkeit aller Werte und Ideale. Sein extremer Individualismus hinderte ihn darin irgendwo Wurzeln zu schlagen. Seinen tiefen Pessimismus versuchte er zunächst in den Lehren des Kommunismus zu ertränken, mußte aber, nachdem 1939 der Pakt zwischen Sowjets und Nazis vollzogen wurde, erkennen, daß er lediglich einer Fata Morgana aufgesessen war. Gebrochenen Herzens nahm der begabteste Dichter der Schriftstellergruppe »Die Junge« in seinen letzten, seinen Irrtum bekennenden Gedichten Abschied von Gott und der Welt.

Die Diaspora der jüdischen Emigranten jenseits des Atlantiks führte I. J. Schwartz nach Kentucky und Issac Raboy nach Nord-Dakota. Schwartz' Biographie fand ihren Niederschlag in »Kentucky« (1925), einem poetischen Epos auf die jüdischen Siedler, die jenseits der Appalachen eine neue Heimat fanden. Raboys inhaltsreiche und originelle Kurzgeschichten und Romane über jüdische Farmer und Cowboys lebten von seinen Erfahrungen, die er als Landarbeiter machen mußte. Im Gegensatz zu ihm, der oft mit Knut Hamsun verglichen wurde, konzentrierte Ignatoff seine Romane auf New York, das er zweifellos gründlich als Fabrikarbeiter und Gewerkschaftsfunktionär kennengelernt hatte. Über seine realistischen Beschreibungen der Slums dieser Millionenstadt hinaus ragen die Türme einer mystischen Traumwelt, die erfüllt ist vom Hauch Gottes und einem Ideal individueller und nationaler Erneuerung.

Der begnadetste Romanautor unter »Den Jungen« war zweifellos *Opatoshu,* dessen Erstlingswerk »A Roman fun a Ferd-Ganef« (1912) einen intimen Einblick in eine Welt jüdischen Lebens gibt, die zu beschreiben Opatoshus Vorgänger stets bewußt vermieden hatten: die Unterwelt, mit ihren Verlockungen und Gefahren, ihrer ungeheueren Vitalität und ihren respektlosen, unmoralischen Wertvorstellungen. Seine vollblütigen, ungebildeten, furchtlosen und gerissenen Diebe, Schmuggler und Trunkenbolde, die allesamt mit beiden Beinen auf der Erde stehen, sind nicht zu vergleichen mit den schwachen und himmelwärtsblickenden verarmten Gestalten Scholem Aleichems oder den idealisierten und überstilisierten gottesfürchtigen Patriarchen Schalom Aschs. Obwohl in seinen vielen Erzählungen kein Wort gesprochen und keine Einzelheit erwähnt wird, die nicht mit dem Charakter seiner Zeit und dem Milieu seiner Umwelt übereinstimmten, gelingt es Opatoshu, seine Leser in eine innere Welt der Träume, Sehnsüchte und sublimierten Intuitionen zu führen – eine Eigenart seiner Erzählkunst, die am deutlichsten in dem Roman »In Poilische Wälder« (1921) zum Ausdruck kommt. Dieser Roman schildert den Verfall eines chassidischen Hauses, in dem der Aberglaube lebensbestimmend geworden ist, gibt zugleich aber auch einen Einblick in jene jüdische Welt, die erfüllt ist vom inbrünstigen Glauben an die Befreiung des jüdischen Volkes und von visionären Vorstellungen über die Erlösung unserer Welt. Opatoshu stellt die gesamte Vielfalt jüdischen Lebens in der nach-napoleonischen Generation dar – von den tiefsten Tälern des Verfalls bis zu den höchsten Gipfeln, wo Heilige mit Gott ringen. Seine heitere Erzählung »A Tog in Regensburg« (1933) erweckt die versunkene Welt der jiddischen Spielleute und Spaßmacher zu neuem Leben, läßt die bekannten Sänger des 16. Jh.s und die Helden ihrer Lieder, König Artus und seine Ritter oder Dietrich von Bern und Meister Hildebrand, vor uns auferstehen. Seine wichtigste historische Erzählung »Der Letzter Oifschtand« (1948–1955) führt uns zu den Ereignissen des Bar Kochba-Aufstandes während der Regierungszeit Kaiser Hadrians zurück.

Das literarische Hauptfeld der Schriftstellergruppe »Die Junge« bildeten in erster Linie Lyrik und kürzere oder längere Erzählformen, weniger jedoch dramatische Literatur. Der Grund dafür mag im Niedergang des jiddischen Theaters zu suchen sein, der sich nach dem Tode *Jakob Gordins* (1853–1909) langsam vollzog. Gordin, der erfolgreichste Dramatiker der goldenen Ära des jiddischen Theaters in Amerika, erregte erstmals Aufmerksamkeit mit »Der Jiedischer Kenig Lear« (1892), einem Stück, das die Tradition und die Thematik Shakespeares aufgreift und auf jüdische Verhältnisse zu übertragen versucht. Weitaus erfolgreicher war seine Tragödie »Mirele Efros« (1898), in der König Lear sein weibliches Gegenstück erhält. Über mehr als 75 Jahre war dieses Drama das Lieblingsstück des jüdischen Theaterpublikums. Gordin sah im Theater, wie schon vor ihm Goldfaden, eine moralische Lehranstalt im Schillerschen Sinne, zugeschnitten auf die nationalen Bedürfnisse des in die Fremde verbannten jüdischen Volkes. Seine Dramen präsentieren lebendige Charaktere, reale Situationen sowie soziale und moralische Probleme, die es zu diskutieren und zu lösen gilt. Einerseits entwöhnte er das Publikum von Melodramen und musikalischen Farcen, andererseits gewöhnte er die Schauspieler an ein natürliches Auftreten und ein ungekünsteltes Agieren auf der Bühne. Unter den deutschen Dichtern, die ihn am stärksten beeinflußten, waren Schiller, Gutzkow, Grillparzer, Hauptmann und Sudermann. Goethes »Faust« bildet das wesentliche Vorbild seiner Tragödie »Gott, Mensch un Teivel« (1903), in der Gordin die doppelte Natur des Menschen problematisiert. Sie gibt das Porträt eines armen, frommen Juden wieder, den Satan vom tugendhaften Weg abzubringen versucht, indem er ihn mit Reichtum überschüttet. Am Ende muß der teuflische Versucher jedoch feststellen, daß materielle Güter zwar zu verführen, korrumpieren und geistig zu verkrüppeln vermögen, die menschliche Seele und das Gewissen letzten Endes aber dennoch nicht vollständig zerstören können.

Gordin ebnete den Weg für *Leon Kobrin* (1873–1946), der ein aufmerksames Ohr für die Melodien des menschlichen Herzens hatte und Gestalten schuf, die mit den entgegengesetzten Kräften ihrer eigenen Natur zu kämpfen haben. Gordin ebnete auch den Weg für *Z. Libin* (1872–1955), dessen realistische und sozialkritische Dramen nicht frei von humoristischen Anflügen sind und gelegentlich durch lyrisch-sentimentale Unterbrechungen aufgelockert werden.

Der Verfall des jiddischen Theaters in den Jahrzehnten nach Gordin beruhte im wesentlichen darauf, daß die amerikanischen Juden in ihrer Verkehrssprache allmählich vom Jiddischen zum Englischen wechselten. Peretzschüler wie David Pinksi, Schalom Asch und Peretz Hirschbein vermochten diesen Verfall ebensowenig auf die Dauer zu verhindern wie die

Gründung des »Yiddish Art Theatre« unter der Leitung von Maurice Schwartz.

Der Erste Weltkrieg und die darauffolgenden revolutionären Unruhen brachten viele jiddische Schriftsteller aus der Alten Welt nach Amerika. Zu den bedeutendsten unter ihnen zählte Scholem Aleichem, es kamen aber auch junge, hoffnungsvolle Autoren wie *Ephraim Auerbach* (1892–1973) und *H. Leivick* (1888–1962). Auerbach, der seine Laufbahn als Sänger ber bessarabischen Judenheit und der zionistischen Pioniere begonnen, der in der ›Jüdischen Legion‹ gekämpft hatte und bei Gallipoli verwundet worden war, kam 1915 in die USA. Seine Themen reichten von biblischen bis zu zeitgenössischen Ereignissen und schöpften aus seinen in Europa, Amerika und Israel gewonnenen Erfahrungen. Während er in seiner den Opfern der nationalsozialistischen Judenverfolgungen gewidmeten Lyrik von Trauer und Bitternis erfüllt ist, gewinnen die, die Heimkehr seines Volkes preisenden Verse Zuversicht und Freude. Schließlich sucht er, der von tiefwurzelndem Glauben an die Gerechtigkeit und Güte Gottes erfüllt ist, selbst den Weg von den dornigen Pfaden des Exils zurück in die wiedergewonnene Heimat Israel.

In den Gedichten und den Schauspielen H. Leivicks finden sich die tragischen Aspekte des jüdischen Lebens noch intensiver ausgebreitet. Leivick, der als Dichter des Martyriums und der messianischen Hoffnung der Judenheit des 20. Jh.s gilt, schrieb seine ersten Verse in zaristischen Gefängnissen und sibirischen Gefangenenlagern. Sie sind erfüllt vom Aufschrei gegen die Tyrannei und visionären Beschreibungen einer glücklicheren, freien Menschheit. Er floh aus der eisigen arktischen Wüste und suchte seinen Weg in die USA, wo ihn »Die Junge« als den ihrigen aufnahm. Wie diese jungen Schriftsteller so erlebte auch er Tage harter Arbeit als Fabrikarbeiter und Hungerlöhner, denen entrückte Nächte folgten, in denen er zur Feder griff, um seiner qualvollen Vergangenheit im zaristischen Rußland und seiner tristen Gegenwart im Land der politischen Freiheit und wirtschaftlichen Ausbeutung Ausdruck zu verleihen. Seine Lyrik kennt eine ständige Thematik: die universelle Vorherrschaft von Leid und Schmerz und die Läuterung durch das erlittene Leid, das Schweigen, das dieses Leid begleitet und die Freude, die in der Selbstaufopferung liegt, die Einsamkeit der Kreatur und die Notwendigkeit, sich in dieser Einsamkeit zurechtzufinden, der Glanz in jedem Herzen und die Suche nach einer Möglichkeit, diesen Glanz freizulegen. Die Klarheit des Realismus und die Tiefgründigkeit des Symbolismus vereinend, suchte Leivick eine universelle Bedeutung in jedem einzelnen Geschehen. Er fühlte sich verantwortlich für das Leid seiner Mitmenschen, fühlt sich schuldig für das tragische Schicksal seiner Glaubensbrüder, die er in Europa zurückgelassen hatte. Sich mehr und mehr jüdischen Mythen und historischen Legenden zuwendend, beherrschte schließlich ein einziges Thema sein literarisches Schaffen: die Sehnsucht nach dem messianischen Erlöser, die in seinem, in der jüdischen Tradition stehenden poetischen Werk »Der Golem« (1917–1920) nachhaltig zum Ausdruck gebracht wird. Ersetzt hierin noch der historische Golem des Rabbi Loew als physischer Beschützer der verfolgten Judenheit den erwarteten Messias, so erfüllt er in einem anderen Werk Leivicks, »Die Geula Komedia« (1932), die Hoffnungen der gequälten Juden, die nicht in der Vernichtung der politischen Feinde gipfeln, sondern im Erwachen des Weltgewissens, das vom Entsetzen über die Gefolterten und Geschlagenen aufgerüttelt wird.

In seinem letzten Schauspiel, »In die Teg fun Hiob« (1953), kehrte Leivick noch einmal zu seiner früheren Thematik zurück, indem Hiob, der ein aufrechter Mann war und das Böse scheute, trotzdem aber viel Leid ertragen mußte, als Vorgänger aller jüdischen Leidensgenossen begriffen wird. In dem Stück, das von biblischer Symbolik, aber auch von der Realität des grauenvollen Leids der Gegenwart erfüllt ist, gewinnt die Frage, ob dieses Leid als Prüfung Gottes zu vestehen sei, eine entscheidende Bedeutung. Leivick, der unter den Überlebenden von Treblinka viele im letzten Augenblick Gerettete gesehen hatte, weigerte sich, eine leichte Antwort zu akzeptieren. Für ihn gab es keine endgültige Antwort, keine eindeutige Klärung des Problems des unverdienten Leidens auf Erden, die logisch zu untermauern wäre. Vielleicht jedoch findet sich diese Antwort jenseits der Logik in der Welt des Glaubens und Gottvertrauens. Diesen Weg suchte Leivick in seinen letzten Gedichten, »Lieder zum Ebiken« (1959), in denen die Zuflucht in den Glauben die Oberhand gewinnt gegenüber seiner früheren Auflehnung gegen das ihm und seinem Volke auferlegte Schicksal. In der goldenen Morgendämmerung Jerusalems und im blauen Schweigen seiner Nächte träumte er von dem lange entschwundenen Paradies seines Volkes, einem Paradies, das wiedergewonnen werden konnte. Der alternde, müde Wanderer fand in der Heiligen Stadt den ersehnten Frieden, die erhoffte Freude, vollkommene Schönheit des Geistes und eine neue Jugend.

Die literarische Bewegung, die nach dem Ersten Weltkrieg das größte Aufsehen erregte, war der »Insichismus«, dessen lyrisches Credo zuerst 1919 von dem Dreigestirn *Aaron Glanz Leyeles* (1889–1966), *Jacob Glatstein* (1896–1971) und *N. B. Minkoff* (1893–1958) formuliert wurde. Diese Bewegung, die ihren Namen von der Wochenschrift *»In Sich«* (1920–1940) ableitete, entsprach dem europäischen Expressionismus. Sie versuchte, den vielfältigen literarischen Erscheinungsformen eine gemeinsame Struktur und organische Form zu geben, die auf der ›Gestalt‹ jedes Individuums basierte. An der objektiven Realität verzweifelnd, in der sie eine untergeordnete Menge vordergründiger Wirklichkeiten sahen, versuchten die »Insichisten« einen Weg, der sie zu einer geordneten Welt absoluter, ewiger Wahrheiten führen sollte, zu bahnen. Sie begriffen Lyrik grundsätzlich als den Ausdruck emotionalisierter Gedanken oder intellektualisierter Emotionen und ließen die Existenz der Welt nur so weit gelten, wie sie sie berührte und wie sie in ihnen selbst widergespiegelt wurde; im übrigen war sie für sie eine Fiktion. Dabei vertraten sie die Meinung, daß der Mensch, selbst wenn eine Welt in irgendeiner chaotischen, amorphen Weise wirklich existieren sollte, diese Welt keineswegs kennen und begreifen könnte. Seine Kenntnis bezog sich ausschließlich auf den Menschen selbst, dessen Seele das Chaos organisierte und der auf diese Welt nur in seiner Phantasie einwirken oder sie neu schaffen könne; was er in seinem Inneren sieht, ist die einzige Wahrheit für ihn.

Die Insichisten folgten der Überzeugung, daß jedes Gedicht seinen eigenen, individuellen Rhythmus erhalten müsse und zogen daher den freien Vers den konventionellen Versmaßen vor. Sie riefen nach einer Erweiterung des lyrischen Horizonts, um alle Themen aufnehmen zu können, und förderten als eine ihrer größten Leistungen die Urbanisierung der jiddischen Lyrik. Ihre stilistischen Neuerungen führten zu orginellen und subtilen Rhythmen; sie verwendeten keine Reime, es sei denn, um besondere Effekte zu erzielen. Sich auf die wesentlichen Dinge konzentrierend, anstatt Detail an Detail zu reihen, legten sie den Nachdruck auf das reine Wort, den genauen Ausdruck, betonten die Wichtigkeit des scharf umrissenen Bildes und verzichteten auf träumerische impressionistische Weitschweifigkeit.

Glanz-Leyeles war der Hauptvertreter der Theorien des »Insichismus« und blieb seinem Credo stets treu. Minkoff, der Subjektivität in der Poesie für wichtig hielt, war in seinen Prosawerken ein äußerst objektiver Kritiker und Gelehrter. Glatsteins Lyrik reflektierte seine ständig wechselnden Stimmungen, seine Verbitterung, seine satirische Angriffslust; sie spiegelt Zorn, Rebellion, Verzweiflung und Stolz wider. Sein literarischer Weg führte vom schönheitstrunkenen Kosmopoliten in »Freie Fersen« (1926) zu einem Dichter des jüdischen Leids und der Auferstehung des jüdischen Volkes in »Gedenklieder« (1943), »Strahlendike Jieden« (1946), »Dem Tatens Schutn« (1953) und »A Jied fun Lublin« (1966). Im letzten Werk kommt Glatstein auf sein heimatliches Lublin zu sprechen, dessen sittenreine Zivilisation er mit dem groben, lasterhaften und sexhörigen Westen vergleicht. Mit sardonischer Schärfe und misantropischer Bitterkeit geißelt er die primitiven Sensationen der Avantgarde-Literatur, die dem Sex verfallen ist, in die Intimsphäre der Schlafzimmer eindringt und den lebenden Menschen seziert und einbalsamiert. Er versucht schließlich alles, der verhaßten Gegenwart zu entfliehen und würde es vorziehen, einer chassidischen Gemeinschaft beizutreten, in der er mit einer Handvoll orthodoxer, altmodischer Juden die Zeit im Gebet verbringen und die Nähe Gottes spüren kann.

Zu den jüngeren Vertretern des »Insichismus« gehörten Alef Katz (1898–1969), dessen in allen jiddischen Schulen gesungenen Kinderlieder und aufgeführten Stücke die Herzen der jüdischen Kinder entzückten, I. J. Segal (1896–1954), ein Bahnbrecher der jiddischen Lyrik in Kanada, Michel Licht (1893–1953), dessen zerebralen Verse durch ihre Virtuosität in Erstaunen versetzten, und Eliezer Greenberg (1896–1977), ein melancholisch introvertierter, kontemplativer Dichter und sensibler Kritiker.

Die literarischen Strömungen der Insichisten, die ihren stärksten Einfluß in den 20er Jahren ausübten, mündeten in die proletarische Lyrik der 30er Jahre, die ihren Höhepunkt in der Zeit der Großen Depression in Amerika und dem Aufstieg des Faschismus in Europa erreichte. In jener Zeit schwand in Amerika der Glaube an die eigene Wirtschaftsleistung, und die Erfolge der sowjetischen Planwirtschaft erschienen in einem helleren Licht als je zuvor. So nimmt es nicht wunder, daß die Doktrinen der radikalen Linken die Wogen des Pessimismus durchbrachen und eine starke Faszination auch auf viele jiddische Schriftsteller ausübten. Unter der Leitung von *M. Olgin* (1878–1939) dem Herausgeber der New Yorker Tageszeitung »Freiheit«, formierte sich eine Vereinigung jiddischer proletarischer Schriftsteller. Andere Exponenten proletarischer Literatur in jiddischer Sprache ergriffen die Initiative zur Einberufung eines internationalen Kongresses, der 1937 in Paris tagte, um die jiddische Kultur vor sog. äußeren und inneren Feinden zu schützen. ›Ykuf‹ – Jiddischer Kultur Farband – wurde als weltumfassende Gründung ins Leben berufen. Mit dem Ausbruch des Zweiten Weltkrieges stellten die nicht-amerikanischen Verbände zwar ihre Tätigkeit ein, doch die amerikanische Sektion des Ykuf unter der Leitung des Schriftstellers Zishe Weinper (1892–1957) entwickelte weitreichende literarische und bildungspolitische Aktivitäten. Die von dem Literaturhistoriker Nachman Meisel (1881–1966) herausgegebene Monatsschrift »Jiddische Kultur« und zahlreiche Publikationen, die eine Gesamtauflage von mehr als einer halben Million Buchexemplare erreichten, bildeten die künstlerische Plattform der radikalen Schriftstellerkreise. Eng verbunden mit ›Ykuf‹ arbeiteten ältere Schriftsteller wie der eloquente Ideologe des Jiddismus Chaim Zhitlowsky (1865–1943) und der Literaturhistoriker Kalman Marmor (1876–1956) oder jüngere Autoren wie die Novellisten Baruch Glasman (1893–1945), Zvi Hirshkan (1886–1938) und der unter dem Pseudonym Chaver-Paver schreibende Gershon Einbinder (1900–1964) sowie die Poeten Aaron Kurtz (1891–1964) und Sholem Shtern (1907 geb.).

In den 30er Jahren bereicherten nur noch einzelne Schriftsteller die jiddische Literatur in den USA, während literarische Bewegungen, die neue Wege suchten, abebbten. Zu erwähnen sind A. Lutzky (1894–1957), der als bizarrer Dichter und lyrischer Akrobat, aber auch als pessimistischer Humorist, der seine Desillusionierung mit Heiterkeit überdeckte, ebenso hervortrat wie Berish Weinstein (1905–1967), der die physische und geistige Wanderung seiner Generation von Osteuropa durch das Elend, den Glanz und den Idealismus in der Neuen Welt bis hin zur Wiederauferstehung in Israel in lebendigen Bildern nachzeichnete; Aaron Nissenson (1898–1964), der in seiner Person und in seinen Gedichten die Melancholie Litauens mit der Turbulenz New Yorks verband sowie Aba Stolzenburg (1905–1941), Abraham Tabachnik (1901–1970) und Meyer Stiker (1905 geb.), drei eng miteinander verbundene Lyriker, deren gemeinsames Streben in ihrer Zeitschrift »Feilen« (1928–1931) ihren ersten literarischen Ausdruck fand. Neben ihnen wirkten Leon Feinberg (1897–1969), dessen vielfältig verschlüsselte Verse seine eigenen inneren Konflikte als jüdischer Intellektueller in Rußland und seine Enttäuschung über die kommunistische Ideologie widerspiegeln, M. Z. Tkatch (1894 geb.), dessen in Versen geschriebenen Fabeln prächtige Miniaturen voller bitterer Einsichten in die verwirrenden Zusammenhänge des menschlichen Lebens sind, und Alter Esselin (1889–1976) der einsame Vertreter der jiddischen Lyrik in Milwaukee.

Da die jiddischen Schriftsteller der amerikanischen Szene aus Osteuropa stammten, kamen in ihren Werken auch weiterhin die Erfahrungen und Erlebnisse der Alten Welt zum Vorschein, selbst dann, wenn sie ihren Horizont erweiterten und Themen miteinbezogen, die dem Leben in der Neuen Welt Rechnung trugen. Die Leserschaft der jiddischen Literatur nahm von Jahrzehnt zu Jahrzehnt ab, hervorgerufen durch den natürlichen Alterungsprozeß sowie die Zunahme der Englischkenntnisse. Nachstrebende Schriftsteller konnten kaum die Aufmerksamkeit eines größeren Leserpublikums gewinnen, es sei denn, sie bedienten sich der Tagespresse und einiger neu entstandener Zeitschriften mit hoher Auflagenziffer. Das erforderte jedoch die Unterwerfung unter die Autorität der einflußreichen Redakteure, und wer sich gegen diese Autorität auflehnte, mußte jahrelange Frustration in Kauf nehmen, bevor ihm wieder einmal die Chance geboten war, literarisch in Erscheinung zu treten.

Abraham Cahen (1860–1951), Herausgeber des »Forverts«, wirkte bis ins hohe Alter hinein als eine der einflußreichsten Persönlichkeiten unter den jiddischen Publizisten Amerikas. Im Konkurrenzblatt »Der Tog« und in der literarischen Monatsschrift »Die Zukunft« übte *Shmuel Niger* (1885–1956) einen weitaus größeren Einfluß aus als je ein jiddischer Literaturkritiker vor oder nach ihm, ja, er bestimmte sozusagen den literarischen Geschmack seiner Zeit. Er stellte den freundlicher gestimmten, wenn auch skeptischeren Essayisten des »Tog«, *Abraham Coralnik* (1883–1937) völlig in den Schatten. Coralnik, ein Meister der Prosa, der in dieser Zeitung Gelegenheit erhielt, den ästhetischen Geschmack der jiddischen Leserschaft zu formen, schätzte die großen Werke der Weltliteratur und der Philosophie und legte Wert darauf, die literarische Stimmung, Atmosphäre und den inneren Rhythmus literarischer Werke aufzudecken. Erfüllt von großer Einfühlungskraft und voller Begeisterung, wenn er auch nur die Spur des wahren Geistes seines Schriftstellers entdecken konnte, war er dennoch zugleich enttäuscht, wenn es ihm nicht gelang, die Intensität dieser Begeisterung auf seine Leser zu übertragen.

Alexander Mukdoni (1878–1958) rezensierte über Jahrzehnte hin Dramen und Theateraufführungen in der Tageszeitung »Morgen-Journal« und in der Monatsschrift »Die Zukunft«, während der unter dem Pseudonym Tzivion schreibende Benzian Hoffman (1874–1954) im »Forverts« mehr als drei Jahre lang mit großem Geschick die sozialistische und bundistische Auffassung von gesellschaftlichen und literarischen Erscheinungen unterstützte.

Der ununterbrochene Zustrom schöpferischer jiddischer Schriftsteller aus Osteuropa, die Verlagerung der YIVO-Archive und anderer Institutionen nach New York, die Einführung von Jiddisch-Kursen in den amerikanischen Colleges und die durchaus positive Einstellung der Jugend gegenüber der Geschichte des Jiddischen und seiner Literatur trugen dazu bei, die durch den Ausbruch des Zweiten Weltkrieges und die NS-Judenvernichtungen über die Jiddisch sprechende Judenheit hereingebrochene kulturelle Katastrophe zu mildern. Bis zur Mitte unseres Jahrhunderts sollte New York seine Stellung als unumstrittenes Zentrum der modernen jiddischen Literatur bewahren.

Literatur:

A. Schulman: Geschichte fun der jiddischer Literatur in Amerike (1870–1900), 1943.
K. Marmor: Der Onheib fun der jiddischer Literatur in Amerike (1870–1890), 1944.
B. Rivkin: Jiddische Dichter in Amerike, 1947.
ders.: Grundtendenzen fun der jiddischer Literatur in Amerike, 1948.
N. B. Minkoff: Pionern fun jiddischer Poesie in Amerike, 3 Bde., 1956.
S. Niger: Bleter: Geschichte fun der jiddischer Literatur, 1959.
S. Liptzin: The Flowering of Yiddish Literature, 1963.
S. Niger: Jiddische Schreiber fun 20. Jorhundert, 2 Bde., 1972–1973.
K. Marmor: David Edelstedt, 1950.
B. Bialostotsky (ed.): David Edelstedt Gedenkbuch, 1953.
K. Marmor: Joseph Bovshover, 1952.
I. Goldenthal: Toil and Triumph: Life of Morris Rosenfeld, 1960.
M. Winchevsky: Gesamelte Werk, 10 Bde., 1927–28.
A. Liessin: Lieder un Poemes, 3 Bde., 1938.
Joseph Rolnick: Der Dichter un sein Lied, 1961.
N. Steinberg: Jung-Amerike, 1917.
D. Ignatoff: 25 Jor Literarisch Schafn, 1935.

I. Rolnick: Meine Zichronos, 1954.
Z. Weinper: M. L. Halpern, 1940.
E. Greenberg: M. L. Halpern, 1942.
J. Opatoshu: Gesamelte Werk, 14 Bde., 1928–36.
N. Maisel: Joseph Opatoshu, sein Lebn un Schaffn, 1937.
B. Rivkin: Joseph Opatoshus Gang, 1948.
I. Freilich: Joseph Opatoshus Schaffungswerk, 1951.
H. Leivick: Geklibene Werk, 6 Bde., 1925–31.
ders.: Alle Werk, 2 Bde., 1940.
W. Nathanson: H. Leivick, der Dichter fun Onkum un Oifkum, 1936.
I. Gotlib: H. Leivick, sein Lied un Drame, 1939.
L. Shalit: Moschiach-Troimen in Leivicks dramatische Poemes, 1947.
S. Niger, H. Leivick, 1951.
B. Rivkin, H. Leivick, 1955.
E. Greenberg: Jacob Glatsteins Freid fun jiddischen Wort, 1964.
A. Cahan: The Education of Abraham Cahan, 1969.
T. M. Pollock: The Solitary Clarinetist: A Critical Biography of Abraham Cahan, 1959.

VI. Die jiddische Literatur in der Zeit des Nationalsozialismus

Nachdem die Truppen der deutschen Wehrmacht Polen im Jahre 1939 und den Westen der Sowjetunion im Jahre 1941 besetzt hatten, lebten die jiddischen Schriftsteller wie alle Juden in den besetzten Gebieten im Schatten des Todes. Gefangen in Ghettos und Konzentrationslagern, sahen sie in Erwartung der von den Nazis propagierten »Endlösung der Judenfrage« einer grauenvollen Vernichtung entgegen. Ihre Lyrik, Erzählungen und Erinnerungen waren der Nachwelt zugeeignet und sollten nach ihrem Tode von den Überlebenden des Massenmords veröffentlicht werden. Bezeichnend für die Stimmung vor Kriegsausbruch war ein von der Vorahnung des Untergangs getragenes Lied, das der nach Mark Warschavsky und Itzik Manger populärste Volkssänger Westgaliziens, *Mordechai Gebirtig* (1877–1942) unter dem Titel *»Dos Stetele Brent«* verfaßte. Dieses nach dem polnischen Pogrom von Psytik im Jahre 1938 geschriebene Lied klang wie eine Warnung und prophezeite die kommende Apokalypse, rief aber auch gleichzeitig die jüdischen Glaubensbrüder dazu auf, die lodernden Flammen der heraufziehenden Vernichtung und die wütende Feuerbrunst des Untergangs nicht mit verschränkten Armen zu erwarten, sondern das Feuer zu löschen, notfalls mit dem eigenen Blut. Eingeschlossen im Krakauer Ghetto schrieb Gebirtig weitere Volkslieder der Verzweiflung, aber auch der Vergeltung bis zu seinem letzten Lebenstag. Als die Juden für den letzten Marsch in ein Vernichtungslager zusammengetrieben wurden, wurde der 65jährige Volkssänger mit anderen Nachzüglern auf der Straße erschossen.

Die jiddische Ghettoliteratur spiegelt das Schicksal der eingeschlossenen Juden während der Jahre des Hungers, des Schreckens und der Vernichtung wider. Zwar ging der größte Teil dieser Werke mit ihren Verfassern in Flammen auf, doch konnte ein nicht unbedeutender Teil gerettet werden, herausgeschmuggelt aus den Ghettos und in unterirdischen Verstecken verborgen gehalten, um nach dem Kriege wieder ausgegraben zu werden. Sie geben uns einen tiefen Einblick in die von Tragik erfüllte und von den Gedanken des Widerstands beseelte Stimmung der zum Untergang verurteilten Judenschaft Osteuropas. Das bewegendste Lied dieser Art schrieb der einer Widerstandsgruppe im Wilnaer Ghetto angehörende *Hirsch Glick* (1922–1944) am 4. Januar 1943: das mit dem Vers »Sog Nit Kein Mol, As Du Gehst Dem Letzten Weg« anhebende *»Partisanerlied«* enthält heroische Strophen voller Hoffnung und Glauben. Seit dieser Zeit wird *»Dos Partisanerlied«* anläßlich jüdischer Gedenkfeiern auf der ganzen Welt gesungen. Die tiefgreifendste Elegie von der Ausrottung der Juden während des Hitlerfaschismus stammt allerdings von *Jitzchak Katzenelson* (1886–1944). *»Dos Lied fun Oisgehargeten Jiedischen Volk«*, eine Totenklage für seine dahingemordeten Brüder, schrieb er, bevor er selbst in Auschwitz umkam. Dieses schmerzerfüllte Lied beschreibt Szenen, die Katzenelson in Warschau selbst erlebt hat: die eifrige Suche nach versteckten Juden, das Zusammentreiben der geprügelten Männer, Frauen und Kinder und ihr Transport in den Todeswaggons. Im Morgengrauen kehrten die leeren Waggons zurück, öffneten ihre Türen, die unersättliche Mäuler waren, nie zufrieden mit dem, was sie schon verschlungen hatten. Der Dichter schildert in erschütternden Bildern die grauenhafte Tüchtigkeit der deutschen Henkersknechte, die mit wachsender Eile die Massendeportationen bewerkstelligten, schildert auch die Vorbereitungen für den Widerstand, den Aufstand in den Ghettos, das Verbrennen der deportierten Juden, die in Rauch, Asche und tödlichem Schweigen endeten.

Die lyrischen Werke der gemarterten Schriftsteller waren erfüllt von unermeßlicher Trauer, aber doch auch erhellt von Stolz und Würde. In den Ghettos wurden jiddische Bücher geschrieben und – trotz aller Bedrückung – von ihren Lesern geschätzt. Diese fanden sich ein, solange Druckereien noch arbeiten durften und Büchereien noch geöffnet waren, um aus den Berichten zur jüdischen Geschichte nicht nur etwas über vergangenes Leid und vergangenen Ruhm ihres Volkes zu erfahren, sondern um durch diese Bücher jene geistige Nahrung zu erhalten, die die Gegenwart zu erleiden und das Gefühl der Minderwertigkeit zu bekämpfen half. Eine illegale Presse florierte, die kulturellen Aktivitäten wurden fortgesetzt, Wochenschriften heimlich gedruckt, und die, die sie austrugen, riskierten Folter und Hinrichtung. Trotz der drohenden Gefahr der Vernichtung fanden Zionisten, Bundisten und Kommunisten Möglichkeiten, die Kraft und den Geist des Widerstandes lebendig zu halten. Sie stärkten den Glauben an das Überleben der Judenheit. Volksdichter schufen Volkslieder und verbreiteten einen grimmigen Volkshumor, der von Mund zu Mund ging. Im Warschauer Ghetto versuchte *Schlomo Gilbert* (1885–1942) die schrecklichen Geschehnisse in Worte zu fassen, bevor er nach Treblinka gebracht wurde. In Warschau begann *Joschua Perle* (1888–1943) mit der Arbeit an einem Roman, die er selbst nach seiner Deportation ins Lager Bergen-Belsen fortsetzte, ohne sie jedoch vor seiner Ermordung in Auschwitz beenden zu können. In Warschau schrieb *Herschele Danielewitz* (1882–1941) volkstümliche Gedichte, ehe er den Hungertod starb, und *Israel Stern* (1894–1942) verfaßte religiöse Gedichte, bis auch er verhaftet und in die Gaskammern von Treblinka geschleppt wurde. In Treblinka kam auch *Jechiel Lerer* (1910–1943) ums Leben, ein religiöser Dichter, den man den jiddischen Rabindranath Tagore nannte. Seine Ghettogedichte wurden nach dem Kriege aus den Trümmern der zerstörten Ghettos ausgegraben, wie auch *Emanuel Ringelblums* (1897–1944) Erinnerungen gerettet wurden, der bis zu seinem letzten Lebenstag die Ereignisse im Warschauer Ghetto für die Nachwelt mit peinlicher Genauigkeit festgehalten hat. Schmuel Lehman (1886–1941) sammelte bis zu seinem Tode Folklorestoff, und Kalman Lis (1903–1942) blieb auf seinem Posten als Leiter einer Kinderanstalt, schrieb Gedichte, bis alle Kinder erschossen wurden und ihn kurz darauf das gleiche Schicksal ereilte. *Alter Kacyzne* (1885–1941), Dichter, Dramatiker und Autor feinnerviger Kurzgeschichten gelang es, aus Warschau zu fliehen. Er wurde aber von ukrainischen Verbündeten der Nazis zu Tode geprügelt. Dem Romanautor *Michael Bursztyn* (1897–1945) gelang ebenfalls die Flucht aus dem

Warschauer Ghetto, doch wurde er in Kovno entdeckt und noch kurz vor Beendigung des Krieges nach Dachau gebracht, wo er starb.

Am Rande des Abgrundes behielten die Schriftsteller des Ghettos den festen Glauben, daß ihr ewiges Volk überleben und einen Neubeginn erleben würde. Im Wilnaer Ghetto versuchten die Schriftsteller des *»Jungwilna«*-Kreises die Moral ihrer Glaubensbrüder aufrechtzuhalten, indem sie Gedichte des Leidens, der Sehnsucht, des Trotzes und der Hoffnung verfaßten. Als der Zeitpunkt der sog. »Endlösung« nahte, gelang einigen von ihnen die Flucht in die nahen Wälder, wo sie hinter der Front Partisanengruppen organisierten. Zu ihnen gehörten Abraham Sutzkever (1913 geb.) und Schmerke Kaczerginski (1908–1954), die mit Gewehren und Handgranaten, aber auch mit Gedichten ihres gerechten Zorns und einer brüderlichen Liebe für ihre gemarterten Glaubensbrüder kämpften.

Im sowjetisch besetzten Teil Polens lebte die jiddische Literatur in den zwei Jahren nach der Teilung des Landes (1939) kurz auf. Einige der aus Warschau geflohenen Schriftsteller fanden Zuflucht in Bialystok und wurden von den Sowjets geduldet, solange sie das Lob auf Stalin sangen und seine deutschen Verbündeten nicht verunglimpften. Wenigen unter ihnen gelang auf gefährlichen Wegen die Flucht nach Israel, die meisten wurden jedoch von der 1941 ostwärts brandenden Welle der deutschen Invasion eingeholt, wieder andere in die Kaukasusprovinzen und in sibirische Lager evakuiert.

Das bedeutendste Mitglied der ersten Gruppe war *Zysman Segalowitsch* (1884–1949), der einen Bericht über seine verzweifelte Flucht in dem Prosaband *»Gebrente Trit«* (1947) hinterließ. Sein Gedicht »Dorten« (1944) ist erfüllt von den qualvollen Erlebnissen und Erinnerungen an die Vernichtung der von ihm geliebten polnischen Glaubensbrüder. Zur zweiten Gruppe gehörten die galizischen Schriftsteller Schmuel Jakob Imber, David Königsberg und Ber Horowitz, die alle 1942 umkamen. Zur dritten Gruppe wiederum sind jene jiddischen Autoren zu zählen, die die Judenvernichtungen in Polen überlebten. Sie ertrugen Hunger und Demütigungen, wurden unzureichender Loyalität gegenüber dem sowjetischen System verdächtigt, und manche wurden aufgrund fingierter Beschuldigungen verurteilt und zu Zwangsarbeit in arktischen Holzfällerlagern und sibirischen Bergwerken gezwungen, aus denen sie nicht entlassen wurden, bevor nicht ihre Gesundheit ruiniert war. Der Expressionist *Mosche Broderzon* (1890–1956), Gründer und Leiter kleinerer Theater in Polen, verbrachte sieben Jahre in sibirischen Arbeitslagern, ehe man ihn – kurz vor seinem Tode – in seine polnische Heimat entließ. *Mosche Grossman* (1904–1961), der Verfasser von Romanen über Karl Marx und Rosa Luxemburg, floh aus Warschau nach Bialystok und hoffte, bei den Sowjets »ein utopisches Regime glücklicher Bruderschaft« zu finden; doch die Deportation in ein arktisches Arbeitslager und sieben Jahre voller Qualen und Leiden desillusionierten ihn vollständig. Nach seiner Heimkehr nach Polen hielt er diese Jahre in einem sehr bewegenden, gut aufgebauten Bericht fest. *Israel Emiot* (1909 geb.), der vor dem Kriege vier Gedichtbände abgeschlossen hatte, floh in die Sowjetunion voller Begeisterung für die versprochene autonome jüdische Republik Birobidjan in Ostsibirien. Aber nachdem er sieben Jahre im gleichen sibirischen Arbeitslager saß, in dem auch Mosche Broderzon gefangengehalten wurde, stieg seine Enttäuschung, wenn er auch nie völlig verbitterte. Aus allen seinen späteren Erzählungen, die die Unmenschlichkeit gegenüber seinen Glaubensbrüdern nachempfinden, strömt dennoch unerschütterliches Gottvertrauen und warme Sympathie für alles Lebendige in Bildern, die erfüllt sind von Freundlichkeit und Liebe inmitten aller Tragik.

Joseph Rubinstein (1900 geb.), dessen erster Lyrikband 1939 in Warschau erschienen war, überwand Tausende von Kilometern auf der Suche nach Sicherheit und Brot. An den Wassern Zentralasiens und im Vorgebirge des Himalaya begegnete er Juden, die bittere Tränen weinten, wenn sie an die Katastrophe dachten, die über ihr Volk hereingebrochen war. Doch inmitten von Hunger, Schmutz und Heimatlosigkeit behielten die versprengten Juden ihren trotzigen Glauben an das Überleben ihres Volkes. Vor seiner Rückkehr nach Polen wurde er von den zum Schweigen verurteilten russischen Schriftstellern gebeten, über das Leid der russischen Juden und ihre ungebrochene Hingabe zu ihrem gefährdeten historischen und religiösen Erbe zu schreiben. Er tat dies in den elegischen Strophen seines Epos *»Megilat Russland«* (1960). Es folgten die epischen Werke *»Churban Poiln«* (1964) und *»Jetsias Europa«* (1970), die von seinen Wanderungen und Zufluchtsorten in Europa erzählen, bevor er sich dann in New York nierderließ. *Mendel Mann* (1910–1975), der zu den bedeutendsten Romanautoren der jiddischen Literatur während des Nationalsozialismus gehörte, floh aus Warschau, nahm an den Verteidigungskämpfen Moskaus teil und war auch an den Kämpfen beteiligt, die zur

Eroberung Berlins durch die Russen führten. Seine berühmte Kriegstrilogie *»Bei die Toiren fun Moskau«* (1956), *»Bei der Weisel«* (1958) und *»Dos Fallen fun Berlin«* (1960) wurde in mehrere Sprachen übersetzt.

Trotz der zahlreichen jüdischen Opfer, die in Ghettos und Lagern umkamen, gelang es einer Minderheit von Schriftstellern, den Krieg zu überleben. *Rochel Auerbach*, die im nichtjüdischen Teil Warschaus untertauchen konnte, schilderte in lebendiger Prosa die Untergrundtätigkeit mutiger Juden auf beiden Seiten der Ghettomauern. Die Lyrikerin *Rivke Kviakovsky-Pinchasik* verfaßte im Ghetto von Lodz ein erschütterndes Gebet, in dem sie Gott bittet, ihr Dasein als menschliches Wesen zu beenden, da es viel leichter sei, das Leben eines Ochsen, Pferdes, Hundes oder eines Steins zu ertragen. *Chava Rosenfarb* schrieb ihr erstes Gedicht, als sie an ihrem 17. Geburtstag ins Lodzer Ghetto gebracht wurde. Dort schloß sie sich Simcha Bunim Schaievicz und Miriam Unlianover an, die beide 1944 in Auschwitz umkamen. Als auch sie in die Gaskammern geschickt werden sollte, entging sie wunderbarerweise im letzten Augenblick dem Tode. Es gelang ihr nach dem Krieg, einige der im Lager verlorengegangenen Gedichte, aus dem Gedächtnis neu zu schreiben. Ihr dreibändiger Roman *»Der Boim fun Leben«* (1972) handelt vom Leben und Sterben der Juden in Lodz. *Rachmil Bryks* (1912–1974), der ebenfalls das Ghetto in Lodz und das KZ Dachau überlebte, befaßte sich in drei Kurzgeschichten und zwei Gedichtbänden mit den Gefühlen der gequälten und dem Untergang geweihten Juden. Seine bekannteste Erzählung *»A Katz in Geto«* (1959) ist von grimmigem Realismus und sardonischem Humor getragen. Seine wunderbar lebendigen Geschichten kommentieren satirisch das menschliche Verhalten in Grenzsituationen. Sein ironisches Gelächter entsprang offenkundig dem Bedürfnis, in einer aus den Fugen geratenen Welt das geistige Gleichgewicht zu bewahren. Er glaubte, daß man die intensivste künstlerische Wirkung nicht dadurch erreichte, daß man das Leiden von Millionen generalisierte, sondern indem man auf einfache, ehrliche Weise von den Leiden, Gefühlen und Gedanken des einzelnen erzählte. Der einzelne Mann, die einzelne Frau, das einzelne Kind oder die einzelne Familie können als Symbol für alle dienen, eine Auffassung, die auch *Isaiah Spiegel* (1906 geb.) teilte, dessen zahlreiche Geschichten aus dem Lodzer Ghetto nicht nur Hungerszenen und die durch den Hunger hervorgerufenen Halluzinationen beschreiben, sondern auch kleine Akte der

Menschenfreundlichkeit, den Abgrund erhellende Lichtblicke, das Aufblitzen des Widerstands gegen die Unmenschlichkeit sowie Glaube und Hoffnung der Ghettobewohner, die sich ans Leben klammerten und moralisch nicht untergehen wollten. Die Erzählungen *»Stern Leichten in Teom«* (1976), die vor der Zerstörung des Lodzer Ghettos vergraben, später dann wiedergefunden wurden, schildern die endlose Traurigkeit, aber auch die Erhabenheit des stillen Heldentums der Juden, die in Baracken, ausgeplünderten Häusern und ausgestorbenen Straßen leben müssen und ihre Herzen wärmen an der Freundlichkeit, dem Mitleid und dem Vertrauen ihrer Mitmenschen.

Leib Rochman (1918 geb.), der die Vernichtung seiner jüdischen Gemeinde in einer kleinen polnischen Ortschaft überlebte – er konnte sich in hohlen Wänden, Gräben und Höhlen verbergen – veröffentlichte sein Tagebuch mit den Berichten über 14 leidensvolle Monate unter dem Titel *»Un in Dein Blut Sollstu Leben«* (1949). Von weitaus größerem literarischen Wert war sein autobiographischer Roman *»Mit Blinde Tritt iber der Erd«* (1969), in denen er über die Jahre unmittelbar nach der Befreiung schreibt. Sein Held, der einzige Überlebende einer ausgelöschten Judengemeinde, deren qualvolles Sterben er miterleben mußte, erhebt sich aus seinem Versteck im Tal des Todes, um – verfolgt von den Geistern seiner umgebrachten Glaubensbrüder – in seine Gemeinde zurückzukehren. Er irrt in den Ruinen der von Plünderern ausgeräumten Häuser umher, eine einzige Nacht in seinem alten Haus, das nun von seinen antisemitischen Nachbarn bewohnt ist, verweilend. Dann macht er sich auf, in der Hoffnung irgendwo Verwandte zu finden, bis er in einem Schweizer Sanatorium für drei Jahre eine Heimstätte findet, wo die an Leib und Seele Geschändeten allmählich wieder gesunden. Hier lernt er das Schicksal und den Zukunftsglauben der in einer buntgemischten Gruppe zusammenlebenden Patienten kennen, die auf solche Art einen Querschnitt durch das europäische Judentum der Nachkriegszeit bieten. Rochmans Chronik des Verfalls ist mit Thomas Manns *»Zauberberg«* und Hermann Brochs *»Der Tod des Vergil«* zu vergleichen, doch gibt es trotz kafkaesker Untertöne am Ende einen glücklichen Ausgang: der Held findet den Weg nach Israel, wo die gemarterten Leiber und Seelen der Reste des jüdischen Volkes von neuer Lebenskraft erfüllt werden.

Als die größte Katastrophe der jüdischen Geschichte der Neuzeit hatte die nationalsozialistische Massenvernichtung tiefgreifende Auswirkungen auf die Judenheit in allen Kontinenten. Sie wurden in erschütternden Werken jiddischer Schriftsteller dargestellt, die den Ort des grauenvollen Geschehens flohen. Es würde in der Tat schwierig sein, in irgendeinem Land einem jiddischen Schriftsteller zu begegnen, der nicht in seinem literarischen Werk das Thema der Massenvernichtung und die Auferstehung des jüdischen Volkes nach dem Kriege in Israel behandelt hätte. Als *Aaron Zeitlin* dem ersten Band seiner gesammelten Gedichte den Titel *»Lieder fun Churban un Lieder fun Gloiben«* (1967) gab, faßte er nicht nur seine eigene Lyrik zusammen, die zwischen apokalyptischen und messianischen Visionen wechselte, sondern auch die Literatur einer gesamten Generation. In seinen einleitenden Versen drückte er zugleich die Überzeugung aus, daß, solange auch nur ein einziger Jude auf dieser Erde weilt, sein Herz für die ermordeten Millionen seines Volkes bluten werde, und daß der Glaube an den Sinn des Lebens gleichbedeutend sei mit dem Glauben an eine mystische Verbindung zwischen dem finsteren Abgrund der Massenvernichtung und dem Neubeginn des jüdischen Volkes. Den Elegien auf Auschwitz, Maidanek und Treblinka folgten Hymnen auf die heldenhaften Soldaten und Pioniere eines neuen Lebens auf dem Boden des wiedererstandenen Israel. So erblühte neue Hoffnung aus der Verzweiflung.

Literatur:

I. Gar, P. Friedman: Bibliographie far jiddische Bicher Wegn Churbn un Gvura, 1962.
S. Kaczerginski (ed.): Lieder fun die Gettos un Lagern, 1948.
B. Mark: Umgekumene Schreiber fun die Gettos un Lagern, 1954.
K. Molodowsky: Lieder fun Churbn, 1962.
J. Wulf (ed.): Jiddische Geschichte aus den Ghettos, 1964.
J. Glattstein, I. Knox, S. Margoshes (eds.), Anthology of Holocaust Literature, 1969.

VII. Das Spätstadium und die weltweite Ausbreitung der jiddischen Literatur

Von den drei Hauptzentren der jiddischen Literatur vor dem Zweiten Weltkrieg – Polen, Sowjetunion, USA – behielt nach der Massenvernichtung der Juden durch die Nationalsozialisten lediglich das letzte seine Bedeutung bei. Das polnische

Zentrum war zugleich mit dem größten Teil der jüdischen Bevölkerung vernichtet worden, und die Bemühungen repatriierter jiddischer Schriftsteller, das jüdische Kulturleben in Polen wieder aufzubauen, blieben ohne Erfolg. *Hersch Smoliar* (1905 geb.), der vor dem Kriege im kommunistischen Untergrund in Polen gearbeitet und während des Krieges als Partisan in den Wäldern Weißrußlands gekämpft hatte, leitete die Kulturabteilung der polnischen Judenheit seit 1946. Es war Herausgeber der einzigen jiddischen Zeitung, die nach dem Kriege in Warschau erschien, der »Folksstimme«, deren Auflagenhöhe von Jahr zu Jahr sank, bis sie ab 1968 nur noch als Wochenschrift mit einer niedrigen Auflage von (1970) 3 000 Exemplaren herausgegeben wurde. Als eine neue Woge des Antisemitismus Polen erfaßte, mußte Smoliar das Land verlassen und emigrierte nach Israel. *David Sfard* (1905 geb.), Dichter und Essayist, gründete den »Farlag Idischbuch«, nachdem er 1946 nach Warschau zurückgekehrt war. Er zeichnete verantwortlich für die Publikation von mehr als 200 jiddischen Büchern, bevor auch er wegen des zunehmenden Antisemitismus Polen verlassen mußte und 1969 nach Israel auswanderte. *Binem Heller* (1906 geb.), dem produktivsten jiddischen Autor im Nachkriegspolen, bereitete das »Wunder des Kommunismus«, das er in seinen frühen Gedichten so bejubelt hatte, ebenfalls eine schwere Enttäuschung. Auch er fand – erfüllt von tiefer Reue – 1956 in Israel seine neue Heimat.

In der Sowjetunion konnte sich die jiddische Literatur nur bis 1948 behaupten, danach war sie zum völligen Schweigen verurteilt, und ihre begabtesten Autoren fristeten ihr Leben in Gefängnissen oder wurden von Erschießungskommandos umgebracht. Während der Chruschtschow-Ära verbesserte sich diese Situation nur unwesentlich, um durch die von der Sowjetregierung nach dem Sechstagekrieg verhärtete Anti-Israel-Politik eine Entwicklung zu erfahren, die es den jiddischen Schriftstellern beinahe unmöglich machte, ihre jüdische Identität zu bekunden. Zudem fehlte der Schriftstellernachwuchs, weil die jüdische Jugend 50 Jahre nach der russischen Oktoberrevolution verpflichtet war, Russisch zu sprechen und zu schreiben. Zwar erblühte noch einmal eine Renaissance des jüdischen Bewußtseins unter ihnen, so daß sie nach 1967 nicht mehr, wie in den zwei Jahrzehnten zuvor, als die »Juden des Schweigens« bezeichnet werden konnten, doch blieb ihr Verständnis des Jiddischen doch sehr begrenzt. Zudem beschränkten sich die älteren jiddischen Schriftsteller, die noch für die Leserschaft ihrer Generation in der einzigen jiddischen Monatsschrift »Sowetisch Heimland« schrieben, auf Reminiszenzen an die NS-Verfolgungen und die darauf folgende Zeit, oder aber sie glorifizierten unter dem Druck des Sowjetregimes die Errungenschaften des Kommunismus und schmähten den Kapitalismus. Viele von ihnen verließen die Sowjetunion, nachdem ihnen die Auswanderung nach Israel gestattet wurde, um in der neuen Heimat am Aufschwung der jiddischen Literatur mitzuwirken.

Auch in den Vereinigten Staaten zeichnete sich ein Niedergang der jiddischen Literatur ab – wenn auch nicht so rapide wie in Polen oder in der Sowjetunion. Ihr endgültiger Untergang wurde durch die aus Osteuropa einwandernden jiddischen Schriftsteller verhindert, die mit ihren in den *»Yizkor«-Büchern* festgehaltenen persönlichen und kollektiven Lebenserinnerungen schon quantitativ zur Stärkung der jiddischen Literatur beitrugen. Diese »Yizkor«-Bücher, von denen mehr als 500 erschienen, suchten die Aufzeichnungen über das Leben der Juden in den zerstörten und ausgelöschten Gemeinden zu verewigen, und auch der jiddische Roman befaßte sich ausgiebig mit der jüdischen Massenvernichtung und der Zeit davor, statt auf die unmittelbaren Ereignisse in der Neuen Welt einzugehen. Mehr noch, viele Romanautoren zogen es sogar vor, in ihrer Phantasie noch weiter auf die zurückliegenden Zeiten des jüdischen Galuthdaseins zurückzugreifen, so daß der historische Roman eine wahre Blütezeit erlebte. Biblische Themen und Charaktere erweckten Schalom Asch in seinem »Moses« (1951) und Shmuel Izban (geb. 1905) in »Jezebel« (1960) und »Jericho« (1966) zu neuem Leben; Mendl Osherowitz (1888–1965) ging in »Kenigin Miriam« (1957) auf die tragische Zeit König Herodes' zurück, Joseph Opatoshu (1886–1954) wählte den Bar-Kochba-Aufstand als Thema seines »Rabbi Akiva« (1948), und Zalman Schneour verfaßte unter dem Titel »Kaiser un Rabbi« einen fünfbändigen Roman, der zwischen 1944 und 1952 im Druck erschien. Das größte Interesse in der Öffentlichkeit fanden aber die historischen Romane I. Bashewis Singers, der den Zeitraum von den Chmelnitzky-Massakern (Mitte des 17. Jh.s) bis zum Beginn des Ersten Weltkrieges als Hintergrund seiner Romane wählte.

Mit der Schließung des »Yiddish Art Theatre« in New York im Jahre 1950 fiel die letzte Theaterbastion, und die Dramatiker mußten sich anderen literarischen Medien zuwenden oder sich damit abfinden, Buch-Dramen zu schreiben, deren Aufführung in Originalsprache sie immer weniger erhofften durften.

H. Leivick, Fishel Bimko, Ossip Dymow, Leiser Treister und Zvi Kahn zählten zu den letzten jiddischen Dramatikern in den USA.

Jiddischer Humor, jiddische Satire und sardonischer Witz, die seit den Erzählungen über Chelm, seit den »Heldentaten« Herschele Ostropolers und den Gesängen der Badchonim große Berühmtheit erlangt hatten, erreichten in den Vereinigten Staaten im ersten Viertel des 20. Jh.s ihren Höhepunkt mit »Der Groißer Kundus«, der 1909 gegründet und von *Jacob Marinov* (1869–1964) herausgegeben wurde. Zu seinen Mitarbeitern gehörten Scholem Aleichem, Jehoasch, A. Lutzky, Moshe Nadir, Abraham Reisen, Moshe Leib Halpern, Jacob Adler, der unter dem Pseudonym B. Kovner (1874–1974) schrieb, und Chaim Gutman (1887–1961), der als »der Lebediker« weit besser bekannt war. Der Humor und die laute Fröhlichkeit dieser Schriftsteller nahm mit ihrem Alter ab, zumal die Jahre nach der jüdischen Massenvernichtung der Entwicklung humoristischer Erzählungen nicht gerade förderlich sein konnten. Mit dem Tode Marinovs im Alter von 95 Jahren und Adlers, der in seinem hundertsten Lebensjahr starb, ging die Ära der Humoristen ihrem Ende entgegen.

Die jiddische Lyrik der Nachkriegszeit war von zwei Themen beherrscht: Massenvernichtung und Israel. Die in den USA ansässigen Dichter, die das grauenvolle Leiden ihrer europäischen Glaubensbrüder nur mittelbar verspürten, befiel ein Gefühl der Schuld und Ohnmacht, das *H. Leivick* als erster in seinen Gedichten »In Treblinka Bin Ich Nit Gewen« (1945) in Worte faßte. Während Leivick, der sich mit den dezimierten Juden Europas zu identifizieren versuchte, mit Gott haderte, flehte Jacob Glatstein Gott an, das den europäischen Juden auferlegte Strafgericht auch über ihn ergehen zu lassen, stets die Antwort auf die Frage suchend, warum er selbst denn verschont bleiben sollte, wenn so viele Angehörige seiner eigenen Religion so viel Leid ertragen mußten. In seinem lyrischen Zyklus »Strahlendike Jiedn« (1946) beschreibt er, wie ihn Millionen ausgestreckter Hände in seinen Visionen bitten, die Leiden der Juden hinauszuschreien und Vermittler zwischen den Gemarterten und ihren Nachkommen zu sein. Nicht länger definierte er die Juden als ein Volk, eine Rasse oder als Religionsgemeinschaft, sondern als eine Sekte von Trauernden, die stumm Urnen trugen, als eine Legion der Überlebenden, die im Gedenken an ihre umgekommenen Glaubensbrüder in einem endlosen Trauerzug marschierten. Die Tora, die das jüdische

Volk am Berg Sinai von Gott empfangen hatte und die ihnen Jahrtausende lang den Weg gewiesen hatte, wurde ihm in den Gaskammern zurückgegeben. Die Toten konnten Gott nicht länger preisen!

Als Gegengewicht zu den poetischen Elegien können die Freudenhymnen auf das wiedererstandene Heimatland der Juden gelten. Die Sehnsucht nach Israel, dem Juden aus aller Welt zuströmten, veranlaßte Itzik Manger, Amerika zu verlassen, um in den erblühenden Judenstaat zu ziehen. Glanz-Leyeles und Kadia Molodowsky wurden durch einen vorübergehenden Aufenthalt in Israel und durch den Kontakt mit den dort lebenden, hoffnungsvollen Juden zu neuer Schaffenskraft inspiriert, und Mordecai Joffe (1899–1961) ergänzte seine vier Bände aus dem Hebräischen ins Jiddische übersetzter Gedichte durch einen weiteren Band jiddischer Lyrik in Israel, der 1961 veröffentlicht wurde.

Nach 1950 lassen sich keine neuen jiddischen Poeten von Bedeutung in Amerika feststellen. Einige weniger bedeutende waren Frauen, die in einem gesicherten, kultivierten Milieu lebten und für die die Ereignisse in Europa und Israel lediglich einen stummen, melancholischen Hintergrund für die Wirklichkeit bildeten, die sie umgab: Mutterschaft und die trauten Freuden und Sorgen gleichförmig dahinziehender Lebensjahre.

Mit dem zunehmenden Alter der jiddischen Dichter und Leser drohte den einst blühenden Zentren der jiddischen Literatur in Chicago, Detroit, Philadelphia und in anderen Städten das Ende. Lediglich Los Angeles und Montreal konnten sich in den siebziger Jahren neben dem Hauptzentrum New York behaupten. In *Montreal* hatte *J. I. Segal* (1896–1954) den Boden für die jiddische Literatur bereitet. In Kanada lebten zum Zeitpunkt seiner Immigration insgesamt nur 75 000 Juden, deren Zahl bis zu seinem Tode auf fast eine Viertelmillion anwuchs. Mehr als die Hälfte von ihnen lebte in Montreal. Schon 1907 wurde in Montreal eine jiddische Tageszeitung, der »Canader Adler«, herausgegeben, die Hirsh Wolofsky (1876–1949) gegründet hatte und deren Schriftleiter Segal war. Segal stimulierte die jiddische Literatur in Kanada und gab ihr die wesentlichen Impulse. Seine eigenen Lyriksammlungen umfaßten nach vier Jahrzehnten schriftstellerischer Tätigkeit ein Dutzend Bände. Die jüdische Volksbücherei in Montreal, 1914 von dem jiddisch-hebräischen Publizisten Reuben Brainin (1882–1939) und dem Wissenschaftler Yehuda Kaufman (1886–1976) ins Leben gerufen, entwickelte sich zu einem bedeutenden jiddischen Bildungszentrum, besonders nachdem der dynamische Dichter Melech Ravitch begann, Seminare und Bildungsprogramme für Erwachsene zu organisieren. Als H. M. Kaiserman-Vital (1884–1950) 1934 seine Studie »Jiedische Dichter in Kanada« veröffentlichte, konnte er ausgewählte Werke von mehr als 30 jiddischen Autoren aufnehmen, während er nur knapp ein Dutzend jüdische Autoren, die in englischer Sprache schrieben, benannte. Aufgrund der jüdischen Einwanderer aus Europa stieg die Zahl der jiddischen Schriftsteller zwar an, doch die Zahl der Leser nahm fortwährend ab, da das Englische als die Verkehrssprache der nachfolgenden Generationen immer mehr die Oberhand gewann. Die wichtigsten jiddischen Schriftsteller in Kanada sind mit Rochel Korn (1898 geb.), Melech Ravitch (1893–1976), Jacob Zipper (1900 geb.), Sholem Shtern (1907 geb.), Peretz Miranski (1908 geb.) M. M. Shaffir (1909 geb.), N. I. Gotlib (1903–1967) und mit Yehuda Elberg (1912 geb.) genannt. Elberg, ein Überlebender des Warschauer Aufstandes, schildert in seinem realistischen Roman »Ofm Spitz fun a Mast« (1974) die Zeiten des Naziterrors, der Unterdrückung durch das kommunistische Regime in Polen und des Aufstiegs des jüdischen Volkes aus den Tiefen des Leidens zum heroischen Neubeginn. Einen hervorragenden wissenschaftlichen Beitrag lieferte Simcha Bunim Petrushka (1893–1950) mit seiner Mischna-Übersetzung (1945–1949). Ihm folgte Shimshon Dunsky (1899 geb.) mit mustergültigen Übersetzungen der Midrasch-Literatur, in denen er versuchte, das Archaische des Originals mit dem zeitgenössischem Jiddisch zu verbinden.

Los Angeles' Bedeutung als jiddisches Literaturzentrum am Pazifik entwickelte sich später als die Montreals, erreichte jedoch im Zuge einer 50jährigen Entwicklung nach der im Ersten Weltkrieg einsetzenden jüdischen Masseneinwanderung ein höheres Ausmaß. In diesem Zeitraum stieg die Zahl der jüdischen Bevölkerung in Los Angeles von ca. 10 000 auf mehr als eine halbe Million, wodurch auch das Jiddische einen Aufschwung nahm. Aber auch hier ließ wie überall das Interesse an der jiddischen Literatur in den auf die Einwanderer folgenden Generationen mit der Annahme der englischen Sprache nach. Als Herausgeber der frühesten jiddischen Zeitschriften sind Yecheskel Wortsman (1878–1938) und Isaac Friedland (1884–1965) zu nennen. Mit der Ankunft des Poeten H. Rosenblatt (1878–1956) im Jahre 1921 und den Romanciers Lamed Shapiro (1878–1948) und S. Miller (1895–1958) erlangte dann Los Angeles seinen Ruf als Zentrum der jiddischen Literatur des amerikanischen Westens und wurde zum Anziehungspunkt nachfolgender jiddischer Schriftsteller, die ihre späten Lebensjahre in dem milden Pazifikklima verbringen wollten. Hier fand Peretz Hirschbein (1880–1948) in seinen letzten Lebensjahren einen angemessenen Kreis von Bewunderern, nachdem er zuvor die ganze Welt durchstreift hatte. Hier schrieb Kalmon Marmor (1876–1956) seine Lebenserinnerungen. Hier vollendete Zalman Zylbercweig die letzten Bände seiner Enzyklopädie des jiddischen Theaters. Hier fand der Pädagoge und Jiddist Abraham Golomb (1888 geb.), der in seinem 76. Lebensjahr nach Los Angeles kam, eine Gruppe begeisterter Schüler, die ihn dazu ermunterten, eine weitere Anzahl von Essay-Bänden, das Ergebnis seiner gereiften Lebensweisheit, zu veröffentlichen.

Hier gab der *»Young Chicago«-Kreis,* eine Gruppe jiddischer Schriftsteller des Mittelwestens, die in den zwanziger Jahren ihre Blütezeit erlebte und Schriftsteller wie Mattes Deitsch (1894–1966) und I. E. Ronch (1900 geb.) hervorbrachte, ihre Gedichte heraus. »Heschbon«, 1946 gegründet, war das wichtigste Organ der jiddischen Literatur im amerikanischen Westen. In den zwei Jahrzehnten vor seiner Veröffentlichung waren bereits mehr als 50 Bände Prosa und Lyrik jiddischer Schriftsteller in Los Angeles erschienen, denen in den darauffolgenden Jahren noch weitere 50 Bücher von literarischem Rang folgten. Danach jedoch begann der Verfall der jiddischen Literatur an der pazifischen Küste, da auch die Leserschaft alterte und ständig abnahm. Für die Kinder dieser Autoren und die Kinder ihrer Leser wurde das Jiddische zu einer Sprache, an die man sich nur noch dunkel erinnerte, für die Enkel gar ein historisches Relikt, das nur noch in einigen bildhaften, den englischen Wortschatz ergänzenden Ausdrücken weiterlebte.

Der Massenexodus osteuropäischer Juden, deren Muttersprache das Jiddische war, führte zu einer weltweiten Ausbreitung jiddischer Schriftsteller und Leser. In Mittelamerika wurden vor allem in Mexiko und Kuba größere jüdische Gemeinden gegründet, die zu Standorten der jiddischen Literatur heranwuchsen. In *Mexiko* nahm sie im Jahre 1927 ihren Anfang, als Jitzchok Berliner (1899–1957), Jacob Glantz (1902 geb.) und Moshe Glikovsky (1904 geb.) einen gemeinsamen Gedichtband unter dem Titel »Drei Wegen« herausgaben. *Berliner* wurde später sogar über die Grenzen Mexikos hinaus bekannt durch seine Lyrikbände »Schtot fun Palatzen« (1936), von Mexikos berühmtesten Maler, Diego Rivera, wundervoll illustriert, und »Gesang von Mentsch« (1954), in dem Berliner sich mit der Bedeutung des Todes auseinandersetzt, um Trost und Zuversicht in einem kosmischen Glauben zu finden. Glantz, der literarische Schriftleiter der von dem bahnbrechenden Journalisten Moshe Rosenberg 1930 gegründeten Zeitung »Der Weg«, war ein eklektischer Lyriker, der stets mit neuen Formen experimentierte und dessen sechs Gedichtbände die jiddische Literatur um mexikanische Themen bereicherte. Der eifrigste und witzigste Beobachter des jüdischen Lebens in Mexiko, *Abraham Weisbaum* (1895–1970), der oft mit Scholem Aleichem verglichen wurde, schuf in seinen humorvollen Büchern »Mexikaner Zigzag« und »In Mexikaner Gan-Eden« unvergeßliche Gestalten. Er hielt der mexikanischen Judenschaft ein Spiegelbild ihrer Schwächen und Unzulänglichkeiten vor, aber ohne jede Boshaftigkeit und im festen Glauben an eine moralische Regenerierung seiner Glaubensbrüder. Die Zustände, die er aufdeckte, zeigen den Verfall der Emigrantengeneration unter dem Einfluß allzu plötzlichen Überflusses und den entschlossenen Kampf einer kleinen Gruppe jiddischer Intellektueller gegen die Woge der Assimilation. Der ernsthafteste Kritiker der nachfolgenden Generation, die im Überfluß aufwuchs, ohne die dynamische Vitalität ihrer Väter zu besitzen, war *Salomon Kahan* (1897–1965), dessen fünf Essay-Bände das gesamte Gebiet der Entwicklung der jiddischen Kultur in Mexiko abdecken. *Meir Corona* (1890–1965), in Polen aufgewachsen und zu den Pionieren in Palästina gehörend, verfaßte in den vierzig Jahren, die er in Mexiko verbrachte, ausschließlich Erzählungen über das Schicksal und Leben der jüdischen Einwanderer in Mexiko, wobei sein Humor von Traurigkeit überlagert und seine bittere Lebenseinsicht mit ironischer Nachdenklichkeit gepaart ist. Mit zwei Tageszeitungen, mehreren Wochen- und Monatsschriften und mit Hilfe von Mäzenen, die jiddische Publikationen unterstützten und Literaturpreise aussetzten, blieb Mexiko auch in den siebziger Jahren ein Zentrum jiddischen Literaturschaffens; doch, wie überall, so alterte mit den jiddischen Schriftstellern auch hier ihr Leserpublikum.

In *Kuba* durften sich Juden bis 1881 nicht niederlassen, und die wenigen, die sich bis zum Ersten Weltkrieg auf dieser größten karibischen Insel ansiedelten, sprachen nicht Jiddisch. Erst im Zuge der 1920 in den USA erlassenen Einwanderungsbeschränkungen wanderten osteuropäische Emigranten nach

Kuba aus. Ihre kulturellen Bedürfnisse wurden befriedigt, als 1924 in Havanna das erste jiddische Zentrum, das »Centro Hebrero« eröffnet wurde, und als ab 1925 jiddische Zeitungen erschienen. Nach 1932 bot die halbwöchentlich erscheinende »Havaner Leben« die beste Möglichkeit, literarische Werke in jiddischer Sprache zu publizieren. Die beiden Herausgeber, Y. O. Pines und Eliezer Aronowsky, bildeten zusammen mit N. D. Korman einen Literaturkreis, der sich *»Jung-Cuba«* nannte. *Kormans* erster Gedichtband »Oif Inselscher Erd« (1927) war erfüllt von Freude und Hoffnung auf eine strahlende Zukunft, während der skeptischere Aronowsky in seinen vier Gedichtbänden »Kubaner Lieder« (1928) einen pessimistischeren Ton anschlug. Pines' bestes Werk war das poetische Epos »Hatuey« (1931), eine Idealisierung des haitischen Volkshelden Hatuey, der nach erfolglosem Kampf gegen die spanischen Eroberer 1511 nach Kuba flüchtete, wo er die Siboney-Indianer in ihrem mutigen, aber hoffnungslosen Kampf anführte, bis er 1512 in Gefangenschaft geriet und auf dem Scheiterhaufen endete. Hatuey, der edle Wilde, symbolisiert beziehungsreich jene unzerstörbare Freiheitsliebe, deren Geist auch angesichts des Todes nicht zerbricht.

Die hervorragendsten Vertreter jiddischer Erzählungskunst in Kuba waren *Abraham Joseph Dubelman* und *Pinchas Berniker,* die beide in ihren Werken das soziale und geistige Milieu der isoliert lebenden jüdischen Händler und Geschäftsleute schildern und den Wunsch der trotz ihres steigenden Wohlstands Unglücklichen, wieder in der jüdischen Gemeinschaft zu leben, nachempfinden.

Das Einwanderungsverbot für Juden nach Kuba am Vorabend des Zweiten Weltkrieges, die Massenwanderung der Juden nach Nordamerika während des Krieges und danach, die – wenn auch in kleinerem Maße – einsetzende Auswanderung nach Israel und die Flucht der wohlhabenderen Juden nach der Machtergreifung Fidel Castros, sowie der zunehmende Gebrauch der spanischen Sprache unter den in Kuba verbleibenden Juden sind die Faktoren, die der jiddischen Literatur in Kuba abträglich waren und zu ihrem jähen Verfall nach ihrer kurzen Blütezeit in den zwanziger und dreißiger Jahren führten.

Als hauptsächliche Verbreitungsgebiete der jiddischen Literatur in Lateinamerika kommen Argentinien, Brasilien und Chile in Betracht, von denen sich *Argentinien* zu einem wichtigen Zentrum der jiddischen Literatur in Übersee entwickelte. Dort hatte man 1889 versucht, Juden in großer Zahl auf landwirtschaftlichen Gütern anzusiedeln, doch es dauerte nicht lange, bis viele dieser Siedler ihre Farmen verließen und in die Hauptstadt Buenos Aires zogen. Hier erblühten nach dem Ersten Weltkrieg jiddische Schulen, das jiddische Buch- und Pressewesen – die Tageszeitungen »Die Jiedische Zeitung« und »Die Presse« wurden 1914 bzw. 1918 gegründet – jiddische Schauspieler fanden ein breites Publikum und die jiddischen Schriftsteller eine sich stark vermehrende Leserschaft. 1944 konnte eine 90 Beiträge umfassende Anthologie jiddischer Literatur in Argentinien herausgebracht werden, und – bereichert durch den Zustrom jüdischer Intellektueller, die vor den Naziverfolgungen flohen – zählte Argentinien nach den USA und Israel, gemessen an der Anzahl der Buchveröffentlichungen, dann in den fünfziger und sechziger Jahren zu den Hauptzentren der jiddischen Weltliteratur.

Unter den in Argentinien veröffentlichten Publikationen in jiddischer Sprache waren 150 Bände der Serie »Dos Poilische Jiedentum« und eine ständig steigende Zahl jiddischer Meisterwerke, die von Shmuel Rozhansky herausgegeben wurden. Immerhin lebte 1970 fast eine halbe Million Juden in Argentinien, davon 300 000 allein in Buenos Aires. Der bahnbrechende Schriftsteller der jiddischen Literatur Argentiniens war *Mordecai Alperson* (1860–1947), der mit der ersten Einwanderungswelle im Jahre 1891 ins Land kam und dessen 15 Bücher einige lesenswerte Erzählungen über das Leben der jüdischen Kolonisten in den landwirtschaftlichen Siedlungen Argentiniens enthalten. Zu den Prosa-Schriftstellern, die vor dem Ersten Weltkrieg die Szene der jiddischen Literatur in Argentinien beherrschten, gehörten Michael Sinai Hacohen (1877–1958), Y. S. Liachovitzky (1874–1937), Baruch Bendersky (1880–1951), Aaron Brodsky (1878–1925), Israel Helfman (1886–1935), Noah Vital (1889–1961) und Pinie Katz (1882–1959). Zu den Wegbereitern der jiddischen Lyrik in Argentinien zählten Moshe Pinchevsky (1894–1955) und Aba Kliger (1893 geb.). Unter den bekannteren Schriftstellern, die nach der bis 1920 dauernden Anfangsperiode die argentinisch-jiddische Literatur weiterentwickeln halfen, fanden sich Leib Malach (1894–1936), Verfasser weltweit verbreiteter Theaterstücke, vielgelesener Reiseskizzen und latein-amerikanischer Erzählungen, Moshe David Giser (1893–1952), der literarische Zeitschriften herausgab und Gedichte, Balladen, Kinderlieder und literarische Essays verfaßte, Jakob Botaschansky

(1892–1964), der den Höhepunkt seines literarischen Schaffens als Dramatiker und Literaturkritiker in Rumänien erlangte, bevor er sich 1926 in Argentinien niederließ und als Schriftleiter der »Presse« sowie als Literaturhistoriker und -kritiker erfolgreich war; ferner Pinchas Eliezer Zhitnitzky (1894–1967), der über vier Jahrzehnte eine zentrale Gestalt des jiddischen Kulturlebens in Argentinien gewesen ist, der oben erwähnte Shmuel Rozhansky, Kolumnist, Theaterkritiker und Literaturhistoriker, Berl Grynberg (1906–1961), der in seinen Kurzgeschichten realistische und romantische Züge vereinte, Gershon Sapozhnikov (1907 geb.) Herausgeber, Essayist und Pädagoge, Kehos Kliger (1908 geb.), der Balladen über die Pampas schrieb und dessen Gedichte tiefes Mitgefühl für die sozial Benachteiligten erkennen lassen, und Mimi Pinson (1910 geb.), die im Kindesalter nach Argentinien gekommen und in einer Spanisch sprechenden Umgebung aufgewachsen war, dennoch aber jiddische Erzählungen in reinem, idiomatischen Stil schrieb.

Unter den jiddischen Schriftstellern, die nach dem Zweiten Weltkrieg in Argentinien Zuflucht fanden, waren neben Schmerke Kaczerginski (1903–1954), der einer der tragenden Schriftsteller der »Jungwilna«-Gruppe gewesen war, namhafte Autoren wie der Poet, Dramatiker und Journalist J. Yonasovitch (1909 geb.), Abraham Zak (1891 geb.), Dichter, Herausgeber und Verfasser der epischen Trilogie »Eine Welt Geht Unter« (1954–1958), Baruch Hager (1898 geb.), berühmt durch seine chassidischen Geschichten, Israel Aschendorf (1909–1956), Dichter, Erzähler, Herausgeber und Dramatiker, Mark Turkov (1904 geb.), Herausgeber zahlreicher Bände von »Dos Poilische Jiedentum«, sowie sein Bruder Sigmund Turkov (1896–1970), der jiddische Theateraufführungen in Buenos Aires anregte und dabei auch Regie führte.

Trotz der unermüdlichen Bemühungen jüdischer Erzieher, Herausgeber und Gemeindevorsteher in Argentinien, Buenos Aires als eine Bastion der jiddischen Kultur zu erhalten, war es nicht zu vermeiden, daß durch die Hinwendung der jüngeren jüdischen Bevölkerung zur spanischen Sprache und durch den Exodus jiddischer Intellektueller nach Israel – besonders nach dem Sechs-Tage-Krieg 1967 –, ein ständiger Rückgang der Zahl jiddischer Leser, Theaterbesucher und Schriftsteller zu verzeichnen war, so daß in den siebziger Jahren die große Bedeutung der jiddischen Literatur in Argentinien im Schwinden begriffen ist.

In *Chile* erreichte die Zahl der jüdischen Bevölkerung noch nicht einmal den zehnten Teil der jüdischen Bevölkerung Argentiniens. Die jiddischen Schriftsteller in Chile zehrten von den literarischen Strömungen in Argentinien, und der begabteste jiddische Autor in Chile, Moshe David Giser (1893–1952), lebte neun Jahre in Argentinien, ehe er sich 1933 in Santiago niederließ, wo er die vierzehntägig erscheinende Wochenschrift »Sied-Amerika« und die Wochenschrift »Chilener Jiedisches Wochenblat« herausgab. Auch der Mitherausgeber dieser Zeitschrift, Noah Vital, lebte bekanntlich zwanzig Jahre in Argentinien, ehe er 1926 nach Chile auswanderte. Andere jiddische Schriftsteller, die aus Argentinien stammten und in Chile ihr literarisches Lebenswerk beendeten, waren Yitzchok Blumstein (1897 geb.), der »Dichter der argentinischen Anden«, der 1936 nach Chile kam, und der anerkannte Dramatiker Pinchas Bizberg (1898 geb.), den es 1958 in die chilenische Hauptstadt zog. Nur Jacob Pilovsky (1898–1969) wanderte 1924 als junger Mann direkt nach Chile aus und nahm über Jahrzehnte hinweg eine führende Position auf dem Gebiet der jiddischen Literatur und Presse in Santiago ein. 1930 erschien in Santiago die erste jiddische Zeitung Chiles: die »Idische Presse«, der sieben Jahre später die Wochenzeitung »Dos Wort« folgte. Der Unterstützung der großen Judengemeinde von Buenos Aires verdankt die wesentlich kleinere Gemeinde in Santiago ihren Fortbestand. Allerdings trug der seit 1970 beträchtlich anschwellende Strom jüdischer Auswanderer dazu bei, daß Umfang und Bedeutung der jiddischen Literatur auch in Chile in zunehmendem Maße abnahmen.

Die jüdische Bevölkerung *Brasiliens*, die in den siebziger Jahren des zwanzigsten Jahrhunderts mehr als 150 000 Menschen umfaßte, stammte aus Mittel- und Osteuropa. Um den Bedürfnissen der Immigranten zu entsprechen, wurden jüdische Schulen gegründet, und zwischen 1915 und 1930 etablierte sich hier ein jiddisches Pressewesen. Als jedoch die Regierung während des Zweiten Weltkrieges alle fremdsprachigen Presseorgane verbot, mußten auch die jiddischen Zeitungen ihr Erscheinen bis zur Aufhebung dieses Verbots im Jahre 1947 einstellen. Danach erschienen sie wieder unter der Schriftleitung ihrer früheren Herausgeber Aaron Bergman (1890–1953) und I. Z. Raizman (1901–1976). Der letztere veröffentlichte im Jahre 1968 einen detaillierten Überblick über die Entwicklung der jüdischen Presse in Brasilien.

Wegbereiter der jiddischen Literatur in Brasilien waren

Adolph Kishinovsky (1891–1935), der durch seine Kurzgeschichten über das Leben der Einwanderer Popularität erlangte, der genannte Publizist I. Z. Raizman, dessen reifer Roman »Lebens In Sturm« (1965) sich mit dem jüdischen Leben in Brasilien zu Beginn des zwanzigsten Jahrhunderts befaßte, Aaron Koifman (1892 geb.), Menashe Halpern (1871–1960), Leibush Singer (1906–1939), Joseph Lande (1905 geb.), Elkana Harmatz (1910 geb.) und Elihu Lipiner (1916 geb.), dem größerer literarischer Erfolg durch sein, das Schicksal der portugiesischen Juden beschreibendes Werk »Bei die Teichen fun Portugal« (1949) beschieden war. Auch Rosa Palatnik (1904 geb.) muß erwähnt werden, die sich in ihren Erzählungen an ihre polnische Heimat zurückerinnert und das jüdische Leben in Rio de Janeiro, wo sie sich seit 1936 aufhielt, beschrieb.

Wie in den anderen lateinamerikanischen Ländern trug auch in Brasilien die sprachliche Assimilation der jüdischen Jugend dazu bei, daß immer weniger jiddische Publikationen gelesen und veröffentlicht wurden, eine Entwicklung, die durch die Auswanderung jiddischer Schriftsteller nach Israel noch verstärkt wurde.

Entsprechendes trifft auch auf Südafrika und Australien zu, wo das jiddische Kulturleben jahrzehntelang in hoher Blüte stand. Vor 1850 war die Zahl der Juden, die nach *Südafrika* auswanderten, relativ gering. Die ersten jüdischen Siedler stammten vornehmlich aus England und Deutschland, während sich nur wenige Jiddisch sprechende Ostjuden in den siebziger Jahren des 19. Jh.s in Südafrika niederließen. Ihnen folgten aber in den achtziger Jahren litauische Juden, die vor den russischen Pogromen flohen und in der neuen Heimat Freiheit und Wohlstand fanden. Ihnen verdanken wir die Entwicklung der jiddischen Presse und Literatur in Südafrika. Der Begründer des jiddischen Pressewesens im Burenland war Dov Baer Hoffman (1857–1928), der im Jahre 1890 das erste jiddische Wochenblatt in Südafrika, »Der Afrikaner Israelit« herausgab. Ein weiterer Pionier des jiddischen Journalismus im Kapland war *David Goldblatt* (1866–1945), der als Herausgeber der Wochenzeitung »Der Jiedischer Advokat« (1904–1914) und als Verfechter der Anerkennung des Jiddischen als einer europäischen Sprache in Erscheinung trat. Das Einwanderungsgesetz von 1902 beschränkte nämlich die Möglichkeiten der Ansiedlung in der Kap-Provinz und Natal auf solche Personen, die eine schriftliche Prüfung in einer europäischen Sprache bestanden. So liefen Juden, deren Muttersprache das Jiddische war, Gefahr, keine Einwanderungserlaubnis zu erhalten. Die südafrikanischen Behörden ließen das Jiddische allenfalls als »Jargon«, nicht aber als Nationalsprache eines europäischen Landes gelten, zumal es den Charakter einer orientalischen Schriftsprache besitze; Goldblatt, der in seiner Broschüre »Yiddish, Is It A European Language?« alle Argumente für die Anerkennung der jiddischen Sprache zusammenfaßte, veranlaßte die gesetzgebende Versammlung der Kap-Provinz, Jiddisch als mit anderen europäischen Sprachen gleichwertige Sprache rechtlich anzuerkennen. Dreißig Jahre lang arbeitete Goldblatt an einer auf zwanzig Bände geplanten jiddischen Enzyklopädie, doch gelang es ihm nur, die beiden ersten Bände fertigzustellen und zu veröffentlichen. Sein kämpferischer Einsatz für das Jiddische fand Ausdruck in zahlreichen Essays und in seinem Buch »In Kamf far der Jiddischer Sprach« (1942).

Im Gegensatz zum militanten Goldblatt vermied der Romanschriftsteller *Hyman Polsky* (1871–1944) jede Kontroverse und laute, sensationelle Effekte, beschränkte sich vielmehr darauf, den unter dem Druck des Lebenskampfes und dem Einfluß der neuen Lebenswelt sich vollziehenden charakterlichen Wandel der aus Litauen emigrierten jüdischen Siedler zu beschreiben. Polsky schilderte Familientragödien, wobei er Mitgefühl und Verständnis für die menschlichen Unzulänglichkeiten zeigte. Weniger tolerant erwies er sich jedoch gegenüber den assimilierten, wohlhabenden Juden, die mit ihrem erworbenen Reichtum prahlten und die traditionellen jüdischen Wertbegriffe vergessen wollten.

Morris Hoffman (1885–1940), ein ebenso eifriger Beobachter und gewissenhafter Chronist der Emigrantengeneration, betonte in seinen Gedichten und Kurzgeschichten vor allem die Tragödie der jungen, idealistischen Einwanderer, die sich den primitiven afrikanischen Lebensbedingungen unterwarfen, Bedingungen, denen nur der Starke, Brutale und Skrupellose, nicht aber der Sanftherzige, Freundliche, auf die Zukunft Hoffende standhalten konnten und die jeden Intellektualismus vernichteten. Hoffmann beschrieb den Zusammenbruch der Moral in einer lebensfeindlichen Umwelt, wählte Themen, die der Entweihung der Nächstenliebe und dem wilden, verdammungswürdigen Leben der Neureichen gewidmet waren.

Der 1903 in Transvaal eingetroffene Jacob Mordecai Sherman (1885–1958) begann seine literarische Laufbahn mit schwermütigen Gedichten, erfüllt von der Mühsal, den Anstrengungen und Anforderungen und der Unruhe der ersten

Jahre in der Fremde. Sein autobiographischer Roman »Land fun Gold un Sunschein« (1956) hebt die freundlichen Beziehungen zwischen Buren und Juden heraus und betont den Respekt der religiösen Buren gegenüber dem biblischen Volk.

Richard Feldman (1897–1968) stellte in seinen Kurzgeschichten »Schwartz Un Weiß« (1937) die Würde, Warmherzigkeit und Fröhlichkeit der Schwarzen dar, zeigte auf, wie sie in den Gold- und Diamantminen ausgebeutet wurden und – aus dem Stammesverband gelöst – physisch und moralisch zugrunde gingen. Sein älterer Bruder *Leibel Feldman* (1896–1975) steigerte in seinen Werken die Tendenz dieser Aussage, indem er dem »zivilisierten Europäer« den »edlen Wilden« als moralisch wertvolleres Geschöpf gegenüberstellte. Dieser romantische Rousseau-Standpunkt wurde von ihm besonders in seiner impressionistischen Skizze über seinen vorübergehenden Aufenthalt bei den Betschuana und in seiner Erzählung über seine Arbeit als Diamantengräber herausgestellt.

Die jiddische Literatur in Südafrika erreichte ihren Höhepunkt mit der Gründung eines Jiddischen Kulturbundes (Yiddish Cultural Federation) im Jahre 1947, der ersten Veröffentlichung seiner Monatsschrift »Dorem Afrika« (1948) und der Gründung des Verlagshauses »Kayor« im Jahre 1949. »Kayor« gab die Gedichtsammlungen von Michel Ben Moshe (1911 geb.), die Skizzen Hyman Ehrlichs (1888 geb.), Nathan Bergers (1910 geb.) episches Gedicht auf Johannesburg, »Beim Rand fun Gold« (1966) heraus. *Berger* schließt den ersten Gesang seines Epos mit den Lebenserinnerungen eines alten Swazi-Wachmannes, der in seiner Phantasie noch einmal den langen Weg vom heimatlichen Kral seines Stammes bis zu seiner einsamen Nachtwache, die er fern seines Stammes verbringt, nacherlebt. In seinem zweiten Gesang entwirft der Dichter ein facettenreiches Bild der Johannesburger Juden, ihren Aufstieg zum Wohlstand, ihre aus der Heimat überlieferten kulturellen Güter, und schildert, wie sie allmählich den assimilatorischen Kräften der verlockenden Umwelt nachgeben. Er schließt mit der traurigen Feststellung, daß diese jüdische Gemeinde, die so lange und zäh um den Erhalt ihres Gemeinschaftscharakters gekämpft hat, sich immer weiter von der traditionellen Lehre entfernt und lange bewahrte kulturelle Positionen aufgibt, nur um dem Drängen der neuen Umwelt zu gehorchen. Die inhaltliche Verbindung zwischen dem ersten und zweiten Gesang und der Bezug zur Biographie des Autors liegen auf der Hand.

Als hervorragendster jiddischer Lyriker Südafrikas gilt *Da-*

vid Fram (1903 geb.), der (seit 1923) seine ersten idyllischen Gedichte dem jüdischen Leben in Litauen widmete, ehe er 1927 nach Johannesburg emigrierte, um sich dann später in Salisbury in Rhodesien niederzulassen. Seine Gedichtsammlung »Lieder un Poemes« (1931) ist erfüllt von der südafrikanischen Landschaft und den Erfahrungen, die er in Südafrika gesammelt hat, in seiner späteren Lyrik kehrt er jedoch wieder in die entschwundene Welt seiner ostjüdischen Kindheit zurück und hadert mit Gott, der seine treuesten Anhänger in den Flammen umkommen ließ.

Unter den bedeutenderen jiddischen Schriftstellern Südafrikas in der Zeit nach dem Zweiten Weltkrieg waren Levi Shalit (1916 geb.), Essayist, Memoirenschreiber und seit 1953 Herausgeber der »Afrikaner Jiddische Zeitung«, Mendel Tabachnik (1894–1975), dessen dreibändige romanhafte Autobiographie »Kalman Bulan« (1968–1971) in ihrer milden, toleranten und mitleidsvollen Sicht menschlicher Konflikte der von Hyman Polsky begonnenen und von J. M. Sherman und Richard Feldman fortgesetzten Tradition des jiddischen Romans in Südafrika folgte.

Nach der Gründung des Staates Israel war Südafrika nur noch das Ziel weniger jüdischer Emigranten. Die Jiddisch sprechende Generation wurde alt, und die jiddische Literatur verlor ihre einstige Kraft und Ausstrahlung. Juden, die südlich des Sambesi geboren waren, sprachen ohnehin die englische Sprache und zu einem geringeren Teil Afrikaans. Die bedeutenderen Novellisten Südafrikas, Sarah Gertrude Millen, Nadine Gordimer, Dan Jacobson und die Poeten Lewis Sowden und Edgar Bernstein verfaßten ihre Werke in englischer Sprache, Olga Kirsch schrieb ihre Gedichte in Afrikaans, ehe sie schließlich nach Israel auswanderte. In den siebziger Jahren gab es zwar noch etwa 115 000 Juden in Südafrika, aber die Zahl der jiddischen Leser reichte kaum aus, um die »Afrikaner Jiddische Zeitung« und die Monatsschrift »Dorem Afrike« als die einzigen meinungsbildenden Organe in jiddischer Sprache am Leben zu erhalten.

Während die Jiddisch sprechenden Juden Südafrikas zum Großteil aus Litauen stammten, lag die ursprüngliche Heimat der nach *Australien* ausgewanderten Juden hauptsächlich in Polen. Kamen vor dem Ersten Weltkrieg nur wenige Juden nach Australien, so mußten in den zwanziger Jahren von der australischen Regierung erlassene Einwanderungsbeschränkungen für eine Drosselung des Emigrantenstromes sorgen, während nach dem Zweiten Weltkrieg der Zustrom jüdischer Einwanderer in Australien verhältnismäßig groß war.

Die frühen ostjüdischen Einwanderer, die sich in einer Umgebung wiederfanden, deren ethnischer Hintergrund fast ausschließlich britisch war, litten in ihrer Isolierung und versuchten alles, die Bindungen innerhalb ihrer jüdischen Gemeinde zu festigen. Auch die vor ihnen nach Australien eingewanderten britischen Juden konnten ihnen das Gefühl der Einsamkeit nicht nehmen, da diese sich schon längst einen höheren sozialen und wirtschaftlichen Status gesichert hatten. Erst der erhöhte Zustrom ostjüdischer Emigranten in den zwanziger Jahren ermöglichte es, jiddische Institutionen von größerer Bedeutung einzurichten. Die Anstrengungen und Gefühle der aus Osteuropa einwandernden Juden werden am besten in *Pinchas Goldhars* (1901–1947) »Derzehlungen fun Australien« (1939) dargestellt. Goldhar, der als Wegbereiter der jiddischen Literatur in Australien gelten kann – er gründete 1931 die jiddische Wochenzeitung »Australier Leben« – wurde drei Jahre nach seiner Ankunft in Melbourne die Isolation der jiddischen Literatur vom Hauptstrom des literarischen Schaffens in Europa und Amerika deutlich bewußt. Er sezierte mit schrankenloser Ehrlichkeit in seinen von der Einsamkeit und Entwurzelung des jüdischen Volkes berichtenden Erzählungen die hoffnungslose und unbefriedigende Situation seiner jüdischen Glaubensbrüder. *Melech Ravitch*, der 1937 zu Goldhar stieß, gab die erste Anthologie jiddischer Literatur in Australien heraus. Ein Jahr später schloß sich ihnen Ravitchs jüngerer Bruder, *Herz Bergner* (1907–1969) an, der als der begabteste Erzähler der auf Goldhar folgenden Generation gilt. Seine vier Kurzgeschichtenbände setzten Goldhars Realismustradition fort, doch gehören die von ihm beschriebenen Charaktere zumeist der Nachkriegsgeneration an, die stets im Schatten ihrer der Vernichtung preisgegebenen europäischen Vorfahren der NS-Zeit leben. Bergner, der nicht zu schockieren, sondern auszugleichen versuchte, rückte kleine Akte der Nächstenliebe in den Vordergrund seiner Erzählungen, schilderte, wie die Menschen ihr Mißtrauen zueinander überwinden und fing das den grauen Lebensalltag erhellende Sonnenlicht ein.

Eine zweite Sammlung jiddischer Literatur in Australien gab Bunim Warshavsky (1893–1956) heraus, der ein Jahr nach Bergner australischen Boden betrat, nachdem er bereits eine dreißigjährige Karriere als Schriftsteller, Journalist und Übersetzer hinter sich hatte. Jossl Birstein (1920 geb.), 1939 ebenfalls aus Polen eingewandert, veröffentlichte mehr als ein Jahrzehnt lang jiddische Lyrik, ehe er nach dem Erscheinen seiner Gedichtsammlung »Unter Fremde Himmeln« (1949) Melboune verließ, um seine schriftstellerische Laufbahn in Israel fortzusetzen. Hersh Mintz (1906 geb.), Essayist und Historiker, der im Englischen wie im Jiddischen gleichermaßen bewandert war, leitete die Melbourner Sektion von YIVO. Der aus Warschau stammende, die Kriegsjahre in Shanghai verbringende Essayist *Joshua Rapoport* (1895–1971) kam 1946 nach Melbourne, wo er sofort großen Einfluß auf die jiddische Literaturszene ausübte. Er tat sich als Literaturkritiker von großem Wissen und sensibler Einsicht ebenso hervor wie als jiddischer Übersetzer der Werke von Rabindranath Tagore, Maurice Maeterlinck, Waldemar Bonsels, Romain Rolland, Boris Pilnjak und Martin Andersen-Nexö. Als Herausgeber von »Australisch Jiedische Neies« und Feuilletonist der »Australische Jiedische Post« führte er eine scharfe satirische Feder ohne jeden Respekt vor irgendwelche literarischen Autoritäten und bestand darauf, nur auf der Grundlage höchster ästhetischer und moralischer Anforderung, sein Urteil abzugeben. Seine besten Essays über literarische Probleme und Persönlichkeiten, in sieben Bänden zusammengefaßt, erfassen ein umfangreiches Gebiet und trugen dazu bei, jiddische Leser in Australien zu bilden und ihren literarischen Geschmack zu formen. *Ber I. Rosen* (1899–1954), der die Kriegsjahre ebenfalls in Shanghai verbracht hatte, beschrieb während seiner sieben Jahre in Melbourne überwiegend Szenen und Personen aus seiner polnischen Zeit, wobei seine wertvollen Porträts von genauster Kenntnis zeugten. Yitzchok Kahn, der die Einleitung zu Rosens »Geklibene Schriften« (1957) verfaßte, hatte seine frühen Jahre ebenfalls in Polen verlebt, gelangte dann nach seiner Ankunft in Melbourne im Jahre 1937 zu künstlerischer Reife. Seine hervorragenden Essays aus den sechziger und siebziger Jahren fanden eine weltweite Leserschaft. Er hegte eine Vorliebe für biblische und historische Themen, die er in seiner Analyse zu Beer-Hofmanns »Jaákobs Traum« und Thomas Manns »Joseph-Trilogie« zu wahrer Meisterschaft entwickelte. In den Analysen der historischen Romane Lion Feuchtwangers, Joseph Opatoshus und Moshe Shamirs erbrachte er den Nachweis für den Aufstand des jüdischen Geistes gegen die brutale Gewalt von außen. In Essays über Benjamin Disraeli, Walter Rathenau und Stefan Zweig stellte er begabte Juden dar, die sich in tragischer Weise dem Erbe ihrer Väter entfremdet hatten, ohne ihren Stolz auf dieses Erbe zu verlieren.

Ein halbes Jahrhundert lang blieb Melbourne eine Festung der jiddischen Kultur in Australien: doch im Verlauf der siebziger Jahre des 20. Jh.s entwickelten sich die jiddische Sprache und Literatur, ähnlich wie in Südafrika, Europa, Nord-, Mittel- und Südamerika, zu einem Kulturgut einer immer kleiner und älter werdenden Gemeinschaft. Nur in Israel sollten die jiddische Sprache und Literatur neue Lebenskraft gewinnen, indem jiddische Schriftsteller, Schauspieler und Pädagogen aus vielen Ländern der Erde hier ihre Heimat fanden und die (neu)hebräische Sprache und Kultur mit den kulturellen Schätzen des Jiddischen bereicherten.

Literatur:

J. Thiessen: Yiddish in Canada, 1973.
S. Kahan: Mexikaner Widerklangen, 1951.
ders.: Mexikanische Reflexen, 1954.
ders.: Literarische un Zhurnalistische Farzeichnungen, 1961.
S. Rozhanky (ed.): Fun Argentina, 1960.
Antologie Chilenisch, 1972.

VIII. Jiddische Literatur in Israel

Die Sehnsucht nach Israel, dem Land der Väter, war ein immer wiederkehrendes Thema in der jiddischen Literatur; und das Idealbild Israels schwebte den Jiddisch sprechenden Juden durch Generationen hindurch vor. Dabei waren die Frauengebetbücher, T'chinos, nicht weniger von den Erinnerungen an den vergangenen Ruhm Zions und dem Wunsch, dorthin zurückzukehren, erfüllt als die hebräischen Gebete, die den gottgläubigen Juden täglich in der Synagoge von den Lippen kamen. Jiddische Volkslieder waren ebensowie die Badchonim imstande, die Zuhörer in ihrer Phantasie in das »Land der Rosinen und Mandeln« zu führen, während die neuzeitlichen Kolonisten in Palästina, die Bilu-Pioniere nach 1880 durch Darstellungen zur jüdischen Geschichte, wie z. B. in Eliakum Zunsers »Schivas Zion« (1888) und »Die Soche« (1888) vorlagen, angespornt wurden. Im Palästina der Vor-Mandatszeit war Jiddisch die gesprochene Sprache der Aschkenasim, während Hebräisch als Schriftsprache und auch als Kommunikationsmittel zwischen Aschkenasim und Sephardim Geltung hatte. In ihren Bemühungen, die hebräische Sprache als die einigende Kraft der nationalen Wiedergeburt des jüdischen Volkes durchzusetzen, schlossen sich die zionistischen Pioniere zu einem Kreuzzug gegen die deutsche, französische und jiddische Sprache zusammen, gegen jene drei konkurrierenden Sprachen also, die um ihre Anerkennung bei den zahlreichen Gruppen und Institutionen kämpften. Der von dem Hilfsverein der deutschen Juden unterstützte Kampf um die Durchsetzung der deutschen Sprache ging nach dem Sprachenstreit Anfang 1914 verloren, als es am Technion in Haifa zu Auseinandersetzungen über die gültige Unterrichtssprache kam. Ein Letztes bewirkte dann die deutsche Niederlage im Ersten Weltkrieg. Der Kampf um die Annahme der französischen Sprache, unterstützt durch die Alliance Israelite Universelle, ging verloren, als Frankreich das Mandat über Israel verlor. So blieb schließlich Jiddisch das Hauptangriffsziel der militanten Verfechter des Hebräischen, die Jiddisch als Sprache der sich nicht regenerierenden jüdischen Bevölkerung der russischen Siedlungsgebiete und der galizischen Dörfer ansahen.

Während der Mandatszeit zwischen den beiden Weltkriegen entwickelte sich Palästina zu einem bedeutenden Zentrum der jiddischen Literatur, ohne jedoch eines ihrer Hauptzentren zu werden. Tel Aviv konnte sich noch nicht mit New York, Warschau oder Kiew messen, die ja bekanntlich die Metropolen der jiddischen Literatur in dieser Zeit waren. Das Interesse an der jiddischen Literatur zeigte sich vor allem in den hebräischen Übersetzungen osteuropäisch-jiddischer Schriftsteller. Die wenigen Autoren, die im ersten Viertel des 20. Jh.s nach Israel auswanderten, fanden eine kulturelle Umgebung vor, die ihren literarischen Bemühungen wenig dienlich war. Sie kehrten entweder bald in ihre Heimat zurück oder gingen in die USA, wie z. B. *Ephraim Auerbach*, der 1912 nach Israel kam, dort seinen den Freuden des Pioniertums gewidmeten Gedichtband »Karawanen« (1918) veröffentlichte, bald jedoch in die USA auswanderte, nachdem er unter Joseph Trumpeldor in der Jüdischen Legion bei Gallipoli gekämpft hatte. Seine Bindung an Israel verlor er jedoch nie, wie seine Gedichtsammlungen »Gildene Schkije« (1959) und »Die Weiße Stot« (1960) beweisen. *Schmuel Jakob Imber* betrat 1912 den Boden Palästinas, ohne sich jedoch dort dauernd niederzulassen. Seine Zionslieder, in romantischer Stimmung verfaßt, erreichten nie die Beliebtheit des von seinem Onkel Naftoli Herz Imber verfaßten hebräischen Liedes »Hatikvah«, das die Hymne der zionistischen Bewegung und später dann die Nationalhymne Israels wurde. Der Poet *Jehoasch* kam 1914 nach Israel, kehrte jedoch nach Eintritt der USA in den Ersten Weltkrieg wieder nach Amerika zurück. Seine in Palästina gesammelten Eindrücke und Erfahrungen fanden ihren Niederschlag in seinem dreibändigen Werk »Fun New York bis Rechowot un Zurik« (1917–1918). *Zishe Weinpers* erster Gedichtband »Fun Unser Land« (1920) faßte ebenfalls Eindrücke aus Palästina zusammen. Um beim Aufbau Israels zu helfen, schloß er sich der Jüdischen Legion an, doch veranlaßte ihn seine Enttäuschung über die die Türkenherrschaft ablösenden britischen Mandatsbehörden, nach Nordamerika zurückzukehren. Der Romanschriftsteller *Shmuel Izban* verbrachte 14 Jahre seines Lebens in Israel, ehe er sich 1937 endgültig in New York niederließ. Das Heilige Land blieb jedoch das Hauptthema in mehreren seiner Bücher und in vielen seiner Kurzgeschichten. *Meir Corona*, der zwischen 1920 und 1925 Mühsal und Anstrengungen eines Straßenarbeiters in Palästina ertrug, wanderte nach Mexiko aus, ohne jedoch seine Begeisterung für das Ideal der ›Arbeiter Zions‹, das in vielen seiner Erzählungen seinen Ausdruck fand, zu verlieren.

Während die romantischen Idealisten, jene jiddischen Schriftsteller, die während der Zeit der Türkenherrschaft und in den ersten Jahren des britischen Mandats nach Palästina kamen, sich letztlich außerstande sahen, die mühevollen Lebensbedingungen, die gesundheitlichen Risiken und die Einsamkeit, in der sie lebten, zu überwinden, blieben die Schriftsteller, die später ins Land kamen, trotz aller Schwierigkeiten. Mit der steigenden Zahl der Einwanderer lösten sie sich aus ihrer Isolation. Viele von ihnen verdienten ihr Brot durch harte Arbeit in den Kibbuzim oder beim Aufbau der Städte und der ländlichen Siedlungen. In ihrer literarischen Arbeit wurden sie angespornt von ihrer Umgebung, die in einer Atmosphäre großer moralischer Kraft und zielbewußter Arbeit lebte und durch die entstehenden publizistischen Medien. Unter den Schriftstellern, die 1924 nach Israel auswanderten, waren *Zalman Jitzchak Onochi* (1878–1947), *Josef Papiernikov* (1899 geb.) und *Daniel Leibl* (1891–1967). Onochi hatte seinen literarischen Ruhm bereits in den Monologen des »Reb Abba« begründet, Papiernikov begann seine Karriere in Tel Aviv mit dem Lyrikband »In Sunnikn Land« (1927). Leibl, dessen Glaube an ein jüdisches Volk und an eine jüdische Literatur unerschütterlich war, trug der Tatsache Rechnung, daß die Juden seiner Generation nun einmal mit zwei Sprachen gesegnet – oder belastet – waren und bediente sich als Journalist, Redakteur und Wissenschaftler der hebräischen wie der jiddischen Sprache in gleicher Weise.

Zu den frühen Pionieren, die in Kibbuzim siedelten, gehörten *Arye Shamri* (1907 geb.) und *Abraham Lev* (1910–1970), die beide inmitten ihrer hebräischen Umgebung jiddische Lyrik von hohem Wert und besonderer Eigenart verfaßten. Shamri leitete seinen neu angenommenen Namen von dem Kibbuz ab, in dem er lebte: ›Ein Shemer‹. Er besang das Land, das er bebaute, und verlieh seiner Sehnsucht nach der chassidischen Atmosphäre seiner Kindheit und dem Verlangen nach Freude in einer tränenerfüllten Welt in seinen Gedichten nachhaltigen Ausdruck. Daneben veröffentlichte er die Anthologie »Wurtzeln« (1966), in der sechzig jiddische Schriftsteller Israels in Gedichten und Erzählungen festhielten, wie sie die Verwurzelung in Israel und die dramatischen Veränderungen im Verlauf eines halben Jahrhunderts erlebt hatten. Der ursprünglich zum »Jungwilna«-Kreis gehörende Abraham Lev beschrieb in seinem ersten Lyrikband »In Dein Tor« (1937) das Glück, das er als Arbeiter bei der Aufbauarbeit seines Kibbuz empfand und den Stolz, den er fühlte, wenn er daran dachte, daß er als Bauer die Erzeugnisse seines eigenen Bodens erntete und in einer eigenen Hütte wohnte, die er selbst gebaut hatte. Noch nach vier Jahrzehnten schriftstellerischer Tätigkeit lebte in ihm und in seinen Werken das Gefühl für ein hartes, aber sinnvolles Leben, das vom Erfolg seiner Siedler- und Landwirtarbeit gekrönt wurde.

Abraham Rives (1900–1962), der 1925 nach Palästina kam, beschrieb in seinen Erzählungen das Leben in der Mandatszeit sehr realistisch und vermied, die Gestalten aus der Pionierzeit auf sentimentale Weise darzustellen, ganz im Gegensatz zu *Jacob Zvi Shargel* (1905 geb.), der die pittoresken Karawanen besang, die an Petach-Tikvahs Orangenhainen vorüberzogen, während er selbst in ihnen arbeitete und von der sehr exotischen Schönheit der Wüste und der Beduinen angezogen wurde. Seine 1948 niedergeschriebenen Gedichte waren Aufrufe zum Heldentum in einem Jahr, in dem Israel sehr gefährdet war: seine nach 1948 verfaßten Gedichte waren der ekstatische Ausdruck der Verwirklichung seiner lang gehegten Träume. Eng verbunden mit Shargel fühlte sich der lebensbejahende Israel *Chaim Biletzki* (1914 geb.), der jiddische Lyrik und hebräische Prosa schrieb. Seine drei Bände kritischer Essays lenken die Aufmerksamkeit seiner hebräischen Leser auf das reiche Erbe des Jiddischen.

Joel Mastboim (1884–1957) zeichnete in seinen Romanen und Erzählungen seine Beobachtungen und Erfahrungen während der schwierigen Zeit des britischen Mandats auf. *Moshe Basok* (1907–1966) traf während des Höhepunkts der Araberaufstände im Jahre 1936 in Palästina ein und siedelte sich im gefährdeten Kibbuz Ashdod Jacob im Jordantal an. Seine Gedichte »Brennendike Teg« (1936) handeln von den Wunden, die dem Land damals geschlagen worden sind, davon, wie die der Wüste abgerungenen Felder der jüdischen Siedler in Flammen aufgingen, wie die zur Austrocknung der Wüste angepflanzten Eukalyptusbäume herausgerissen und wie die den Kibbuz verteidigenden jungen Pioniere ihren Einsatz mit dem Leben bezahlten. *Leibl Chain-Shimoni* (1900 geb.), Verfasser von Kurzgeschichten, trug zur Gründung der jiddischen Literaturzeitschrift »Der Onheib« im Jahre 1928 bei und organisierte bis 1930 jiddische Theateraufführungen in Haifa. Seine Erzählungen schließen stets tragisch, um seine Leser an den Blutzoll zu erinnern, den der Kampf für einen autonomen jüdischen Staat erfordert hat. Mit ihm zusammen beteiligte sich *Joshua Manik-Lederman* (1909–1973) an der Förderung des jiddischen Kulturlebens in Haifa. In seinen Gedichten besingt Manik-Lederman die Schöpferfreude, die ihn erfüllte, wenn er in schwerer Arbeit Sanddünen in fruchtbare Obstgärten verwandeln und Straßen durch die unfruchtbare Hügellandschaft anzulegen half. Die Atmosphäre und den Geist der Städte Haifa und Safed einfangend, sind seine romantischen Strophen erfüllt vom blauen Herz des Mittelmeers, von jenen symphonischen Nächten, in denen ihm das ganze Land als ein allesumfassender Tempel erschien, und von schwarzgekleideten Beduinenmädchen, die wie Prinzessinnen längst vergangener Reiche anmuteten. In seinen Versfabeln mischte er Humor mit desillusionierender Weisheit, und in satirischer Form behandelte er die menschlichen Schwächen, die er eher lächerlich als verdammenswürdig erscheinen ließ. Die Gedichte *Rikudah Potashs* (1906–1965) sind ebenso wie die ihrer Gefährtin Else Lasker-Schüler, der deutschen Dichterin Jerusalems, erfüllt von der einzigartigen Schönheit und Heiligkeit Jerusalems, wo sie, geborgen und zufrieden unter den Fittichen der heiligen Stadt, einen bunten Kranz von Psalmen, Elegien und lyrischen Gebeten flicht.

Nach der Gründung des Staates Israel, in dem die hebräische Sprache als die offizielle Landessprache bestimmt wurde, schwand die Feindseligkeit gegenüber der jiddischen Sprache, und 1949 wurden die ersten Schritte eines versöhnlichen Ausgleichs zwischen den beiden Sprachen unternommen, indem der israelische Gewerkschaftsbund »Histadrut« die jiddische literarische Vierteljahresschrift »Die Goldene Keit« finanziell unterstützte und die Hebräische Universität ihren früheren Widerstand gegen Einführung des Studiums des Jiddischen aufgab. Die nach Israel strömenden Überlebenden der Naziverfolgungen sprachen zumeist Jiddisch, und aus den europäischen Flüchtlingslagern und den Internierungslagern auf Zypern stießen begabte Schriftsteller zu ihnen, die Tel Aviv bald zu einem Zentrum der jiddischen Literatur machten, das mit New York durchaus konkurrieren und es in den sechziger Jahren sogar überflügeln konnte. Zu diesen Literaten zählten Poeten wie Moshe Jungman (1922 geb.), Moshe Gurin (1921 geb.), Rivka Basman (1925 geb.), Abraham Rinzler (1923 geb.), Jacob Friedman (1910–1972), Shlomo Worsoger (1917 geb.) und Verfasser von Prosawerken wie Mendel Mann (1916–1975), Jitzchak Paner (1890 geb.), Zvi Eisnman (1920 geb.), Abraham Karpinowitch (1917 geb.), Shlomo Berlinsky (1900–1959), Jitzchak Perlov (1911 geb.), Israel Kaplan (1902 geb.) und Joseph Shavinsky (1908 geb.).

Der verehrte Dramatiker und Romanautor *David Pinski* wurde im Jahre 1949 als Vorbote all jener jiddischer Schriftsteller begrüßt, die aus allen Kontinenten ihren Weg nach Israel fanden. Pinskis Wohnsitz auf dem Berge Karmel wurde zum Mittelpunkt des Schriftstellerkreises »Jungisrael«, und hoffnungsvolle Autoren brachten ihm ihre literarischen Arbeiten, um von ihm Anregungen und Ermunterung zu erfahren, so wie er sie einst bei Peretz gefunden hatte. Er machte seinen Schülern klar, daß die Juden in ihrer langen Geschichte stets von zwei Sprachen begleitet worden waren: der heiligen Sprache der Väter und einem Idiom, das der Sprache des Landes, in dem sie sich jeweils aufhielten, angepaßt war. Allein das Jiddische habe sich jedoch als einziges Idiom zu einer voll entwikkelten, eigenständigen Sprache herausgebildet, die mit dem Hebräischen konkurrieren könne. Die Rivalität zwischen Hebräisch und Jiddisch sei nun beendet, doch sei Jiddisch immer noch die stärkste Barriere gegen eine Assimilation in der Diaspora. Ein Auslöschen der jiddischen Sprache würde allenfalls die Entfremdung zwischen israelischem und Weltjudentum bewirken, da es als internationales jüdisches Kommunikationsmittel niemals durch das Hebräische angemessen ersetzt werden könne. Die gleichen Ansichten vertrat auch H. Leivick in seiner denkwürdigen Abschiedsrede anläßlich seines Besuches in Israel im Jahre 1950.

Jossl Birstein (1920 geb.), der 1950 aus Australien einwanderte, riet den jungen jiddischen Schriftstellern, die sich im Kibbuz Yagur trafen (zu dessen Mitgliedern auch Zvi Eisnman zählte), ihre Sprachschwierigkeiten in jenen Kibbuzim, in denen kaum Jiddisch gesprochen wurde, dadurch zu überbrücken, daß sie allesamt ihre Sprachkenntnisse zusammenfassen und sich gegenseitig durch häufigere Zusammenarbeit unterstützen sollten. In den Ausgaben der »Goldenen Keit« veröffentlichten sie häufig ihre Werke unter dem Gruppennamen »Jungisrael«, und 1954 erschien sogar eine Anthologie von Prosa- und lyrischen Werken des »Jungisrael«. Im gleichen Jahr veröffentlichte Jungman seine Gedichte als ersten Band einer geplanten Jungisrael-Reihe, der zwei Jahre später Eisnman einen zweiten Band zusteuerte.

In den fünfziger Jahren trafen in Israel weitere jiddische Schriftsteller ein: aus London kamen A. M. Fuchs (1890–1974) und Leo König (1889–1970), aus Paris Mosche Grossman (1904–1961), Leib Rochman (1918 geb.) und Jechiel Hofer (1906 geb.), aus Polen Isaiah Spiegel (1906 geb.), Binem Heller (1908 geb.) und Leib Olitzky (1897–1975). Spiegel, der lange Zeit von den Ereignissen und Schatten seiner qualvollen Ghettovergangenheit in Lodz verfolgt worden war, vertiefte sich nach und nach in das Schicksal der Überlebenden, die ihren Weg nach Israel gefunden hatten, und in den Erzählungen »Die Brik« (1963) schildert er ihre Wiedergeburt und ihre Erfüllung in neuem Lebensglück. Olitzkys Lyrik war erfüllt von einer Liebe für jeden Stein, jeden Baum, jede Wolke und jedes Kind in Israel. Er segnete die Straßenkehrer, die Schmutz und Gottlosigkeit vom Straßenpflaster kehrten und jeden Tag aufs neue die Reinheit und Heiligkeit erneuerten. Er vergaß jedoch nicht über alle Bewunderung für Israels Schönheit und Heldentum, auch seine Schwächen und Fehler zu kritisieren. *Melech Ravitch* stellte im dritten Band von »Mein Lexikon« (1958) 64 israelitische Poeten und 39 Verfasser von Prosawerken vor, die sowohl in Jiddisch wie auch in Hebräisch schrieben. Im gleichen Jahr stellte die Wochenschrift »Heimisch«, 1956 in Tel Aviv gegründet, eine Liste von 154 jiddischen Schriftstellern in Israel zusammen. Diese Zeitschrift für Literatur, Kritik und soziale Probleme übte jedoch nicht den starken Einfluß der »Goldenen Keit« aus, die von Abraham Sutzkever herausgegeben wurde. Dieser hatte nach seiner Flucht aus dem Wilnaer Ghetto und den Partisanenkämpfen in den Wäldern hinter der russischen Front in Israel Zuflucht gefunden. Sein 60. Geburtstag im Jahre 1973 bot Gelegenheit, sich eine optimistische Prophezeiung ins Gedächtnis zurückzurufen, die er anläßlich seiner Übernahme der Schriftleitung dieses hochangesehenen Literaturorgans im Jahre 1949 ausgesprochen hatte: trotz aller Kassandrarufe, die schon 1949 dem Jiddischen einen schnellen Untergang in Israel vorausgesagt hatten, wird diese Sprache noch lange bestehen und noch in hundert Jahren würden Juden an den Ufern des Jordans über ihren Fortbestand diskutieren. Ein Viertel dieser hundert Jahre war vergangen, und die Diskussion hielt nach wie vor an.

Im Gebiet um Tel Aviv entstanden ein Scholem Aleichem-Haus, ein Schalom Asch-Haus und ein Leivick-Haus als Zentren jiddischer Kultur. Die drei größten israelischen Verlage, I. L. Peretz Farlag, Hamenora Farlag und Israel-Buch publizierten jedes Jahr Dutzende von schöngeistigen Werken in jiddischer Sprache. Die von Mordecai Tsanin herausgegebene jiddische Tageszeitung »Letzte Neies« erreichte zu einer Zeit, in der die jiddischen Tageszeitungen in der Diaspora ihr Erscheinen einstellten, ihre höchste Blüte und ihre größten Auflageziffern. Aber erst während der großen Immigration jiddischer Schriftsteller in den siebziger Jahren konnten die Anhänger der jiddischen Sprache und Literatur berechtigte Hoffnung schöpfen, den Fortbestand des Jiddischen in Israel zu sichern, obwohl gleichzeitig das Hauptverbreitungsgebiet dieser Sprache in Osteuropa immer mehr zusammenschrumpfte, und Jiddisch in den Vereinigten Staaten und anderswo im Verfall begriffen war. Die 1972 gegründete Vierteljahresschrift »Bei Sich« brachte die Arbeiten der in der Sowjetunion lange zum Schweigen verurteilten jiddischen Autoren einer breiten Leserschaft zur Kenntnis, und das Literaturjahrbuch »Almanach« veröffentlichte die jiddischen Werke sowjetischer Schriftsteller, die nun in Jerusalem lebten. Der Herausgeber Joseph Kerler (1912 geb.) war der erste der aus der Sowjetunion eingewanderten Autoren, der den begehrten, 1969 geschaffenen Itzik Manger-Lyrikpreis in Empfang nehmen konnte. Kerler gelang es erst im März 1971 nach jahrelangem Kampf mit den sowjetischen Behörden nach Israel auszuwandern, noch im gleichen Jahr wurde ihm der Preis überreicht. Einen Monat nach Kerler konnten dann Ziama Telesin (1907 geb.) und Rochel Boimwol (1913 geb.) nach Israel ausreisen, ehe den jiddischen Schriftstellern kurz danach die Ausreise aus der Sowjetunion überhaupt erleichtert wurde. Unter der Schirmherrschaft der damaligen Ministerpräsidentin Golda Meir wurde ab 1973 ein Jiddischer Literaturpreis ausgesetzt, dessen erster Empfänger der gerade nach Israel eingewanderte Romanautor Elie Schechtman (1908 geb.) war. Publikationen sowjetischer Emigranten, die in den siebziger Jahren israelischen Boden betraten, lenkten die Aufmerksamkeit auf Schriftsteller wie Hirsh Osherowitch (1908 geb.), Chaim Zeltzer (1912 geb.), Meier Kharatz (1912 geb.), Jacob Yakir (1910 geb.), Motl Sakzier (1907 geb.), Eliezer Podriachek (1916 geb.), Efraim Roitman (1910 geb.), Shlomo Roitman (1913 geb.) und viele andere Autoren, deren bisher einziges Sprachrohr »Sowetisch Heimland« gewesen war, eine Zeitschrift, die von ihnen eine ständige Anpassung an die sich häufig verändernde kommunistische Parteilinie verlangte. Die durch ihre Auswanderung nach Israel gewonnene geistige Freiheit regte diese Autoren zu neuen, bedeutenden künstlerischen Leistungen an.

Im August 1976 formulierten die Teilnehmer einer Weltkonferenz für jiddische Kultur in Jerusalem Pläne, wie dem Verfall des Jiddischen in der Diaspora zu begegnen und sein künftiger Fortbestand in Israel zu sichern sei. Diese Konferenzteilnehmer, die aus jenen Ländern stammten, in denen das Jiddische seine Lebendigkeit behalten hatte, fühlten sich an die denkwürdige Konferenz von Czernowitz erinnert, die im Jahre 1908 auf dem Höhepunkt der klassischen Literatur Mendeles, Peretz' und Scholem Aleichems einberufen wurde, und deren Ergebnis, das Jiddische als *eine*, das Hebräische als *die* Nationalsprache des jüdischen Volkes zu betrachten, nunmehr wieder ins Gedächtnis zurückgerufen werden sollte.

Die jiddische Literatur hat seit ihrem Beginn im 13. Jh. eine überaus wechselhafte Geschichte durchlebt. Sie erreichte einen Höhepunkt im Zeitalter des Minnesangs und der ethischen Traktate im 16./17. Jh.; sie verfiel während des 18. Jh.s und erstand neu wie ein Phönix aus der Asche im 19. Jh., um in der ersten Hälfte des 20. Jh. einen strahlenden Erfolg zu erleben. Vom Untergang bedroht, verdankt sie es im letzten Viertel unseres Jahrhunderts den außerordentlichen Anstrengungen der älteren Schriftstellergeneration und ihren Anhängern sowie den Bemühungen jiddistischer Studienzentren an den Universitäten in den USA, Israel und der Bundesrepublik Deutschland, daß ein weiterer Verfall verhindert werden konnte. Dieses wurde letztlich erreicht durch die Verfeinerung der jiddistischen Forschung, durch die Gründung von Zeitschriften und wissenschaftlicher Gesellschaften und durch die positive Haltung früherer Gegner und neuer Freunde der jiddischen Sprache, die reiche literarische Schätze und kulturelle Werte birgt.

Literatur:

M. Ravitch: Mein Lexikon: Jiddische un Hebreische Dichters, Derzehlers un Publizisten in Medinas Israel, 1958.
J. Papiernikov (ed.): Yerushalaim in jiddischen Lied: Antologie, 1973.
S. Rollansky (ed.): 25 Jor Medinas Israel in der jiddischer Poesie un Prose, 1973.
A. Shamri (ed.): Antologie fun jiddisch Schaffn in Israel, 1966.
Almanach fun die jiddische Schreiber in Israel, 1967.
Yeruschalaimer Almanach, 1973 ff.
J. Yanosovitch (ed.): Bei Sich, Heft 1–8, 1972–1978.
N. Grüss: Fun Finsternisch zu Licht: Isaiah Spiegel un sein Werk, 1974.
Z. Shazar, D. Sadan: M. Gross-Zimmermann (eds.), Yovel-Buch zum 50. Geboirntog fun A. Sutzkever, 1963.
J. Leftwich: Abraham Sutzkever, Partisan Poet, 1971.
Y. Mark: Abraham Sutzkevers Poetischer Weg, 1974.
R. Boimwol: Fun Lied zu Lied, 1977.
M. Charatz: Shtern Oifn Himl, 1977.
J. Kerler: 12. August 1952, 1978.
J. Z. Shargel: Fun Onheib On: Zwischen Schreiber un Werk, 1977.

Personenregister
(einschließlich Gruppen und Institutionen)

M 44 Nagel *Hrotsvit von Gandersheim*
M 45 Lipsius *Von der Bestendigkeit. Faksimiledruck*
M 46 Hecht *Christian Reuter*
M 47 Steinmetz *Die Komödie der Aufklärung*
M 48 Stutz *Gotische Literaturdenkmäler*
M 49 Salzmann *Kurze Abhandlungen. Faksimiledruck*
M 50 Koopmann *Friedrich Schiller I: 1759–1794*
M 51 Koopmann *Friedrich Schiller II: 1794–1805*
M 52 Suppan *Volkslied*
M 53 Hain *Rätsel*
M 54 Huet *Traité de l'origine des romans. Faksimiledruck*
M 55 Röhrich *Sage*
M 56 Catholy *Fastnachtspiel*
M 57 Siegrist *Albrecht von Haller*
M 58 Durzak *Hermann Broch*
M 59 Behrmann *Einführung in die Analyse von Prosatexten*
M 60 Fehr *Jeremias Gotthelf*
M 61 Geiger *Reise eines Erdbewohners i. d. Mars. Faksimiledruck*
M 62 Pütz *Friedrich Nietzsche*
M 63 Böschenstein-Schäfer *Idylle*
M 64 Hoffmann *Altdeutsche Metrik*
M 65 Guthke *Gotthold Ephraim Lessing*
M 66 Leibfried *Fabel*
M 67 von See *Germanische Verskunst*
M 68 Kimpel *Der Roman der Aufklärung (1670–1774)*
M 69 Moritz *Andreas Hartknopf. Faksimiledruck*
M 70 Schlegel *Gespräch über die Poesie. Faksimiledruck*
M 71 Helmers *Wilhelm Raabe*
M 72 Düwel *Einführung in die Runenkunde*
M 73 Raabe *Einführung in die Quellenkunde*
M 74 Raabe *Quellenrepertorium*
M 75 Hoefert *Das Drama des Naturalismus*
M 76 Mannack *Andreas Gryphius*
M 77 Straßner *Schwank*
M 78 Schier *Saga*
M 79 Weber-Kellermann *Deutsche Volkskunde*
M 80 Kully *Johann Peter Hebel*
M 81 Jost *Literarischer Jugendstil*
M 82 Reichmann *Germanistische Lexikologie*
M 83 Haas *Essay*
M 84 Boeschenstein *Gottfried Keller*
M 85 Boerner *Tagebuch*
M 86 Sjölin *Einführung in das Friesische*

M 87 Sandkühler *Schelling*
M 88 Opitz *Jugendschriften. Faksimiledruck*
M 89 Behrmann *Einführung in die Analyse von Verstexten*
M 90 Winkler *Stefan George*
M 91 Schweikert *Jean Paul*
M 92 Hein *Ferdinand Raimund*
M 93 Barth *Literarisches Weimar. 16.–20. Jh.*
M 94 Könneker *Hans Sachs*
M 95 Sommer *Christoph Martin Wieland*
M 96 van Ingen *Philipp von Zesen*
M 97 Asmuth *Daniel Casper von Lohenstein*
M 98 Schulte-Sasse *Literarische Wertung*
M 99 Weydt *H. J. Chr. von Grimmelshausen*
M 100 Denecke *Jacob Grimm und sein Bruder Wilhelm*
M 101 Grothe *Anekdote*
M 102 Fehr *Conrad Ferdinand Meyer*
M 103 Sowinski *Lehrhafte Dichtung des Mittelalters*
M 104 Heike *Phonologie*
M 105 Prangel *Alfred Döblin*
M 106 Uecker *Germanische Heldensage*
M 107 Hoefert *Gerhart Hauptmann*
M 108 Werner *Phonemik des Deutschen*
M 109 Otto *Sprachgesellschaften des 17. Jahrh.*
M 110 Winkler *George-Kreis*
M 111 Orendel *Der Graue Rock (Faksimileausgabe)*
M 112 Schlawe *Neudeutsche Metrik*
M 113 Bender *Bodmer/Breitinger*
M 114 Jolles *Theodor Fontane*
M 115 Foltin *Franz Werfel*
M 116 Guthke *Das deutsche bürgerliche Trauerspiel*
M 117 Nägele *J. P. Jacobsen*
M 118 Schiller *Anthologie auf das Jahr 1782 (Faksimileausgabe)*
M 119 Hoffmeister *Petrarkistische Lyrik*
M 120 Soudek *Meister Eckhart*
M 121 Hocks/Schmidt *Lit. u. polit. Zeitschriften 1789–1805*
M 122 Vinçon *Theodor Storm*
M 123 Buntz *Die deutsche Alexanderdichtung des Mittelalters*
M 124 Saas *Georg Trakl*
M 126 Klopstock *Oden und Elegien (Faksimileausgabe)*
M 127 Biesterfeld *Die literarische Utopie*
M 128 Meid *Barockroman*
M 129 King *Literarische Zeitschriften 1945–1970*
M 130 Petzoldt *Bänkelsang*